Paradiset

Av Liza Marklund:

Gömda 1995, reviderad upplaga 2000
Sprängaren 1998
Studio sex 1999
Paradiset 2000

ISBN 91-642-0016-7

Utgiven av Piratförlaget
Omslag: Mi Johansson
Omslagsfoto: Fredrik Hjerling
Tryckt i Danmark hos Nørhaven Paperback A/S 2002

Andra pocketupplagan

Paradiset

av

Liza Marklund

pirat

Prolog

TIDEN ÄR SLUT, tänkte hon. Det är så här det är att dö.

Hon slog huvudet i asfalten, medvetandet svajade till. Skräcken försvann tillsammans med ljudintrycken. Stillhet rådde.

Tankarna var lugna och klara. Mage och kön pressade mot marken, is och grus mot hår och kind.

Hur underligt allting kan vara. Så lite man egentligen kan förutse. Vem hade kunnat ana detta, att det skulle bli just här? En främmande kust, långt upp i norr.

Så såg hon pojken framför sig igen, hans utsträckta armar, kände skräcken, hörde skotten, fylldes av gråten och sin egen ofullkomlighet.

Förlåt, viskade hon. Förlåt mig för min feghet, mina usla tillkortakommanden.

Plötsligt kände hon vinden igen. Den slet i hennes stora väska, gjorde ont. Ljuden återvände, ena foten värkte. Hon blev medveten om kylan och fukten som gått igenom hennes jeans. Hon hade bara ramlat, inte träffats. Tanken blev blank igen, en enda återstod.

Måste härifrån.

Hon pressade sig upp på alla fyra, vinden slog ner henne igen, hon reste sig. Byggnaderna gjorde byarna oberäkneliga, de svepte längs gatan från havet som obarmhärtiga påkslag.

Jag måste härifrån. Nu.

Hon visste att mannen fanns någonstans bakom henne. Han spärrade passagen tillbaka till staden, hon var fast.

Jag kan inte stå kvar här i strålkastarljuset. Jag måste bort. *Bort!*

En ny vindby fick henne att tappa andan. Hon kippade, vände ryggen till, fler strålkastare, gula, gjorde guld av sjaskigheten, vart skulle hon ta vägen?

Hon tog väskan och sprang med vinden med sig mot en byggnad vars långsida vette mot vattnet. En lång lastkaj löpte längs sidan, en massa bråte som blåst omkull, en del ner på marken, vad i all sin dar? En trappa? En skorsten! Möbler. En gynekologstol. En T-Ford. En instrumentpanel till ett stridsflygplan.

Hon hävde sig upp på kajen, slet upp väskan, kryssade mellan badkar och skolbänkar och kröp ihop bakom ett gammalt skrivbord.

Han hittar mig, tänkte hon. Det är bara en tidsfråga. Han kommer aldrig att ge upp.

Hon stod i fosterställning, vajande, flämtande, blöt av svett och asfaltsörja. Insåg att hon gått i fällan. Här kom hon inte undan. Det enda han behövde göra var att gå fram, sätta revolvern mot hennes bakhuvud och trycka av.

Försiktigt kikade hon fram under ena lådhurtsen. Såg inget, bara is och magasin, badande i gult strålkastarguld.

Jag måste vänta, tänkte hon. Jag måste få koll på var han är. Sedan måste jag försöka smita.

Efter några minuter började hennes knäveck att värka. Lår och underben blev stumma, vristerna brände, särskilt den vänstra. Hon måste ha stukat den när hon föll. Blod droppade från såret i pannan och ner på kajen.

Så såg hon honom. Han stod vid kajkanten, tre meter bort, hans hårda profil i mörker mot gult. Vinden bar med sig hans viskning.

– Aida.

Hon kröp ihop och blundade hårt, gjorde sig liten, ett djur, osynlig.

– Aida, jag vet att du är här.

Hon andades med öppen mun, ljudlöst, väntade. Blåsten var på hans sida, gjorde hans steg stumma. Nästa gång hon tittade upp gick han på andra sidan den breda gatan, längs med stängslet, vapnet diskret redo under jackan. Hennes andning accelererade, kom i ojämna stötar, gjorde henne vimmelkantig. När han gled runt hörnet och in i det blå magasinet reste hon sig, hoppade ner på asfalten och sprang. Fötterna dånade, förrädisk vind, väskan slog mot ryggen, håret i ögonen.

Hon hörde aldrig skottet, anade bara den visslande kulan förbi huvudet. Började löpa i sick-sack, tvära ologiska kurvor. Ny vissling, ny vändning.

Plötsligt var marken slut, den rasande Östersjön tog vid. Vågor som segel, vassa som glas. Hon tvekade bara ett ögonblick.

Mannen gick fram till kanten där kvinnan hoppat och spanade ut över havet. Han kisade, vapnet redo, försökte se hennes huvud mellan vågorna. Lönlöst.

Hon skulle aldrig klara det. För kallt, för hård vind. För sent.

För sent för Aida från Bijelina. Hon blev för stor. Hon var för ensam.

Han stod kvar en stund, lät kylan bita. Vinden låg rakt emot honom, kastade isbitar i hans ansikte.

Ljudet av Scaniabilens startmotor bakom honom sveptes iväg, bortåt, bakåt, nådde honom aldrig. Trailern gled iväg i guldskenet, ljudlöst, spårlöst.

Del ett

Oktober

Jag är ingen ond människa.

Jag är ett resultat av mina villkor och omständigheter. Alla människor föds till samma liv, det är bara förutsättningarna som skiljer: genetiska, kulturella, sociala.

Jag har dödat, det är sant, men egentligen ointressant. Frågan är om människan som inte lever längre överhuvudtaget förtjänade att göra det. Jag känner min ståndpunkt, men den behöver inte överensstämma med någon annans.

Jag kan uppfattas som våldsam, vilket inte behöver ha något med ondska att göra. Våld är makt, precis som pengar eller inflytande. Den som väljer att bruka våldet som ett redskap kan göra det utan ondska. Priset måste dock alltid betalas.

Att ta våldet till sig är inte gratis, du måste lämna din själ i pant. Därmed varierar insatsen, för mig fanns inte mycket att överge.

Tomrummet fylls sedan med förutsättningarna som behövs för att orka bruka våldet, ondskan är en, förtvivlan en annan, hämnden en tredje, raseriet en fjärde, lusten hos de sjuka.

Och jag är ingen ond människa.

Jag är ett resultat av mina villkor och omständigheter.

Söndag 28 oktober

SECURITAS-VAKTEN VAR VAKSAM. Förödelse efter nattens orkan fanns överallt, omkullblåsta träd, plåtbitar från magasinsbyggnader och tak, kringspridda lagerdelar.

När han kom till Frihamnen tvärnitade han. På den breda planen ut mot havet låg insidan av en flygplanscockpit, sjukvårdsutrustning, delar av ett badrum. Det tog några sekunder innan vakten förstod vad han betraktade: vrakdelar från Sveriges Televisions rekvisitaförråd.

De döda människorna såg han inte förrän han stängt av motorn och knäppt av sig säkerhetsbältet. Egendomligt nog kände han varken fasa eller skräck, bara genuin förvåning. De svartklädda liken låg utsträckta framför en trasig trappa från någon nedlagd tv-serie. Innan han ens klivit ur bilen visste han att männen var mördade. Det krävde ingen större slutledningsförmåga. Männens skallar var delvis borta, något kladdigt hade runnit ut på den isiga asfalten i deras ställe.

Utan tanke på sin egen säkerhet gick vakten ut ur sitt fordon och fram till männen. Avståndet var inte mer än ett par meter.

Hans reaktion kunde närmast liknas vid förundran. Liken såg väldigt konstiga ut, som Marty Feldmans småbröder. Deras ögon hade delvis trängt ut ur sina hålor, tungorna hängde ut, bägge hade ett litet märke högt upp på huvudet och båda saknade ett öra och, som sagt, stora delar av bakhuvud och hals.

Den levande mannen betraktade de två döda under en tidsrymd som han senare inte kunde precisera. Stunden avbröts när en kvardröjande stormby kom svepande ner mellan Lantmännens sädescisterner och fällde Securitas-vakten till marken. Han tog emot sig med armarna och råkade lägga högra handen i det ena likets utspillda hjärnsubstans. Känslan av den kalla, trögflytande sörjan mellan fingrarna resulterade i ett hastigt och kraftfullt illamående hos den levande. Han kräktes på kofångaren till sin bil och torkade därefter frenetiskt bort det kladdiga från fingrarna på förarsätets plyschklädsel.

Polisens länskommunikationscentral på Kungsholmen i Stockholm fick larmet från Frihamnen klockan 05.31. Nyheten nådde tidningen Kvällspressen tre minuter senare. Det var Leif som ringde.

– Bil 1120 är på väg till Värtan, och två ambulanser.

Vid denna tidpunkt på morgonen, fyrtionio minuter efter manusstopp och tjugosex minuter före tryckstart, befann sig redaktionen som vanligt i ett koncentrerat och kreativt kaos. Alla redigerare bankade rödögda in de sista rubrikerna, putsade på de sista formuleringarna i ettapuff och bildtexter och rättade korrfel. Nattchefen Jansson var upptagen av att granska klapp och dåna iväg sidor till tryckeriet via den nya, elektroniska motorvägen.

Medarbetaren som fick ta emot allmänhetens tips i det här läget var nattredaktionens textgranskare, Annika Bengtzon.

– Betyder? sa hon och skrev frenetiskt på en postit-lapp.

– Minst två mord, sa Leif och bröt samtalet för att hinna vara först med nyheten även på nästa tidning. Den som kom tvåa med ett tips fick inga pengar.

Annika reste sig och släppte luren i samma rörelse.

– Två döingar i Värtan, kan vara mord, inte bekräftat, sa hon till Janssons bakhuvud. Vill du ha det i skogsupplagan?

– Nix, sa bakhuvudet.

– Ska jag lägga ut det på Carl och Bertil? undrade hon.

– Japp, svarade bakhuvudet.

Hon gick bort mot reporterbåsen, den gula lappen fastlimmad som en flagga på sitt pekfinger.

– Jansson vill att du kollar det här, sa hon och siktade med fingret på reportern.

Carl Wennergren drog loss lappen med lätt äcklat uttryck.

– Bertil Strand har kommit om ni behöver åka ut, sa hon. Han är nere i fotolabbet.

Annika vände på klacken och gick utan att Carl svarat. Deras relation var inte den hjärtligaste. Hon sjönk ner på sin plats, ganska slut i huvudet. Det hade varit en riktigt jobbig natt med massor av handbollsräddningar på mållinjen. En orkan hade dragit in över Skåne föregående kväll och sedan fortsatt upp över landet. Kvällspressen hade satsat ordentligt på att bevaka ovädret och haft rejäl framgång. Man hade lyckats få ner både reportrar och fotografer med sista planet till Sturup för att förstärka Malmöredaktionen. Journalisterna i Växjö och Göteborg hade varit igång hela natten, plus ett koppel av frilansande stringers, både text och foto. Allt material hade landat på nattdesken, och det hade varit Annikas uppgift att sammanställa och strukturera artiklarna. Det innebar att hon skrivit om varenda en så att de skulle passa ihop med varandra och i sitt sammanhang. Ändå stod inte hennes namn någonstans i tidningen, förutom under den faktaruta om orkaner som hon satt ihop i förväg. Hon var textredigerare, en av alla de anonyma journalister som aldrig syntes.

– Satans helvete! gapade plötsligt Jansson. Den jävla gula har inte gått över på ettabilden. Satans jävla...

Han kastade sig bort mot fotodesken och skrek efter bildredaktören Pelle Oscarsson. Annika log matt, du sköna nya värld. Enligt framtidsprofeterna skulle den digitala tekniken göra allting snabbare, säkrare, enklare. I själva verket bodde det en liten jävel på ISDN-linan till tryckeriet som med ojämna mellanrum åt upp en av färgfilerna, vanligtvis den gula. Om misstaget inte upptäcktes resulterade det i mycket märkliga färgbilder i tidningen. Jansson hävdade att färgätaren var samma jävel som bodde i hans tvättmaskin och ständigt åt upp den ena strumpan.

– ISDN, fnös nattchefen på väg tillbaka till sin plats när katastrofen var avvärjd och bilden omsänd. Inte Skickar Denna Något.

Annika plockade ihop på sitt bord.

– Det blev okey ändå, eller hur? sa hon.

Jansson sjönk ner i sin stol och stoppade en otänd Blend mellan tänderna.

– Jävla bra jobbat inatt, sa han och nickade uppskattande. Jag såg originaltexterna. Du fick ihop det förjävla bra.

– Det funkar nog, sa Annika generat.

– Vad var det för döingar i hamnen?

Annika ryckte på axlarna.

– Vet ej. Vill du att jag ska kolla?

Jansson reste sig och gick bort mot rökkuren.

– Gör det, sa han.

Hon började med SOS alarmering.

– Vi har skickat två ambulanser, bekräftade driftsledaren.

– Inte politivagnar? undrade Annika.

– Det diskuterades, men det var en väktare som ringde. Vi skickade ambulanser.

Annika antecknade. Likbilarna skickades bara fram om det var garanterat säkert att offren var döda. Enligt reglementet fick poliser bara beställa politivagn om offrets huvud var skilt från kroppen.

Det var svårt att komma fram på polisens LKC. Det tog flera minuter innan någon svarade. Sedan dröjde det ytterligare fem minuter innan vakthavande kunde komma loss. När han väl tog telefonen var han klar och koncis.

– Vi har två döda, sa han. Två män. Skjutna. Vi kan inte säga om det rör sig om mord eller självmord. Du får återkomma.

– De hittades i Frihamnen, sa Annika snabbt. Säger det er någonting?

Vakthavande tvekade.

– Jag kan inte spekulera alls i det här läget, sa han. Men du kan ju tänka själv.

När hon lade på luren visste hon att tidningen skulle domineras av dubbelmordet i flera dagar. Av någon anledning var två mord inte dubbelt så stort som bara ett mord, utan oändligt mycket större.

Hon suckade och funderade på att hämta en plastkopp kaffe. Hon var törstig och matt, det skulle vara gott. Men koffein den här tiden på dygnet skulle göra henne stirrande klarögd långt frampå förmiddagen, blicken i taket och tröttheten bankande i kroppen.

Äh vafan, tänkte hon och gick bort till automaten.

Det var hett och gjorde gott. Hon satte sig ner vid sin plats vid nattdesken, lade upp fötterna på skrivbordet.

Ett litet dubbelmord i Frihamnen, så det kan bli.

Blåste på kaffet.

Att offren var skjutna antydde att detta inte var en fyllegrej olycksbröder emellan. Fyllegubbar dödade varandra med knivar, flaskor, knytnävar, sparkar eller knuffar ut från balkonger. Om de hade haft tillgång till vapen hade de sålt dem och köpt sprit.

Hon hällde i sig drycken, slängde plastkoppen, gick på muggen och drack vatten.

Två män, det tydde verkligen inte på mord och självmord, inte i Frihamnen under en orkan. Man kunde troligtvis utesluta svartsjuka som motiv. Det betydde att de mer journalistiskt intressanta motiven låg öppna för spekulation. Kriminella uppgörelser, innefattande allt från mc-gäng till olika maffiagrupperingar och ekonomiska syndikat. Politiska motiv. Internationella förvecklingar.

Annika gick tillbaka till sin plats. Ett visste hon med säkerhet. Hon skulle inte komma i närheten av det här mordet. Det var andra som skulle bevaka det för tidningen Kvällspressens räkning. Hon samlade ihop sina ytterkläder.

På helgerna tjänstgjorde ingen särskild morgonredaktion, vilket innebar att Jansson skulle stanna kvar tills alla förortsupplagor också gått i tryck. Annika slutade klockan sex.

– Jag skiter i det här nu, sa hon när nattchefen passerade. Han såg dödstrött ut, hade gärna sett att hon stannat.

– Ska du inte vänta på tidningen? sa han.

Buntarna kom med budbil från tryckeriet en kvart efter tryckstart. Annika skakade på huvudet, ringde en taxi, reste sig, drog på sig jackan, halsduken och vantarna.

– Kan du komma in tidigare ikväll? ropade Jansson efter henne. Sopa upp efter orkanhelvetet?

Annika hissade upp bagen och ryckte på axlarna.
– Vem har ett liv?

Thomas Samuelsson rörde lätt vid sin hustrus mage. Den gamla hårdheten var borta, hullet var lent och varmt under hans händer. Sedan Eleonor blivit kontorschef på banken hade hon inte haft tid att träna lika hårt som tidigare.

Han lät handen långsamt cirkla sig nedåt, över naveln, hittade ljumsken, lät pekfingret långsamt följa vecket och glida in mellan låren, kände håret, fann fukten.

– Låt bli, mumlade kvinnan, vände sig bort ifrån honom.

Han suckade, svalde, rullade över på rygg, hans egen upphetsning dunkande som en hammare. Han flätade ihop fingrarna, lade händerna under huvudet, stirrade i taket. Hörde hennes andetag bli långa och lugna igen. Hon ville aldrig numera.

Irriterat vräkte han undan täcket och gick naken ut i köket, kuken slokande som en uttorkad tulpan. Drack vatten ur ett odiskat glas, hällde kaffe i nytt filter, fyllde på vatten och knäppte på bryggaren, gick och pissade. Håret i badrumsspegeln stod på ända, gav honom ett oansvarigt utseende som passade bättre med hans ålder. Han suckade, drog händerna genom kalufsen.

Det är för tidigt med en fyrtiårskris, tänkte han. Åt helvete för tidigt.

Han gick tillbaka till köket och ställde sig att stirra ut över havet. Det var svart och vilt. Nattens storm dröjde kvar i skum och gäss, grannens solur låg på sniskan intill deras altandörr.

Vad är det för mening? tänkte han. Varför håller man på?

Han fylldes av en stor och mörk melankoli, insåg själv att den gränsade till självömkan. Det drog från fönstret, jävla fuskbygge, han frös till, suckade, gick och hämtade morgonrocken. En present från hustrun förra julen, grön blå vinröd, dyr, från NK. Matchande tofflor till, han hade aldrig använt dem.

Kaffebryggaren gurglade. Han tog fram en mugg med bankens logga och satte på radion, prickade Ekots sändning. Nyheterna filtrerades genom leda och kaffe och träffade planlöst. Orkan som svept fram över södra Sverige och orsakat stora skador. Abonnenter utan el. Försäkringsbolagen lovar. Två män döda. Säkerhetszonen i södra Libanon. Kosovo.

Han stängde av, gick ut i hallen, drog på sig stövlarna och hämtade tidningen i lådan i stället. Vinden slet i alla pappersdelar, letade sig in under hans frottérock, kylde hans lår. Han stannade upp, blundade, andades. Det låg is i luften, havet skulle frysa till.

Han såg ner på villan, det vackra hus som hennes föräldrar låtit bygga, arkitektritat. Det lyste i köket på övre våningen, lampan över bordet av en designer som han glömt namnet på. Skenet var grönaktigt och kallt, ett ont öga som vakade över havet. Mexiteglet var grått i gryningsljuset. Hans mor hade alltid tyckt att det var Vaxholms vackraste villa. Hon hade erbjudit sig att sy gardiner till alla rum när de flyttade in. Eleonor hade avböjt, artigt men bestämt.

Han gick in. Bläddrade igenom alla delar utan att kunna koncentrera sig, strandade som vanligt på bostadsannonserna. Femma i Vasastan, kakelugnar i varje rum. Tvåa i Gamla stan, takvåning m. synliga bjälkar, utsikt i tre väderstreck. Torp utanför Malmköping, timrat, el o. sommarvatten, höstpris!

Han kunde höra hustruns röst i sitt inre.

Dagdrömmare! Tänk om du ägnade hälften så mycket tid åt aktiemarknaden som åt lägenhetsannonser, då hade du varit miljonär.

Hon var det redan.

Genast skämdes han. Hon ville bara väl. Hennes kärlek var bergfast. Problemet var han, det var han som inte orkade. Det var möjligt att hon hade rätt, att han hade svårt att hantera hennes framgång. Kanske de skulle gå till den där terapeuten, trots allt.

Han vek ihop tidningsdelarna i deras originalveck, Eleonor ville inte läsa begagnade artiklar, lade den på sidobordet för post och tidskrifter. Sedan gick han tillbaka in till sovrummet, gled ur sin rock och ner mellan lakanen. Hon vred sig i sömnen när hon kände hans kalla kropp. Han drog henne intill sig, blåste i hennes mjuka nacke.

– Jag älskar dig, viskade han.

– Och jag dig, mumlade hon.

Carl Wennergren och Bertil Strand kom fram till Frihamnen en liten aning för sent. När de parkerade fotografens tjänste-SAAB såg de ambulanserna glida fram och passera under avspärrningarna. Reportern kunde inte undslippa sig ett missbelåtet litet satan. Bertil Strand körde alltid så oerhört försiktigt, höll femtio eller till och med trettio trots att det inte var en käft ute. Fotografen uppfattade den outsagda kritiken och irriterades.

– Du låter som en kärring, sa han till reportern.

Männen lunkade fram mot polisplasten, en lucka mellan dem markerade deras känslomässiga avstånd. När blåljusen och polisernas rörelser blev tydliga sjönk misstroendet undan, händelserna tog över.

Snutarna var snabba idag, hade väl adrenalinet uppe efter ovädret. Avspärrningarna var stora, från stängslet till vänster och ända bort till kontorsbyggnaden längst till höger. Bertil Strand lät blicken svepa runt området, häftigt ställe. Nästan mitt i stan och ändå helt off. Bra ljus, klart men ändå varmt. Magiska skuggor.

Carl Wennergren knäppte sin oljerock, jävlar vad kallt det var.

De såg inte särskilt mycket av offren. Bråte, poliser och ambulanser skymde sikten. Reportern stampade med fötterna, drog upp axlarna mot öronen, händerna i fickorna, hatade morgontjänsten. Fotografen fiskade upp kamerahus och teleobjektiv ur sin rygga och gled iväg längs avspärrningen. Längst bort till vänster fick han iväg ett par bra skott, uniformer i profil, svarta lik, civilklädda tekniker med keps.

– Klart, hojtade han till reportern.

Carl Wennergrens näsa hade blivit röd, en liten droppe genomskinligt snor hängde längst ut på spetsen.

– Vilket jävla ställe att dö på, sa han när fotografen kom tillbaka.

– Ska vi hinna få med något till förorten är det dags att dra, sa Bertil Strand.

– Men jag är inte färdig, sa Carl Wennergren. Jag har ju inte ens börjat.

– Du får ringa från bilen. Eller redaktionen. Skynda dig och insup lite lokalfärg så att du kan krydda lite.

Fotografen gick bort mot bilen, ryggsäcken guppade. Reportern följde efter. De satt tysta hela vägen till Marieberg.

Anders Schyman klickade irriterat bort tt-kön, den var som en drog. Man kunde ställa in datorn så att telegrammen sorterades efter ämnesområden, inrikes, utrikes, sport, feature, men han föredrog att ha alla i samma korg. Han ville ha reda på allt, samtidigt.

Han gick ett varv i sitt trånga rum, sitt akvarium, rullade lite med axlarna. Satte sig i stinksoffan och plockade upp dagens tidning, orkan-extra. Han nickade nöjt för sig själv, hans intentioner hade gått hem. Avdelningarna hade samarbetat på det sätt han föreslagit. Jansson hade berättat att Annika Bengtzon stått för den rent praktiska koordinationen, det funkade jävligt bra.

Annika Bengtzon, tänkte han och suckade.

Den unga textredigeraren hade på ett slumpmässigt och beklagligt sätt kommit att hänga ihop med hans ställning på tidningen. Han och Annika Bengtzon hade kommit till redaktionen med ett par veckors mellanrum. Hans första strid med den övriga ledningen hade kommit att gälla just henne. Den handlade om ett långtidsvikariat på nyhetsredaktionen, han hade ansett att Annika Bengtzon var självskriven. Visserligen var hon för ung, för omogen, för hetsig och för orutinerad, men hon hade potential långt över genomsnittet, ansåg han. Hon var okunnig men etiskt medveten. Hon drevs av ett rättspatos som var odiskutabelt. Hon var snabb och stilistiskt säker. Dessutom hade hon klara drag av stridsvagn, vilket var en oerhörd tillgång för en kvällstidningsreporter. Om hon inte kom runt ett hinder så körde hon över det, gav aldrig upp.

Resten av ledningen, förutom nattchefen Jansson, delade inte hans bedömning. De ville anställa Carl Wennergren, son till en av ledamöterna i styrelsen, en snygg och rik kille med betydande luckor i moralen. Han gled både på sanningen och källskyddet. Obegripligt nog ansågs det vara hedervärt, eller åtminstone inte kontroversiellt, hos resten av ledningen.

Ledningsgruppen på tidningen Kvällspressen bestod enbart av vita, heterosexuella, medelålders män med bil och inkomst, sådana som både samhället och tidningen var byggda av och för. Anders Schyman misstänkte att Carl Wennergren påminde dessa män om dem själva när de var unga, eller kanske snarare personifierade illusionen om deras egen ungdom.

Slutligen hade han hittat ett graviditetsvikariat som textredigerare på Janssons nattlag som hon gått med på att ta. Han hade fått bråka med ledningen innan de accepterat hans vilja. Annika Bengtzon kom att bli det fall han var tvungen att driva för att visa sin handlingskraft. Det tog en ände med förskräckelse.

Några dagar efter att tillsättningen blivit offentlig hade tjejen ihjäl sin pojkvän. Hon hade slagit honom med ett järnrör så att han trillat ner i en övergiven masugn på bruket i Hälleforsnäs. Redan de allra första ryktena talade om självförsvar, men Anders Schyman mindes fortfarande känslan när han fick reda på det, önskan att sjunka genom jorden, och så tanken: Snacka om att satsa på fel häst. På kvällen hade hon ringt honom hem, fåordig, i chock, bekräftat att ryktet var sant. Hon hade förhörts och delgivits misstanke om vållande till annans död, men var inte anhållen. Hon skulle bo några veckor i ett torp ute i busken tills polisutredningen var klar. Hon hade undrat om hon fortfarande hade något jobb på Kvällspressen.

Han hade sagt som det var, att vikariatet var hennes även om det fanns folk på tidningen som beklagade det, hon var ingen favorit hos facket. Vållande till annans död innebar någon form av olyckshändelse. Om hon dömdes för att ha orsakat en olyckshändelse där någon miste livet så var det beklagligt, men det utgjorde ingen grund för uppsägning. Om hon skulle få ett längre fängelsestraff så skulle hon förstås ha svårt att få någon förlängning på sitt vikariat, det måste hon vara medveten om.

När han kommit så långt hade hon börjat gråta. Han hade kämpat mot sina instinkter att ryta åt henne, klandra henne för hennes monumentala klumpighet, för att hon dragit med honom ner i skiten.

– Jag får inte fängelse, hade hon viskat i luren. Det var han eller jag. Han skulle ha dödat mig om jag inte slagit till honom. Åklagaren vet det också.

Hon hade börjat jobba på nattlaget som det var tänkt, blekare och magrare än någonsin. Hon pratade med honom ibland, med Jansson, Berit, Bild-Pelle och några till, men annars höll hon sig för sig själv. Enligt Jansson gjorde hon ett jävla bra jobb på natten, skrev om, lade till, kontrollerade faktauppgifter, gjorde bildtexter och skrev ettapuffar, gjorde aldrig något väsen av sig. Ryktena dog ut, snabbare än han trott. Tidningen sysslade med mord och skandaler varenda dag, det fanns gränser för hur länge man orkade skvallra om ett tragiskt och olyckligt dödsfall.

Målet med den förolyckade och kvinnomisshandlande bandyspelaren Sven Matsson från Hälleforsnäs hade ingen hög prioritet hos tingsrätten i Eskilstuna. Åtalet löd på dråp alternativt vållande till annans död. Domen kom strax före midsommar i fjol. Annika Bengtzon frikändes för dråpet men dömdes på den lindrigare åtalspunkten, straffet blev skyddstillsyn. Under en period hade hon varit tvungen att gå på någon form av terapi som ett led i skyddstillsynen, men såvitt han visste var hela saken utagerad i rättsväsendets ögon sedan ett bra tag tillbaka.

Redaktionschefen gick tillbaka till sitt skrivbord och klickade fram tt-telegrammen igen, ögnade dem som rullat in sedan sist. Söndagens sportresultat började komma, orkanens efterverkningar fortsatte, en gäng repriserade telegram från lördagen. Han suckade igen, allting bara rullade på, det tog aldrig slut, inte någonstans, och nu skulle det omorganiseras igen.

Chefredaktör Torstensson ville införa en ny chefsnivå, centralisera besluten. Modellen fanns redan på Konkurrenten och på flera andra rikstäckande medier. Torstensson hade bestämt att det var dags för Kvällspressen att göra likadant och bli ett "modernt" företag. Anders Schyman var villrådig. Alla tecken på en annalkande katastrof fanns där. Den sviktande upplagan. De dåliga boksluten. Styrelsens allt bistrare miner. Redaktionen som krängde i storm, med dåligt roder och halvtrasig radar. Sanningen var att Kvällspressen inte visste vart den var på väg eller varför. Han hade inte lyckats förmedla det kollektiva medvetandet om var gränserna gick, trots stora seminarier och konferenser om medias villkor och ansvar. De regelrätta, publicistiska haverierna hade i och för sig undvikits sedan han kommit till tidningen, men reparationsarbetet av tidigare skador gick långsamt.

Dessutom, och detta bekymrade honom en aning mer än han ville erkänna, hade Torstensson låtit undslippa sig detaljer om ett annat jobb, ett fint uppdrag i Bryssel. Kanske var det därför omorganiseringen brådskade. Torstensson ville lämna ett avtryck, och gudarna skulle veta att han knappast gjort något via sina publicistiska insatser.

Schyman stönade, klickade ner kön igen, otålig.

Det måste hända något snart.

Dunklet ruvade redan i vrårna när hon vaknade. Den korta dagen hade gett upp medan hon svettats och bökat i sängen, skulle inte ha druckit den där sista koppen kaffe. Hon drog några djupa andetag, tvingade sig att ligga stilla, kände efter hur hon mådde. Det gjorde inte ont någonstans. Huvudet kändes lite tungt, men det berodde på den ständiga dygnsomställningen. Hon såg upp i taket, fläckigt och grått. Den förra hyresgästen hade målat plastfärg på den gamla limfärgen, hela innertaket hade spruckit i olika nyanser, hon följde sprickorna med blicken, trasiga oregelbundna. Hittade fjärilen i mönstret, bilen, döskallen. En ensam ton började tjuta i hennes vänstra öra, ensamhetstonen, gungade lite upp och ner på skalan.

Hon suckade, måste kissa, så otroligt besvärligt. Reste sig ur sängen, träet strävt under fötterna, ibland fick hon stickor. Drog på sig morgonrocken, tyget var silkigt och kallt mot huden, hon rös till. Öppnade ytterdörren, lyssnade utåt trapphuset. Tyst bakom tonen. Hon tassade snabbt en halvtrappa ner till den gemensamma toaletten, blev genast kall och grusig under fötterna, orkade inte bry sig.

Hon märkte korsdraget så fort hon kom tillbaka upp till lägenheten. De tunna gardinerna svepte längs väggarna trots att hon inte vädrade. Hon stängde dörren bakom sig, voilen dog, hon torkade av fötterna på hallmattan och gick in i vardagsrummet.

En av de övre rutorna hade krossats under natten, blåst sönder eller kraschats av flygande skräp. Den yttre rutan verkade ha rasat ut helt och hållet, den inre hade fortfarande stora skärvor kvar längs kanten. På golvet under fönstret låg puts och glas, hon såg på förödelsen, blundade, strök sig över pannan.

Så typiskt, tänkte hon, orkade inte formulera ordet glasmästare.

Det drog runt benen, hon lämnade vardagsrummet och satte sig i köket. Sjönk ner på köksstolen och tittade ut genom fönstret, in i lägenheten på tredje våningen i gathuset. Den användes som representationsvåning för ett byggföretag, badrumsfönstret hade frostat glas. Människorna som bodde där en natt eller två reflekterade aldrig över att de syntes när de gick på toaletten. Så fort de tände ljuset sprang deras vågiga konturer genom rutan. Hon hade sett byggföretagets kunder älska, skita och byta tamponger i över två år. I början hade det gjort henne generad, men efter en tid hade hon tyckt att det var roligt. Sedan blev hon irriterad, hon ville inte se folk stå och pissa medan hon åt middag. Numera var hon bara likgiltig. Besökarna i våningen var färre, fastigheten så nedgången, inget att visa upp. Nu var rutan grå och stum, tom.

Det hade trillat ner en massa puts från fasaden under natten, låg blandad med den smetiga snösörjan ute på bakgården. Två rutor hade krossats på första våningen. Hon reste sig, gick fram till fönstret, såg de svarta hålen där nere, som hennes eget. Kökets elradiator värmde hennes ben, hon stod kvar tills det började brännas. Hon var inte hungrig, fast hon borde, drack lite vatten direkt ur kranen.

Jag har det bra, tänkte hon. Jag har precis allt jag vill ha.

Hon gick ut i vardagsrummet igen, rastlös, satte sig i soffan, fötterna på dynan, armarna om knäna, gungade lite. Andades djupt, in ut, in ut, det var ganska kallt. Fastigheten saknade centralvärme, de lösa elementen hon köpt orkade knappt hålla lägenheten varm ens när rutorna var hela. Draget fick svängrum på den tomma golvytan. De grejer hon hade kom från Myrorna och Ikea, saker som inte hade någon historia gemensam med henne.

Hon såg sig om i rummet, gungade gungade, såg skuggorna jaga varandra. Det rena ljuset hon älskat så mycket i början var inte längre vitt. Väggarnas skimrande matthet, som brukade absorbera och återge ljuset med samma rörelse, hade torkat och blivit stumt. Dagen nådde inte längre in i hennes rum. Allt förblev grått, årstidernas växling till trots. Luften var tung och dov som lera.

Soffan kliade, det grova tyget gjorde märken i hennes skinkor, hon klöste sig lätt medan hon gick tillbaka till sovrummet och sjönk ner under de svettiga sängkläderna. Drog täcket över huvudet, det var fuktigt där under. Blev snabbt varmt, luktade lite surt. Hårdrockaren på nedre botten drog igång sin stereo, basgången fortplantade sig genom stenväggarna och fick hennes säng att darra. Tonen kom tillbaka i hennes öra, irriterande ljus, hon tvingade sig att ligga kvar. Det var fortfarande många timmar kvar tills skiftet började.

Hon vände sig mot väggen, stirrade in i tapeten. Den var övermålad med tunn, vit grundfärg, det gamla mönstret lyste genom, medaljonger. Grannarna på andra sidan trapphuset kom hem, hon hörde dem klampa och skratta. Hon lade kudden över huvudet, skratten blev dova, tonen högre.

Jag vill sova, tänkte hon. Låt mig bara få sova en stund till så orkar jag kanske fortsätta.

Mannen tände en cigarett, drog ett djupt bloss och tvingade tillbaka kaoset i sin hjärna. Han visste inte vilken känsla som var starkast: raseriet över sveket, rädslan för dess följder, genansen över att vara lurad eller hatet mot de skyldiga.

Han skulle hämnas, fy djävulen vad de skulle få betala.

Han rökte cigaretten på två minuter, den blev bara en stor jävla glöd som hängde ut som en skitkorv på slutet. Krossade den mot barens golv, vinkade till sig en shot till. Bara ett, bara detta, han måste vara klar i huvudet, måste kunna förflytta sig. Han svepte drinken, hölstret skavde skönt i armhålan, fy fan, nu var han livsfarlig.

En förklaring, tänkte han. Jag måste komma upp med en förbannat bra förklaring till hur det här kunde gå så fel.

Han tänkte beställa en fyra till men hejdade sig mitt i rörelsen.

– Kaffe. Svart.

Han fick inte ihop det. Han begrep inte vad i helvete som

hänt, och han förstod inte hur han skulle kunna förklara det för sina överordnade. De skulle kräva total gottgörelse. Det var inte liken som var problemet, även om det aldrig var bra med den sortens spill. Mördade människor drog till sig polisens uppmärksamhet och krävde större försiktighet under en period. Problemet var långtradaren. Det räckte inte med att lokalisera godset och återställa det, han skulle personligen bli tvungen att röja undan och städa upp efter fadäsen. Någon hade tjallat. Han måste hitta lasten, och han måste finna den som fått den att försvinna.

Hur han än vände och vred på det så förstod han att det hade något med kvinnan att göra. Hon måste vara inblandad, annars skulle hon inte ha varit där.

Han drack kaffet på samma sätt som drinken, i ett svep. Brände sig i svalget.

– Du är död, hora.

Hissbelysningen var lika kall som vanligt, hon såg ut som en död fisk. Annika blundade för att komma undan spegelbilden. Hon hade inte kunnat somna om utan gått ut i Rålambshovsparken, sökt luft och ljus utan att finna det. Marken hade varit mjuk och upptrampad av regn och tusentals fötter, smetig och brun. Hon hade gått upp till tidningen.

Redaktionen låg söndagstom och ödslig. Hon gick bort mot sin plats, nyhetschefen Ingvar Johansson satt precis intill och pratade i telefon, hon hejdade sig och gick bort mot krimredaktionen i stället. Blank i hjärnan sjönk hon ner på Berit Hamrins plats och ringde till sin mormor.

Den gamla kvinnan var inne i sin lägenhet i Hälleforsnäs för att tvätta och handla.

– Hur har du det? undrade mormodern. Har det blåst på dig?

Annika skrattade.

– Jo du, det ska du veta, ett av mina fönster har blåst sönder!

– Du är väl inte skadad? sa den gamla oroligt.

Annika skrattade igen.

– Nejdå, var inte så pjåskig. Hur ser det ut hos dig? Står skogen kvar?

Mormodern suckade.

– Någorlunda, men det är mycket som har fallit också. Vi har varit utan ström ett tag på morgonen, men nu är den tillbaka igen. När kommer du ner?

Annikas mormor disponerade ett torp på Harpsunds ägor efter många år som husfru på statsministerns representations- och rekreationsgods, en liten stuga utan el och vatten där Annika tillbringat alla skollov hon kunde minnas.

– Jag jobbar ikväll och en natt till, så jag kommer ut till dig någon gång på tisdag eftermiddag, sa Annika. Är det något jag ska köpa med mig?

– Inte då, sa mormodern. Ta med dig själv, det är allt jag vill ha.

– Jag längtar efter dig, sa Annika.

Hon tog en tidning, bläddrade pliktskyldigt. Dagens Kvällspressen höll rätt god klass. Orkanartiklarna kunde hon, hoppade över. Carl Wennergrens grej om dubbelmordet i Frihamnen var däremot inte särskilt mycket att hänga i julgranen. De döda männen var skjutna i huvudet, stod det, och polisen uteslöt självmord. Jaha. Sedan följde en beskrivning av Frihamnen som faktiskt var lite poetisk, Carl hade tydligen gått omkring och känt efter lite. ”Vackert slitet” var det, och ”kontinental stämning”.

– Tjena snygging, que pasa?

Annika svalde.

– Hej Sjölander, sa hon.

Chefen för kriminalredaktionen satte sig hemtamt på skrivbordet intill henne.

– Hur går det?

Annika försökte le.

– Jotack, lite trött kanske.

Mannen boxade henne lätt i axeln och blinkade.

– Hård natt, hö?

Hon reste sig, tog sin tidning, samlade ihop bag och ytterkläder.

– Stenhård, sa hon. Jag och sju grabbar.

Sjölander skrockade.

– Du vet hur man håller igång.

Hon höll upp tidningen under näsan på krimchefen.

– Jag jobbade, sa hon. Vad händer i Frihamnen?

Han såg på henne några sekunder, strök håret ur pannan.

– Inga identitetshandlingar på liken, sa han, inga nycklar, pengar, vapen, tuggummin eller kondomer.

– Muddrade, sa Annika.

Sjölander nickade.

– Polisen har inget att gå på, inte ens vilka offren var. Deras fingeravtryck finns inte i några svenska register.

– Så de har ingen aning? Deras kläder då?

Krimchefen gick bort till sitt skrivbord och slog igång datorn.

– Ytterkläderna, jeansen och skorna kom från Italien, Frankrike, USA, men kalsongerna hade text med kyrilliska bokstäver.

Annika såg upp.

– Utländska märkeskläder, sa hon, men billiga, lokala underkläder. Forna Sovjet, forna Jugoslavien eller Bulgarien.

– Du är lite inne på krimgrejer, eller hur? sa han, flinade.

Han visste, alla visste. Hon ryckte på axlarna.

– Du vet hur det är. Ränderna går aldrig ur.

Så vände hon sig om och gick bort mot nattdesken. Hörde hans frustande bakom sig. Varför spelar jag med? tänkte hon.

Slog igång datorn till höger om nattchefsplatsen, vek ihop benen på kontorsstolen och satte sig tillrätta med hakan på ena knät. Lika bra att kolla om det hänt något. Väntade tålmodigt på att alla program skulle gå igång. Drog upp tt när skärmen var klar, läste, kollade, klickade.

– Hördu, Bengtzon! Vad har du för anknytning?

Hon tittade bakåt och såg Sjölander vifta med en lur, ropade sitt nummer och fick honom i sitt öra.

– Det är en brud som vill prata om socialtjänsten, det är något om kvinnor som det är synd om, sa krimchefen. Jag hinner inte ta det nu. Det är ju liksom ditt bord, höh. Kan du?

Hon blundade, andades, svalde.

– Jag har egentligen inte börjat ännu, sa hon. Jag tänkte kolla lite på...

– Tar du det eller ska jag fimpa henne?

Suck.

– Okey, koppla in henne.

En röst, sval och lugn.

– Hallå? Jag vill tala med någon, konfidentiellt.

– Du är alltid skyddad när du ringer till en tidning, sa Annika och lät blicken glida över tt-skärmen. Vad gäller saken?

Klick klick, oavgjort i derbyt.

– Jag är inte riktigt säker på att jag har kommit rätt. Det här gäller en ny verksamhet, ett nytt sätt att skydda dödshotade människor.

Annika slutade läsa.

– Jaha, sa hon. Hur då?

Kvinnan tvekade.

– Jag har information om ett helt unikt sätt att hjälpa hotade personer till ett nytt liv. Arbetssättet är okänt för de allra flesta, men jag har fått befogenhet att föra ut informationen i media. Jag skulle vilja göra det under lugna och kontrollerade former, så därför undrar jag om det finns någon på er tidning som jag kan vända mig till.

Hon ville inte höra, ville inte bry sig. Stirrade på skärmen, fortfarande abonnenter utan el, nya raketanfall mot Grozny. Lutade huvudet i ena handen.

– Kan du skicka ett brev eller ett fax? frågade hon.

Kvinnan satt tyst, länge.

– Hallå? sa Annika, redo att lägga på med en känsla av lättnad.

– Jag vill gärna träffa den jag pratar med, under säkra omständigheter, sa kvinnan.

Hon sjönk ihop över sitt skrivbord.

– Det går inte, sa hon. Det finns ingen här nu.

– Jamen, du då?

Strök håret bakåt, hittade en ursäkt.

– Vi måste få veta vad det här rör sig om innan vi skickar ut folk, sa hon.

Kvinnan i andra änden tystnade igen, Annika suckade och försökte avsluta samtalet.

– Om det inte var något annat, så…

– Visste du att det finns människor som lever under jorden, här, nu, i Sverige idag? frågade kvinnan tyst. Kvinnor och barn som misshandlas och far illa?

Nej, tänkte Annika. Inte detta.

– Tack för att du ringde, sa hon, men det här är tyvärr inte något som vi kan bevaka just ikväll.

Kvinnan i luren höjde rösten.

– Har du tänkt lägga på nu? Har du bara tänkt strunta i mig och min verksamhet? Vet du hur många människor jag har hjälpt? Bryr du dig inte ett dugg om kvinnor som far illa? Ni journalister, ni sitter på era tidningar och förstår inte hur det ser ut i samhället.

Annika kände sig yr, kvävd.

– Du vet inget om mig, sa hon.

– Media är likadana överallt. Jag trodde Kvällspressen skulle vara bättre än de fina tidningarna, men du bryr dig inte heller om misshandlade och utsatta kvinnor och barn.

Blodet rusade upp i hennes huvud.

– Säg inte att du vet vad jag står för, sa Annika, alldeles för högt. Kom inte och påstå en massa som du inte vet.

– Varför vill du inte lyssna?

Kvinnan i luren lät sur.

Annika satte händerna för ansiktet, väntade.

– Det här handlar om personer som är isolerade, sa kvinnan i luren, mordhotade, livrädda. Hur de än gömmer sig finns det alltid någon eller något som gör att de kan spåras, en socialsekreterare, en domstol, ett bankkonto, ett daghem...

Annika svarade inte, lyssnade tyst i luren.

– De flesta är förstås kvinnor och barn som du kanske förstår, fortsatte kvinnan, det är ju de som är den stora riskgruppen i samhället. Andra är hotade vittnen, människor som hoppat av olika sekter eller jagas av maffian, journalister som skrivit avslöjande artiklar, men framför allt så är det förstås mordhotade kvinnor och barn det handlar om.

Annika tog tveksamt upp en penna, började anteckna.

– Vi är en grupp, sa kvinnan, som ligger bakom den här nya verksamheten. Det är jag som är föreståndare. Är du kvar?

Annika harklade sig.

– Vad är det som skiljer er från de gamla kvinnojourerna?

Kvinnan i luren suckade lite uppgivet.

– Allt. Kvinnojourerna drivs med knappa, offentliga medel. De har inga resurser att åstadkomma det vi gör. Vi är ett rent privat initiativ, med helt andra möjligheter.

Pennan slutade fungera, Annika kastade den i pappersåtervinningen och grävde fram en ny.

– Hur då?

– Jag vill helst inte prata mer per telefon. Skulle du ha möjlighet att träffa mig?

Annika sjönk ihop, ville inte, orkade inte.

– Bengtzon!

Ingvar Johansson tornade upp sig ovanför henne.

– Ett ögonblick, sa hon i luren och lade den mot bröstet. Vad?

– Om du inte gör någonting så kan du väl skriva in det här.

Nyhetschefen höll fram en packe sportresultat ur de lägre serierna.

Frågan träffade Annika som en knytnäve i magen. Nä nu jävlar! De tänkte använda henne till sådant hon gjorde som fjortonåring på Katrineholms-Kuriren, sitta och pricka in resultat i tabeller.

Hon vände sig bort från Ingvar Johansson, tog upp luren och sa:

– Jag skulle kunna träffa dig, nu genast.

Kvinnan blev glad.

– Redan ikväll? Så bra!

Annika bet ihop tänderna, kände nyhetschefens närvaro i nacken.

– Var passar det dig? frågade hon.

Kvinnan nämnde namnet på ett hotell i en förort där Annika aldrig varit.

– Om en timme?

Ingvar Johansson var borta när hon lagt på. Snabbt drog hon på sig jackan, hängde bagen på axeln, kollade vaktmästeriet, det fanns förstås inga tidningsbilar inne, ringde en taxi. Hon gjorde vad hon ville på sin fritid.

Skriv in dina jävla tabeller själv, kukskalle.

– Är du klar älskling?

Hans hustru stod med ytterkläderna på i öppningen till gillestugan, drog på sig nappahandskarna.

Han hörde sin egen förvåning.

– För vad?

Hon slet i det tunna skinnet, irriterad.

– Företagarföreningen, sa hon. Du lovade att du skulle gå med.

Thomas slog ihop kvällstidningen och satte ner fötterna på golvet, klinkers med golvvärme.

– Ja, naturligtvis, sa han. Förlåt. Jag glömde bort.

– Jag går ut och väntar, sa hon, vände på klacken och försvann.

Han suckade tyst. Tur att han hade duschat och rakat sig åtminstone.

Han gick upp till deras sovrum, drog av sig jeans och t-shirt på vägen. Hoppade i en vit skjorta, kostym, hängde en slips runt halsen. Hörde BMW:n starta därute, varva, uppfordrande.

– Ja ja, sa han.

Alla lampor i hela huset stod på, men han tänkte minsann inte springa runt och släcka. Han gick ut med rocken över armen och skorna oknutna, halkade på en isfläck och höll på att ramla.

– Man kan faktiskt sanda, sa Eleonor.

Han svarade inte, slog igen passagerardörren och höll emot sig mot instrumentbrädan när hon körde ut på Östra Ekuddsgatan. Knöt slipsen på vägen, skosnörena fick han knyta när han kom in.

Det hade blivit mörkt. Var hade den här dagen tagit vägen? Den dog innan den föddes. Hade det varit ljust alls?

Han suckade.

– Hur är det vännen? frågade hon, vänlig nu.

Han stirrade ut genom fönstret, ut mot havet.

– Känner mig lite risig, sa han.

– Det kanske är det där viruset som Nisse hade, sa hon.

Han nickade, ointresserad.

Företagarföreningen. Han visste precis vad de skulle prata om. Turister. Hur många de varit, hur man skulle få fler och behålla dem som redan hittat ut till kommunen. Man skulle diskutera problemet med affärsidkare som bara höll öppet över de korta sommarmånaderna och utarmade de bofasta. Den goda maten på Waxholms hotell. Förberedelserna inför julmarknaden, kvällsöppet och helgöppet. Alla skulle vara där. Alla skulle vara glada och engagerade. Så var det alltid, oavsett vilket jippo de gick på. Det hade varit mycket konst på senaste tiden. Mycket med församlingen också. Mycket om bevarandet av gamla hus och trädgårdar, och helst skulle någon annan betala.

Han suckade igen.

– Ryck upp dig nu, sa hans hustru.

– Annika Bengtzon? Det är jag som är Rebecka Björkstig.

Kvinnan var ung, mycket yngre än Annika trott. Liten, smal, påminde om porslin. De hälsade.

– Jag ber om ursäkt för den udda mötesplatsen, sa Rebecka. Vi kan inte vara nog försiktiga.

De gick genom en öde korridor och kom ut i en kombinerad lobby och bar. Belysningen var sparsam, stämningen påminde om den på statliga hotell i gamla Sovjetunionen. Runda bruna bord med fåtöljer vars rygg och armstöd gick i ett. Några män talade lågmält i motsatta hörnet, resten av lokalen var tom.

Annika fick en surrealistisk känsla av gammal spionthriller och kände en intensiv impuls att fly. Vad gjorde hon här?

– Så bra att vi kunde träffas så snabbt, sa Rebecka och slog sig ner vid ett bord, kastade försiktiga blickar över axeln mot männen längre bort.

Annika mumlade något ohörbart.

– Kommer det här i tidningen i morgon? undrade kvinnan och log förhoppningsfullt.

Annika skakade på huvudet, lätt yrsel, unken luft.

– Nej, inte alls. Det är inte säkert något kommer i tidningen överhuvudtaget. Det är ansvarige utgivaren som tar alla publiceringsbeslut.

Hon såg ner i bordet, lögnaktig, undvikande.

Kvinnan rätade till sin ljusa kjol, slätade till sitt bakåtstrukna hår.

– Vad brukar du skriva om för ämnen? undrade hon och försökte fånga Annikas blick, rösten ljus och lite matt.

Annika harklade sig.

– Just nu arbetar jag med att sammanställa och gå igenom texter, sa hon helt sanningsenligt.

– Vilken typ av texter?

Hon strök sig över pannan.

– Allt möjligt. I natt handlade det om orkanen, tidigare i veckan gick jag igenom ett fall med en handikappad pojke där kommunen vägrade att ta sitt ansvar…

– Ah! sa Rebecka Björkstig och lade ena benet över det andra. Då passar ju vår verksamhet precis in i ditt bevakningsområde. Det är framför allt kommunerna som är våra uppdragsgivare. Kan jag få en kopp kaffe?

En kypare med fläckigt förkläde hade materialiserat sig intill dem. Annika nickade kort när han frågade om hon också ville ha, mådde illa, ville hem, ville bort. Rebecka lutade sig tillbaka mot stolens svängda rygg. Hennes ögon var ljusa och runda, milda, uttryckslösa.

– Vi är en ideell stiftelse, men vi måste ju ta betalt för vårt arbete. Det är ofta socialtjänsten i olika kommuner runt om i landet som står för våra omkostnader. Vi tjänar inte ett öre på det här.

Rösten var fortfarande lika mild, ändå träffade orden hårt.

Hon är en golddigger, tänkte Annika och såg upp på kvinnan. Hon gör det här för att tjäna pengar på hotade kvinnor och barn.

Kvinnan log.

– Jag vet vad du tänker. Jag försäkrar dig att du har fel.

Annika slog ner blicken, fingrade på en tandpetare.

– Varför ringde du just till oss, just ikväll?

Rebecka suckade lätt, torkade fingertopparna på en servett som hon haft i väskan.

– Uppriktigt sagt så hade jag bara tänkt ringa och höra mig för, sa hon. Jag läste tidningen, om orkanens härjningar, och såg numret i redaktionsrutan. Vi har pratat om att gå ut offentligt med vår verksamhet en tid, mitt samtal var lite spontant, kan man säga.

Annika svalde.

– Jag har aldrig hört talas om er, sa hon.

Kvinnan log igen, ett leende flyktigt som korsdrag i ett rum.

– Tidigare har vi inte haft resurser att ta emot den tillströmning som vi vet kommer när vi blir offentliga, men nu har vi det. Idag har vi medel och kompetens att utvidga, och då känns det angeläget för oss att inte tveka. Det är så många som behöver vår hjälp.

Annika tog upp block och penna ur bagen.

– Berätta nu vad det här går ut på.

Kvinnan slängde ytterligare en blick omkring sig, torkade sig i mungipan.

– Vi tar vid där myndigheterna inte längre räcker till, sa hon lätt andlöst. Vi är bara till för att hjälpa verkligt hotade människor till ett nytt liv. I tre år har vi arbetat för att systemet ska fungera. Nu är vi säkra på att det gör det.

Annika väntade tyst.

– Hur då?

Kyparen kom med deras kaffe. Det var grått och beskt. Rebecka placerade en av sina servetter mellan koppen och fatet, rörde med skeden i drycken.

– Vårt samhälle är så genomdatoriserat att ingen kommer undan, sa hon lågt när servitören seglat iväg igen. Vart de här människorna än vänder sig så finns det personer som känner till deras nya adress, nya telefonnummer, nya bankkonton, nya hyreskontrakt. Även om alla uppgifter ska hållas hemliga så finns de i sjukhusjournaler, på socialkontoren, hos tingsrätten, i skattelängder, aktiebolagsregistret, överallt.

– Kan man inte ordna det på något sätt? undrade Annika försiktigt. Finns det inte sätt att ta bort adresser ur registren, få nya personnummer och allt sådant?

Ännu en liten suck undslapp kvinnan.

– Jodå, det finns olika sätt. Problemet är att de inte fungerar. Vår grupp har konstruerat ett sätt att radera människor, helt och hållet. Visste du att det finns över sextio offentliga dataregister där praktiskt taget alla svenskar finns med?

Annika grymtade nekande, kaffet var verkligen vidrigt.

– Första halvåret arbetade jag bara med att kartlägga alla registren. Jag utarbetade planer och tillvägagångssätt att komma runt dem. Frågorna var många, svaren satt ibland långt inne. Den verksamhet som vuxit fram ur vårt arbete är helt unik.

De sista orden blev hängande i luften. Annika svalde en munfull av den gråa sörjan, spillde lite när hon ställde tillbaka koppen.

– Varför har du engagerat dig i det här? frågade hon.

Tystnaden blev tjock.

– Jag har själv varit hotad, sa kvinnan.

– Varför då? undrade Annika.

Kvinnan harklade sig, tvekade, torkade sig på handlederna med servetten.

– Om du ursäktar, så vill jag helst inte gå in på det. Det är en sådan förlamande känsla. Jag har arbetat hårt för mitt nya liv, och jag vill använda mig av mina erfarenheter.

Annika såg på Rebecka Björkstig, så kall och mjuk på samma gång.

– Berätta om verksamheten, sa hon.

Rebecka sög försiktigt i sig lite kaffe.

– Den drivs i form av en ideell stiftelse som vi valt att kalla för Paradiset. Det vi gör är egentligen inte så märkvärdigt, vi ger de hotade människorna deras vardag tillbaka. Men för den som varit förföljd och vet vad terror och skräck innebär, för den blir den nya tillvaron rena paradiset.

Annika såg ner i sitt block, generad över den banala klichén.

– Och hur åstadkommer ni det?

Kvinnan log lite, lät säker och trygg.

– Edens lustgård var en skyddad plats, sa hon. Den omgärdades av osynliga murar dit ondskan inte nådde. Så fungerar också vi. Klienten kommer till oss, passerar oss och försvinner bakom en ogenomtränglig fasad. Blir raderad, helt enkelt. När någon försöker spåra vår klient, vilken väg de än försöker, så stöter de bara på en stor, stum vägg: oss.

Annika såg upp.

– Men är inte ni rädda?

– Vi är medvetna om riskerna, men stiftelsen Paradiset är i sin tur omöjlig att spåra. Vi har flera olika kontor som vi alternerar mellan. Våra telefoner är kopplade över andra stationer i andra län. Vi är fem personer som arbetar heltid på Paradiset, vi är raderade allihop. Den enda vägen in i Paradiset är ett skyddat telefonnummer.

Annika såg på den lilla porslinskvinnan som omedvetet vred servetten mellan sina fingrar. Kvinnan var så fel i miljön, så vit och ren i den sjaskiga baren med sin ljusskygga inredning.

– Hur går den här raderingen till?

Någon tände en taklampa snett bakom Rebecka Björkstig, fick hennes ansikte att hamna i mörker, de ljusa stumma ögonen blev svarta hål.

– Jag tror att vi bryter här, sa hon. Jag hoppas du ursäktar, men jag skulle vilja vänta lite med resten av uppgifterna.

Besvikelsen blandades med lättnad, Annika andades ut. Rebecka Björkstig tog upp ett kort ur sin väska.

– Du kan tala med din ansvarige utgivare och fråga om ni vill skriva om vår verksamhet. Sedan kan du ringa mig, detta är vårt skyddade nummer. Jag behöver väl inte nämna att du bör vara oerhört försiktig med det.

Annika svalde, mumlade något instämmande.

– När du förankrat publiceringen så kan vi träffas igen, sa Rebecka och reste sig, liten och ljus, men i skugga.

Annika log fåraktigt, reste sig. De skakade hand.

– Jag kanske hör av mig, sa hon.

– Om du ursäktar, så har jag lite bråttom, sa Rebecka. Jag ser fram emot ditt samtal.

Och så var hon borta.

Servitören gled upp vid bordet.

– Det blir femtiofem kronor för kaffet.

Annika betalade.

I taxin tillbaka till tidningen gled tankarna iväg. Förorterna rusade förbi bakom glasrutans smutsfilm, industriområden med byggnader i plåt, tröstlösa höghus, motorleder med rödljus.

Hur såg hon ut egentligen, Rebecka Björkstig? Annika insåg att hon redan glömt, mindes bara det ogripbara, undanglidande.

Hotade människor, misshandlade kvinnor. Om det var något hon borde undvika att skriva om så var det just detta. Hon var diskvalificerad för evig tid.

Vad var det förresten hon sagt om Edens lustgård? Annika letade i minnet, det slank undan. Hon tog upp sina anteckningar, bläddrade, försökte läsa i motorvägens fläckvisa, gula belysning.

Att den var omgärdad av en osynlig mur dit ondskan inte nådde.

Lade ner blocket igen och såg Blåkullas höghus flimra förbi.

Ormen då? tänkte Annika. Var kom han ifrån?

Berit Hamrin satt på sin plats på redaktionen när hon kom tillbaka. Annika gick fram och gav henne en kram.

– Dubbelmordet? undrade hon.

Berit log.

– Inget är som ett litet maffiakrig, sa hon.

Annika drog av sig jackan, lät den rasa ihop till en liten hög på golvet.

– Har du ätit?

De gick ner i personalmatsalen Sju Råttor, tog var sin dagens.

– Något på gång? frågade Berit och bredde en knäckemacka.

Annika suckade.

– Det blir väl lite orkan i natt också, sa hon. Och så har jag varit ute och träffat en kvinna som berättade en jättekonstig historia.

Berit höjde intresserat på ögonbrynen samtidigt som hon smakade på potatisgratängen.

– Konstiga historier kan vara riktigt roliga, sa hon. Kan du skicka saltet?

Annika sträckte sig bakåt och hämtade ett ställ med salt och peppar från bordet bredvid.

– Kvinnan påstod att det finns en stiftelse som heter Paradiset som hjälper mordhotade kvinnor och barn till ett nytt liv.

Berit nickade gillande.

– Låter spännande. Är det sant?

Annika tvekade.

– Vet inte, jag fick inte veta allt. Föreståndaren verkade himla seriös. De har tydligen byggt upp någon sorts konstruktion för att radera förföljda människor.

Hon tog saltet från Berit och öste det över sin egen portion.

– Tror du... att det är något problem att jag kollar en sådan historia? frågade hon försiktigt.

Berit tuggade en stund.

– Nej, inte alls, sa hon. Du tänker på Sven?

Annika nickade, plötsligt utan röst.

Hennes äldre kollega suckade.

– Jag förstår att du tänker tanken, men samtidigt kan inte

den där händelsen diskvalificera dig från att utföra ett normalt, journalistiskt arbete för evig tid. Det var en olyckshändelse, det har du ju papper på.

Det fanns inget att säga, Annika såg ner i tallriken, skar ett salladsblad i strimlor.

– Informera ledningen bara, sa Berit. Det är lättare att få in grejerna i tidningen om gubbarna i toppen tror att artiklarna är deras idéer.

Annika log, tuggade sallad. De åt under tystnad, varm och mjuk.

– Har du varit ute i Frihamnen? undrade Annika när hon sköt undan tallriken och sträckte sig efter en tandpetare.

Berit reste sig.

– Kaffe?

– Svart.

Hon hämtade till dem bägge.

– Ruggig historia, sa hon när hon placerade koppen framför Annika. Killarna var möjligen serber, polisen gissar att de var juggemaffia. De är rädda för att rena slakten ska bryta ut.

– Några spår?

Berit suckade.

– Svårt att få fram, sa hon. Teknikerna var på plats tills det blev mörkt, vände på varenda gruskorn för att hitta spår och kulor.

Annika blåste på kaffet.

– Får vi användning för de fina klyschorna? Avrättning? Uppgörelse i undre världen? Polisen fruktar gangsterkrig?

De skrattade lite.

– Förmodligen allihop, sa Berit.

Hon skrev ut sina anteckningar kring stiftelsen Paradiset, sedan satte Jansson henne att tvätta texter kring uppföljningen av orkanen. De långa nattpassen kändes allt tydligare, hon fick gnida sig i ögonen för att hålla bokstäverna på rätt köl. Som tur var låg det stora dokumentet om den handikappade pojken färdigredigerat att dånas in i tidningen, fyra sidor om hur socialförvaltningen bröt mot kommunallagen och inte gav barnet den omsorg han hade rätt till. Det här skulle bli en lugn natt, kanske till och med för lugn.

Strax före midnatt gick resten av nattlaget ner och åt. Annika stannade kvar, passade telefoner och tt-flashar, lättad att slippa följa med. När gänget försvunnit tvekade hon ett ögonblick, valde mellan att försjunka i koma eller slå några kollar. Så satte hon sig på Janssons plats, han var alltid uppkopplad på nätet, gjorde en Yahoo-sökning på Stiftelsen Paradiset. Datorn tuggade och tänkte, fick inte upp ett piss. Kollade bara Paradiset också, fick en del träffar, en reklambyrå, en frikyrkopastor i Vetlanda med egen hemsida, en film med Leonardo DiCaprio, inget som handlade om en organisation som hjälpte mordhotade kvinnor och barn.

Hon gick tillbaka till sin plats, tittade i tt-kön. Inte några breaking news. Hon slog kortnumret till arkivet på tredje våningen, de hade en folder om stiftelser som Riksskatteverket gett ut under rubriken Skattskyldighet. Hon beställde upp den, men när vaktmästaren väl orkat masa sig ner och hämta den så orkade hon inte läsa den. Hon gick en runda, gned sig i ögonen, trött, seg, ointresserad. Satte sig på sin plats igen, önskade att skiftet var över så att hon slapp gå hit. Visste med sig att hon skulle räkna timmarna tills hon fick gå hit igen och slippa vara hemma. Fick ett lätt tryck över bröstet, meningslösheten pressade på.

– Sjölander, ropade hon. Ska jag göra något? En faktaruta om juggemaffians historia?

Han satt i telefon, men gjorde tummen upp.

Annika blundade, svalde, gick till Janssons plats igen och kopplade upp sig mot Dataarkivet, sökte på Jugo och Maffia.

Av klippen att döma hade kriminella, jugoslaviska grupper varit etablerade på många håll i Sverige under flera decennier, både i storstäder och i landsorten. Deras huvudsyssla hade varit att smuggla och sälja knark, ofta med restaurangbranschen som kuliss, men på senare år hade verksamheten förändrats. När regeringen chockhöjde skatten på tobak i två omgångar för några år sedan övergick många av smugglarna från narkotika till cigaretter. En limpa cigaretter köptes för mellan trettio och femtio kronor i Östeuropa där Prince och Blend licenstillverkades. Sedan fördes de antingen direkt in i Sverige, eller via Estland.

Annika satt tyst en stund och läste bland träffarna, gick sedan bort till Sjölander. Han hade slutat prata och satt och skrev så att pekfingrarna piskade tangentbordet.

– Kommer vi att slå fast att det rör sig om juggemord? undrade hon.

Sjölander suckade tungt.

– Nja, sa han, det blir en skrivteknisk fråga. Ett gangstermord är det i alla fall, någon form av maffiauppgörelse.

– Vi kanske inte ska låsa oss för ett enda land i det här läget? frågade Annika. Det finns ju en massa kriminella grupper som haft business här i åratal. Ska jag göra en liten kavalkad över olika ligor och deras favoritbrott?

Sjölander laddade pekfingrarna igen.

– Kan du väl.

Annika gick tillbaka till sin plats och ringde sin källa. Han svarade efter första signalen.

– Jobbar sent, konstaterade Annika.

– Har du sluppit ut ur kylskåpet? undrade krimaren.

– Nix, sa Annika. Jag äter fortfarande bajs. Har du tid med några kortisar?

Mannen stönade.

– Jag har två grabbar här, sa han, skjutna genom hjärnan.

– Oj, sa Annika. Det låter smärtsamt. Är du säker på att de är juggar?

– Stick och brinn, sa Q.

– Okey. Några generella frågor om olika etniska ligor. Vad gör… sydamerikanerna?

– Jag hinner inte.

Annika gjorde sig ynklig.

– Men bara lite? gnällde hon.

Kriminalkommissarien garvade.

– Kokain, sa han. Från Colombia. Beslagen ökade med mer än hundra procent i fjol.

– Balterna? undrade Annika och antecknade vilt.

– En del cigg. Mycket stulna bilar. Vi tror att Sverige är på väg att bli ett transitland för handeln med stulna fordon. Bilar som stjäls i Italien och Spanien förs rakt upp hit genom hela Europa för att sedan gå med färjor till Baltikum och Ryssland.

– Okey, fler grupper, du kan dem bättre än jag.

– Turkarna har sysslat med heroin, men på senare år har deras verksamhet tagits över av kosovoalbanerna. Ryssarna tvättar pengar, hittills har de investerat en halv miljard i fastigheter här. Juggarna är störst på cigarett- och spritsmuggling. En del spelklubbar och beskyddarverksamhet. Använder ibland restaurangverksamhet som täckmantel. Räcker det?

– Kör på du, sa Annika.

– Mc-gängen håller på med indrivning och torpedverksamhet. De är svenskar och nordbor allihop. Porrmaffian styrs också av svenskar, ja, det känner du ju till…

– Ha ha ha, sa Annika torrt.

– Ekobrottslingarna är nästan alltid svenska män. Samarbetar ofta i olika konstellationer, plundrar bolag, fifflar med moms, sådana bedrägerier. Flera anlitar torpeder. Vi har haft några gambianska ligor som kört heroin.

– All right, sa Annika. Det räcker till en faktaruta.

– Alltid lika kul att kunna bidra, sa han surt och lade på.

Annika log. Han var en raring.

– Vad gör du? undrade Jansson med en plastkopp i näven.

– Skapar, sa Annika.

Skrev ut faktarutan, lade till sin byline och dunkade över texten i burken.

– Jag går en runda, sa hon.

Jansson reagerade inte.

Meningslösheten drog till skärpet över bröstet igen.

Kvinnan hostade, dovt, ihåligt. Huvudet sprängvärkte, en dunkande smärta i såret i pannan. Den lätta frossan gjorde att hon uppskattade sin kroppstemperatur till någonstans strax över trettioåtta, hon misstänkte en bakteriell infektion i luftrör eller lungor. Hon hade tagit den första tabletten antibiotika, bredspektra, vid lunchtid. De glödröda siffrorna på klockradion bredvid sängen visade att det var dags för nästa.

Hon stapplade upp ur sängen, huttrande, rev upp sin medicinlåda och letade runt. Hittade antibiotikan under förbanden, tog några paracetamol mot febern. Pillren var gamla, hade följt med henne sedan Sarajevo, bäst före-datum var utgånget sedan flera år. Kunde inte hjälpas, hon hade inget val.

Hon kröp ner i sängen igen, lika bra att försöka sova bort det.

Men sömnen uteblev. Misslyckandet gnagde. Scener spelades upp innanför hennes ögonlock, människor dog, okontrollerbara fantasier började ta form, febern var på väg att stiga. Till slut kom han, den lille pojken, armarna utsträckta, alltid i ultrarapid, springande, skrikande, döden i blicken.

Hon steg upp, irriterad, hostade, drack en halv liter vatten. Hon måste bli av med den här skiten innan de hittade henne. Hon hade inte tid att vara sjuk.

Sedan samlade hon sig. Vad var en förkylning mot det som kunnat hända? Havet hade slutit sig ovanför hennes huvud, iskallt och hårt, mörker och smärta. Hon pressade tillbaka paniken, tvingade kroppen till rörelse, simmade under ytan så långt bort från kajkanten hon kunde, tog luft, dök ner igen. Vågorna kastade henne de sista metrarna mot kajen på andra sidan hamnen, axeln slog i betongen, hon hade vänt sig om och sett honom stå och stirra ut över ytan, svart siluett mot magasin i guldsken.

Hon hade klängt sig upp i oljehamnen. Blivit liggande mellan två gula pollare och förlorat medvetandet en stund, skräck och adrenalin hade trängt undan domningen. Hon hade tagit sig i lä och kontrollerat innehållet i sin väska. Efter några försök hade hon fått igång sin mobiltelefon och beställt en taxi till Louddens oljehamn. Sedan ville den dumme chauffören inte släppa in henne i bilen för att hon var så våt, men hon hade stått på sig och fått skjuts till det här sunkiga motellet.

Hon blundade, strök sig över ögonen.

Taxichauffören var ett problem. Han skulle garanterat komma ihåg henne och förmodligen skvallra om han fick tillräckligt bra betalt.

Hon borde ta sig härifrån. Packa ihop sina saker och lämna rummet redan i natt.

Plötsligt kände hon att hon hade bråttom. Hon reste sig upp, lite stadigare nu, de febernedsättande hade börjat verka, hon drog på sig sina skrynkliga kläder. Kappan kändes fortfarande lite fuktig i fickorna.

Hon hade precis stoppat ner medicinlådan i väskan när det knackade på dörren. Pulsen flyttade upp i halsgropen, flämtande fjäderlätt.

– Aida?

Rösten var låg och mjuk, dov bakom dörren. Kattens lek med råttan.

– Jag vet att du är här, Aida.

Hon grep sin väska och störtade in i badrummet, låste dörren, klättrade upp på badkaret, sköt upp det lilla vädringsfönstret. En kall vind slog in. Hon kastade ut väskan, slet av sig kappan och tryckte den genom öppningen. I samma stund kom kraschen av krossat glas ute i rummet.

– Aida!

Hon tog sats, vräkte sig genom hålet, tog emot sig med händerna och slog en kullerbytta när hon nådde marken. Slagen mot badrumsdörren studsade genom den öppna rutan, ljudet av trä som splittrades. Hon drog på sig kappan, slet tag i väskan och började springa bort mot motorvägen.

Måndag 29 oktober

HON STEG AV VID 41:ANS ÄNDHÅLLPLATS. Andades ut, såg bussen glida iväg och försvinna bakom en låg administrationsbyggnad. Allt var stilla, inga människor syntes till. Dagen var på väg att ge upp, dra sig tillbaka innan den kommit. Hon saknade den inte.

Hon hängde upp bagen på axeln och gick några meter, såg sig omkring. Känslan bland hus och magasin var egendomlig. Här slutade Sverige. En skylt till vänster pekade ut riktningen till Tallinn, Klaipeda, Riga, S:t Petersburg, de nya ekonomierna, de unga demokratierna.

Kapitalism, tänkte Annika. Eget ansvar, privatiseringar. Är det lösningen?

Hon vände ansiktet mot vinden, kisade. Allt blev grått. Havet. Kajerna, husen, kranarna. Kallt, kvardröjande stormbyar. Hon blundade, lät vinden slita i henne.

Jag har allt jag någonsin önskat mig, tänkte hon. Det är så här jag vill leva mitt liv. Jag har själv valt. Det finns ingen att skylla på.

Hon såg rätt in i blåsten, den fick ögonen att tåras. Rakt fram låg Stockholms Hamnars huvudkontor, en vacker gammal tegelbyggnad med prång, terrasser och valsat plåttak i olika nivåer. Bakom byggnaden reste sig lantmännens jättesilor som sammanväxta penisar mot himlen. Terminalen till Estland låg till vänster, därefter tog vattnet vid. Till höger låg en hamnbassäng med kranar och magasin på båda sidor.

Hon fällde upp jackans krage, drog till halsduken och gick långsamt bort mot kontoret. En Tallinnfärja låg inne, den såg gigantisk ut bakom husen. Balternas fönster mot väst.

När hon rundat hörnet på kontorsbyggnaden såg hon avspärrningarna. Den blåvita plasten vajade i vinden borta vid silorna, ensam och frusen. Några poliser syntes inte till. Hon stannade och studerade landtungan som sträcktes ut framför henne. Detta måste vara hjärtat av hamnen. Området var ett par hundra meter långt med väldiga magasin på ömse sidor. Längst bort, bakom avspärrningarna, skymtade en uppställningsplats för långtradarsläp. De enda människor hon såg var några figurer med knallgula västar borta vid släpen.

Hon gick långsamt bort mot polisplasten, såg upp mot de enorma silorna. Trots markkontakten gav höjden henne en känsla av svindel. Topparna mötte himlen utan större kontrast, grått mot grått. Hon följde dem med blicken tills hennes lår stötte mot den sega plasten.

Mellan silorna fanns ett trångt utrymme dit dagsljuset inte nådde. Här hade livet runnit ut ur männen. Hon blinkade in i mörkret för att vänja ögonen, urskiljde svagt de svarta fläckar som varit deras blod. Kropparna hade legat i passagens mynning, inte gömda bland skuggorna.

Hon vände ryggen mot döden och såg sig omkring. Rader av stora strålkastare var uppställda längs kajkanterna. Hela hamnområdet borde bada i ljus om nätterna, utom just mellan silorna.

Om man nu ska skjuta någon, varför lämna honom liggande mitt i strålkastarljuset? Varför inte släpa in honom bland skuggorna?

Det beror förstås på hur bråttom man har, tänkte hon.

Hon sänkte blicken, stampade med fötterna och blåste i händerna, slasket skvätte. Skitvinter. Bakom det avspärrade området fanns Sveriges Televisions rekvisitaförråd, låg det här?

Hon gick runt avspärrningen. Frös rejält, regnet var lätt men vasst av isvindarna från havet. Lindade halsduken ett varv till runt huvudet och gick vidare mot vattnet, följde ett Gunnebostängsel som utgjorde gränsen mot Baltikum. En långtradare som sett sina bästa dagar stod och spydde avgaser på andra sidan, hon drog upp halsduken över näsan. Stängslet slutade i en stor grind strax intill de uppställda trailarna. Tre tullinspektörer höll på att kontrollera dagens näst sista tradare, den sista var miljöboven bakom henne.

– Hur var det här då?

Mannen var rödblommig av kylan, bar tullverkets uniform under sin gula väst. Hans ögon var klara och glada. Annika log.

– Jag är bara nyfiken. Jag jobbar på en tidning och läste om morden härborta, sa hon och pekade över axeln.

– Ska du skriva något så får jag hänvisa dig till vår pressansvarige, sa tullinspektören vänligt.

– Nej nej, jag skriver inte i tidningen, jag sitter bara och kollar att de andra skriver rätt. Därför är det bra att komma ut ibland och se sig om, så att man vet om reportrarna slarvar.

Tullaren skrattade.

– Ja, då har du nog att göra, sa han.

– Precis som du, antar jag, sa Annika.

De skakade hand och presenterade sig.

– Snart slut för idag? undrade Annika och pekade på det sista ekipaget som just tuffade fram till grinden.

Mannen suckade lätt.

– För mig åtminstone, sa han. Det har varit rörigt ett par dagar nu, med avspärrningen härborta och allt. Och så alla cigaretter.

Annika höjde på ögonbrynen.

– Hänt något särskilt idag?

– Vi tog en falsk kylbil i morse med tobak överallt, i botten, i taket, i väggarna. De hade plockat bort all isolering och fyllt utrymmena med cigg.

– Wow, sa Annika. Hur kom ni på det?

Tullaren ryckte på axlarna.

– Skruvade lös en plåt på baksidan av bilen, där låg lite isolering, men den var tunn. Bakom den låg en plåt till, och så ciggen.

– Hur mycket då?

– Det ryms femhundratusen i golvet på en trailer och femhundratusen i taket, och så lika mycket i väggarna. Det borde sammanlagt ha varit uppåt två miljoner, och du kan räkna en krona per cigarett.

– Oh man, sa Annika.

– Det är egentligen ingenting mot allt som kommer in. Det smugglas hur mycket cigg som helst. Ligorna har slutat med knark och kör med tobak i stället. Sedan staten höjde skatten ger cigg lika stor avans som heroin, med betydligt lägre risk. Knark för miljoner ger fängelse tills man ruttnar, cigg nästan inga straff alls. De kör med dubbla kapell, golv med gångjärn, ihåliga stålbjälkar...

– Påhittiga rackare, sa Annika.

– Onekligen, sa tullaren.

Annika tog sats.

– Vet du vilka döingarna var?

Mannen skakade på huvudet.

– Nix. Har aldrig sett dem förr.

Annika spärrade upp ögonen.

– Så du såg dem?

– Yes. De låg därute när jag kom. Skjutna rätt i skallen.

– Fy vad läskigt, sa Annika.

Tullaren grimaserade, stampade liv i sina fötter.

– Nej, nu är det snart dags att slå igen butiken. Något annat du undrar över?

Annika såg sig omkring.

– Bara vad som finns i de här husen.

Tullaren pekade och visade.

– Magasin åtta, sa han. Står tomt just nu. Tvåan därbak är Tallinnterminalen och sjötullen. Alla godstransporter från Tallinn ska upp där och visa sina papper innan de kommer till oss.

– Vad är det för papper?

– Frakthandlingar, varenda låda med innehåll ska finnas med. Sedan får de en sådan här som de ska visa upp för oss.

Mannen tog fram en knallgrön pappersremsa med stämplar, signaturer och bokstäverna IN.

– Och ni kollar varenda pryl? undrade Annika.

– Det mesta, men allt hinner vi inte med.

Annika log förstående.

– När hoppar ni över en bil?

Tullaren suckade.

– Om man öppnar en bil där bak och möts av lårar och kartonger från golv till tak, då kan det hända att man inte orkar. Ska man kolla en sådan bil måste vi ta in den på sjuan därborta på containerområdet och lasta av alltsammans, pilla ut godset med hjälp av gaffeltruckar. Vi har tullare som är utbildade truckförare, men vi är ju inte hur många som helst.

– Nej, det är klart, sa Annika.

– Sedan har vi de plomberade bilarna, de som bara kör igenom Sverige med förseglade lastutrymmen. Ingen får ta bort, lägga till eller byta ut något gods förrän transporten kommer fram till rätt mottagarland.

– Är det dem det står TIR på?

Mannen nickade.

– Det finns andra varianter av förseglingar också, men TIR är den mest kända.

Annika pekade.

– Vad gör alla lastbilssläpen här?

Han vände sig om och såg ut över parkeringen med trailers.

– Ute på hucken står gods som är på väg till Baltikum och som väntar på en båt, eller grejer som har förtullats och väntar på vidare transport i Sverige.

– Kan man hyra platser här?

– Nej, det är bara att ställa sig. Det är ingen som har riktig koll på vilka som står här. Eller varför. Eller hur länge. Kan vara vad som helst.

– En och annan insmugglad cigarettlimpa?

– Med allra största sannolikhet.

De log mot varandra.

– Tack för att jag fått ta upp din tid, sa Annika.

Tillsammans gick de bort mot Frihamnens infart. När de befann sig precis intill polisens avspärrning tändes strålkastarna och vräkte sitt obarmhärtiga sken över området.

– Jävla tragisk historia, sa tullaren. Unga killar, knappt tjugo år.

– Hur såg de ut? undrade Annika.

– De där killarna visste inte vad vinter vill säga, sa tullaren. Måste ha frusit som satan, hade fina skinnjackor och jeans. Inget på huvud eller händer. Sportskor.

– Hur låg de?

– Nästan på varandra, båda med hål i huvudet.

Tullaren knackade sig mitt på hjässan.

Annika stannade till.

– Var det ingen som hörde något? Finns det inga vakter här på nätterna?

– Det går hundar i alla magasin, utom i åttan som står tomt. De skäller som besatta om någon försöker ta sig in. Stölderna och inbrotten har minskat markant sedan de började med hundarna, fast några vidare ögonvittnen är de inte. Jag vet faktiskt inte om någon hörde skotten. Det blåste ju orkanbyar.

De bytte kort och artighetsfraser. Annika gick snabbt bort till busskuren invid skylten Tallinn Klaipeda Riga S:t Petersburg. Hon frös så hon skallrade tänder. Ensamheten omfamnade henne, tung och blöt. Hon blev stående i busskuren, en grå figur som flöt in i den grå bakgrunden. Det var för tidigt för att åka upp till tidningen, för sent för att åka hem, för mycket tomhet för att orka tänka.

När 76:an plötsligt uppenbarade sig bakom SVEX:s administrationsbyggnad följde hon sin impuls. I stället för att ta 41:an tillbaka till Kungsholmen åkte hon ner till Gamla stan. Hoppade av på Slottsbacken och kryssade mellan gränderna bort mot Tyska brinken. Regnet hade upphört, vinden mojnat. Tiden stod stilla mellan stenhusen, trafikbruset från Skeppsbron dog bort, hennes steg dunkade dovt mot gatstenarnas is. Mörkret föll snabbt, färgerna förvreds i smideslampornas gula guldsken, reducerades till fläckar i lyktornas snäva cirklar. Svart smide. Röd ockra. Blänkande handblåsta fönsterglas i smårutiga bågar. Gamla stan var en annan värld, en annan tid, ett eko från förr. Naturligtvis hade Anne Snapphane lyckats komma över en vindsvåning vid Tyska kyrkan. I andra hand, men ändå.

Hon var hemma och höll på att koka pasta.

– Ställ fram en skål. Det räcker till dig också, sa hon sedan hon släppt in Annika och låst dörren bakom henne. Vadan denna ära?

– Jag har varit ute lite, kommer precis från Frihamnen.

Annika sjönk ner på en stol under snedtaket i det lilla köket, andades in värmen och ångorna från spagettigrytan. Meningslösheten bleknade, dess tomrum fylldes av Anne Snapphanes pladder som steg och sjönk, Annika svarade enstavigt.

De satt mitt emot varandra, rörde ner smör, ost och soja bland tagliatellerna. Osten smälte, bildade sega tentakler mellan pastabanden. Annika snurrade sin gaffel i röran och såg ut genom fönsterkupans glas. Tak, skorstenar och terrasser bildade svarta konturer mot den djupblå vinterhimlen. Plötsligt kände hon hur hungrig hon var, åt tills hon blev andfådd och drack ett stort ölglas med Cola.

– Var det inte ett mord i Frihamnen i morse? sa Anne, tryckte i sig det sista och spolade vatten i kokaren.

– Två, igår morse, sa Annika och ställde in sin tallrik i diskmaskinen.

– Vad kul, sa Anne, när blev du reporter igen?

Hällde vattnet i Bodumbryggaren.

– Dra inga förhastade slutsatser. Kylskåpet är djupare än någon anar, sa Annika och gick ut till takbjälkarna i vardagsrummet.

Anne Snapphane kom efter med brickan, två muggar, Bodumbryggaren och en påse skumbilar.

– Men du har fått börja skriva igen? På riktigt alltså?

De slog sig ner i soffan, Annika svalde.

– Inte alls. Orkade inte vara hemma, bara. Ett dubbelmord är ju alltid ett dubbelmord.

Anne grimaserade, blåste på den heta drycken, sörplade.

– Att du orkar, sa hon. Tacka vet jag kvinnliga relationer och mode och ätstörningar.

Annika log.

– Hur går det?

– Programchefen tycker att Kvinnosoffan är en dundersuccé. Personligen är jag inte fullt så entusiastisk. Hela redaktionen håller på att jobba ihjäl sig, alla hatar programledaren och bildproducenten vänsterprasslar med projektledaren.

– Vad har ni för tittarsiffror? En miljon?

Anne Snapphane betraktade Annika med sorg i blicken.

– Kära vän, sa hon. Nu snackar vi satellituniversum. Tittarandelar. Träffar i målgruppen. Det är bara beiga public servicekanaler som snackar tittarsiffror.

– Varför skriver vi jämt om dem då? sa Annika och öppnade skumbilspåsen.

– Inte fan vet jag, sa Anne. Ni vet väl inte bättre. Och Kvinnosoffan kommer aldrig att bli något att ha om vi inte får några riktiga journalister till vår redaktion.

– Är det så illa? Skulle det inte börja någon ny? sa Annika och tryckte in en munfull.

Anne Snapphane stönade högt.

– Michelle Carlsson. Kan ingenting, vet ingenting, men ohyggligt kamerakåt.

Annika skrattade.

– Är inte det tv-branschen i ett nötskal?

– Åja, sa Anne, var så lagom kaxig. Kvällstidningsredaktörer ska inte kasta sten i glashus.

Anne tryckte igång sin tv, hamnade mitt i signaturen till statstelevisionens nyhetsprogram.

– Voila, pretto-extra, sa hon.

– Tyst, sa Annika, få höra om de har nåt om frihamnsmorden.

Tv-nyheterna började med efterdyningarna av orkanen i södra Sverige. Lokalredaktionen i Malmö hade varit ute och filmat förvridna busskurer och bortblåsta ladugårdstak och trasiga skyltfönster. En gubbe i Lantmännenkepa rev sig bekymrat i nacken medan han betraktade sitt sönderblåsta växthus, sa något på en skånska som borde ha textats till svenska. Så hamnade man på insidan av ett kraftbolag med en hålögd representant som intygade att man gjorde allt man kunde för att alla abonnenter skulle få strömmen tillbaka under kvällen. Si och så många hushåll var fortfarande drabbade i Skåne, Blekinge, Småland.

Annika suckade tyst. Så ohyggligt tråkigt.

Sedan följde en uppskattning över skadornas omfattning i pengar räknat, och det var massor med miljoners miljoner. En kvinna hade dödats i Danmark när hennes bil träffats av ett fallande träd.

– Har de skog i Danmark? sa Anne Snapphane.

Annika såg trött på sin norrbottniska vän.

– Har du aldrig varit nedanför kalfjället? sa hon.

Sedan kom de obligatoriska pratmattorna över feedbilderna från Tjetjenien och Kosovo. Ryska trupper hade bla bla och UCK hade prat prat. Kamerorna svepte över utbombade byggnader och smutsiga flyktingar på lastbilsflak.

– De skiter i ditt mord, sa Anne Snapphane.

– Det är inte mitt, sa Annika. Det är Sjölanders.

Efter en kortis om något statsministern sagt kom så en livespeaka om frihamnsmorden. Nyhetspresentatören pratade över några bilder från utrymmet mellan silorna. De hade ungefär samma uppgifter som Kvällspressen publicerat i tidningen som gått i tryck tolv timmar tidigare.

– Tänk att tv-reportrarna aldrig kan ta reda på någonting, sa Annika. De har haft hela dagen på sig och inte fått fram ett piss.

– De prioriterar inte sånt här, sa Anne.

– Tv-folket är kvar på femtitalet, sa Annika. De nöjer sig med att bilderna rör på sig och att det låter. Journalistiken skiter de i, eller så kan de inte. Tv-reportrar är värdelösa.

– Amen, sa Anne. Guds gåva till journalistiken har talat. Nämen vafan, har du satt i dig alla skumbilar? Några stycken hade du väl kunnat spara.

– Sorry, sa Annika skamset. Jag måste dra.

Hon lämnade Anne under takåsarna och gick Stora Nygatan bort mot Norrmalm. Luften kändes inte vass längre, bara frisk och skarp. Någonting vaknade till, hon fick lust att sjunga. Stod och gnolade, väntade på grön gubbe i korsningen vid Riddarhuset och Högsta Domstolen när en liten man gled upp till vänster om henne.

– Jag har cyklat från Huddinge, sa farbrorn och Annika hoppade till.

Gubben var fullständigt förbi av trötthet. Han skakade i hela kroppen, snoret rann.

– Oj, vad långt, sa Annika. Är du inte slut i benen?

– Inte ett dugg, sa gubben och tårarna började rinna. Jag skulle kunna cykla lika långt till.

Det blev grönt. När Annika började gå över hängde gubben på. Han stapplade efter henne, hängande över cykeln. Annika väntade in honom.

– Vart ska du nu? undrade hon.

– Tåget, viskade han. Tåget hem.

Hon hjälpte honom över Tegelbacken och bort till Centralen. Gubben hade inte ett öre på sig, Annika betalade hans biljett.

– Finns det någon som tar hand om dig nu när du kommer hem? undrade hon.

Mannen ruskade på huvudet, snoret slängde.

– Jag är nyutskriven, sa han.

Hon lämnade honom på en bänk vid Centralen, huvudet mot bröstet, cykeln lutad mot hans ben.

Bilden var stor, gick över mitten av tidningens uppslag. Grundfärgen var guldgul, skimrande, motiven skarpa och klara. Poliserna i sina tunga läderjackor, svarta i profil, ambulansernas självlysande vithet, allvarstyngda män i gråblått med små verktyg i händerna, bråten, trappan, gynstolen.

Och så paketen, de livlösa, ihopsjunkna och svarta. Så stora de var när de levde, så mycket plats de tog upp. Så små de såg ut på marken, lätthanterat avfall.

Hon hostade, skakade. Febern hade stigit under dagen. Antibiotikan verkade inte hjälpa. Såret i pannan gjorde ont.

Jag måste få vila, tänkte hon. Jag måste få sova.

Hon lät tidningen sjunka, lutade sig bakåt mot kuddarna. Den fallande känslan som förebådade sömnen infann sig omedelbart, baklänges, den snabba inandningen, famlandet efter ledstången. Och så pojken, hans skräck och skrik, hennes egen bottenlösa otillräcklighet.

Hon öppnade ögonen, hårt. På andra sidan väggen skrattade konferensgästerna. Hon hade anlänt till hotellet samtidigt som busslasten och lyckats ta sig in som en av deltagarna. Det hade räddat henne för stunden, men nu räckte det inte längre. Om inte hennes gamla medicin började verka under natten så var hon tvungen att söka vård. Tanken skrämde henne, hon skulle bli så lätt att hitta. Hon drack lite vatten, armen stel och tung, försökte koncentrera sig på artikeln igen.

Uppgörelse i undre världen. Jugoslaviska maffian. Inga misstänkta, men flera spår. Hon vände blad. En bild på en taxichaufför.

Hon hajade till, skärpte blicken, kämpade sig upp mot kuddarna.

Taxichauffören, han som inte ville släppa in henne i sin fina bil. Hon kände igen honom. En reporter hade pratat med honom. Han berättade i artikeln att han kört en kvinna från oljehamnen under natten, våt som en dränkt katt. Polisen ville gärna få kontakt med kvinnan för att höra henne upplysningsvis.

Höra upplysningsvis.

Hon sjönk tillbaka mot kuddarna, slöt ögonen, andades hastigt.

Tänk om hon var efterlyst! Då kunde hon definitivt inte söka vård.

Hon stönade högt, andades hårt och stötvis, polisen letade efter henne.

Inte panik, tänkte hon. Inte gripas av hysteri. Jag kanske inte alls är efterlyst.

Hon tvingade sig lugn, dämpade med tvång sin puls och andning.

Hur skulle hon få reda på om hon var efterlyst? Hon kunde

inte ringa och fråga, då skulle de hämta henne inom en kvart. Hon skulle kunna ringa och fiska lite, låtsas ha information och försöka få poliserna att försäga sig.

Hon stönade högt igen, lyfte tidningen för att läsa resten av artikeln. Den sa inte så mycket mer, det framgick inte om hon var lyst.

Så såg hon på namnet under artikeln. Journalisten. Journalisterna skarvade ibland, spekulerade, hittade på, men de kunde också veta mer än de skrev.

Hon hostade hårt. Så här kunde det inte fortsätta. Hon behövde hjälp. Hon tog upp tidningen och läste namnet igen.

Sjölander.

Sträckte sig efter telefonen.

Annika var halvvägs av med jackan när Sjölander ropade, viftande med luren.

– Det är någon jävla brud som behöver hjälp. Kan du?

Annika blundade. Hennes bord. Spela med, hänga på.

Kvinnan i andra änden lät matt och sjuk, hade kraftig brytning.

– Jag behöver hjälp, flämtade hon.

Annika satte sig, plötsligt tom igen, längtade efter kaffe.

– Han är efter mig, sa kvinnan. Han jagar mig.

Hon blundade bort redaktionen, lutade sig framåt, sjönk ihop över skrivbordet.

– Jag är flykting från Bosnien, sa kvinnan. Han försöker döda mig.

Gode Gud, var hela världens jävla elände hennes ansvar?

Kvinnan mumlade något, det lät som om hon höll på att tappa medvetandet.

– Hördu, sa Annika och öppnade ögonen. Hur är det med dig?

Kvinnan började gråta.

– Jag är sjuk, sa hon. Jag törs inte åka till sjukhuset. Jag är så rädd att han hittar mig. Kan du inte hjälpa mig?

Annika stönade tyst, letade med blicken över någon på redaktionen hon kunde koppla vidare samtalet till. Fanns ingen.

– Har du ringt polisen? sa hon.

– Han dödar mig om han hittar mig, viskade kvinnan. Han har försökt skjuta mig flera gånger. Jag klarar inte att fly längre.

Kvinnans flämtande andhämtning ekade i luren. Annika kände kraftlösheten växa.

– Jag kan inte hjälpa dig, sa hon. Jag är journalist, jag skriver artiklar. Har du ringt socialjouren? Eller kvinnohuset?

– Frihamnen, viskade kvinnan. De döda i Frihamnen. Jag kan berätta om dem.

Annikas reaktion var fysisk. Hon hickade till och rätade ut ryggen.

– Hur? Vad?

– Om du berättar vad ni vet så berättar jag vad jag vet, sa kvinnan.

Annika slickade sig om läpparna, letade efter Sjölander med blicken, såg honom ingenstans.

– Du får komma hit, flämtade kvinnan. Säg inte till någon vart du åker. Ta inte taxi. Berätta inte för någon vem jag är.

Jansson stod framför henne när hon lagt på luren.

– Frihamnsmorden, sa hon förklarande.

– Varför tog inte Sjölander det? frågade Jansson.

– Det var en kvinna som ringde, sa Annika.

– Aha, sa Jansson och svarade i sin telefon.

– Jag åker dit, sa hon. Det tar ett tag.

Jansson viftade iväg henne.

Annika tog med sig Gula Sidorna och fick nycklarna till en anonym tidningsbil av Tore Brands son i vaktmästeriet. Åkte ner i garaget, hittade bilen efter viss förvirring. Lutade telefonkatalogen mot ratten och letade reda på hotellet. Rätt långt, ytterligare en förort hon aldrig besökt förut.

Trafiken var gles, vägen hal. Hon körde försiktigt, hade ingen lust att dö i natt.

Det ger sig, tänkte hon. Det kommer att fungera.

Hon tittade uppåt, genom vindrutan, mot himlen.

Någon ser mig, tänkte hon, jag känner det.

Thomas knäppte bort nyhetsbabblet, hamnade i ett hetsigt debattprogram, tryckte vidare och fann sig i en såpa från amerikanska södern, landade så småningom i MTV, give it to me baby, aha aha. Han kom på sig själv med att stirra på brudarnas bröst, deras guldfärgade magar, fladdrande lockar.

– Älskling!

Eleonor drog igen ytterdörren bakom sig och stampade bort snöslasket.

– Gillestugan, ropade han tillbaka, bytte snabbt kanal, nyheter igen.

– Gud vilken dag, sa hans hustru när hon kommit nedför trappan, drog upp sidenblusen ur kjolen, knäppte upp pärlemorknapparna vid handlederna, landade bredvid honom i soffan.

Han drog henne intill sig och kysste henne på örat.

– Du jobbar för mycket, sa han.

Hon knäppte loss spännet och skakade ut håret.

– Ledarskapskursen, sa hon. Du vet att den var i kväll. Jag har sagt det flera gånger.

Han släppte greppet om henne, sträckte sig efter fjärrkontrollen igen.

– Javisst, sa han.

– Har det kommit någon post?

Hon reste sig och gick upp mot hallen igen, han svarade inte. Hörde hennes nylonfötter gnissla mot trappstegens lackyta, knirk knirk knirk. Fraset av kuvert som revs sönder, räkningslådan som öppnades och stängdes, dörren till diskbänksskåpen som tog hand om returpappret.

– Har det ringt? ropade hon.

Han harklade sig.

– Nej.

– Ingen alls?

Han suckade tyst.

– Jo, min mamma.

– Vad ville hon?

– Prata om julen. Jag sa att jag skulle prata med dig och ringa henne senare.

Hon kom nerför trappan igen, knirk knirk, en hårdbrödmacka med lättost i ena näven.

– Vi var hos dem i fjol, sa hon. Det är mina föräldrars tur i år.

Han tog upp tv-tidningen från soffbordet, bläddrade bland filmrecensionerna.

– Hur vore det om vi bara var hemma i år? sa han. Vi kan väl ha jullunchen här. Både dina och mina föräldrar kan komma.

Hon tuggade frenetiskt på mackan, fiberbröd.

– Vem ska ordna den, hade du tänkt?

– Det finns ju catering, sa han.

Hon blev stående intill soffan, såg ner på honom med fibersmulor i mungiporna.

– Catering? sa hon. Din mamma gör alltid pressylta av ett

svinhuvud, min mamma gör sin egen vitlökskorv, och du pratar om catering?

Han reste sig, plötsligt irriterad.

– Skit i det då, sa han, passerade förbi henne utan en blick.

– Vad är det med dig? sa hon uppfordrande till hans rygg. Ingenting duger längre! Vad är det för fel på vårt liv?

Han stannade till, halvvägs uppe i trappan, såg på henne. Så vacker. Så trött. Så långt borta.

– Det är klart vi kan åka till dina föräldrar, sa han.

Hon vände sig bort, satte sig på yttersta soffkanten och bytte tv-kanal.

Hans syn blev dimmig, stenen hårdnade i hans bröst.

– Är det okey om jag vädrar lite? undrade Annika och gick bort mot fönstret.

– Nej! väste kvinnan och sjönk tillbaka ner i sängen.

Annika hejdade sig mitt i rörelsen, kände sig dum och klumpig, drog för gardinen igen. Rummet låg i dunkel, grått och osunt, luktade feber och slem. I ena hörnet skymtade ett skrivbord med stol och bordslampa, hon tände den, drog fram stolen intill sängen, tog av sig jackan. Kvinnan såg verkligen sjuk ut, hon borde ha någon som skötte om henne.

– Vad är det som har hänt? undrade Annika.

Kvinnan började plötsligt skratta. Hon rullade ihop sig i fosterställning och skrattade hysteriskt tills hon började gråta. Annika väntade olustigt, höll händerna knäppta i knät, osäker.

En till nyutskriven, tänkte hon.

Så tystnade kvinnan, hämtade sig flämtande och såg upp på Annika. Hennes ansikte glänste av tårar och svett.

– Jag kommer från Bijelina, sa hon lågt. Känner du till Bijelina?

Annika skakade på huvudet.

– Kriget i Bosnien började där, sa kvinnan.

Annika väntade tyst på fortsättningen, avvaktande. Den kom inte. Kvinnan slöt ögonen, hennes andhämtning blev tyngre, hon såg ut att glida bort.

Annika harklade sig försiktigt, tittade osäkert på den sjuka kvinnan i sängen.

– Vem är du? frågade hon högt.

Kvinnan ryckte till.

– Aida, sa hon. Jag heter Aida Begovic.

– Varför ligger du här?

– Jag är förföljd.

Hon andades hastigt och ytligt igen, verkade på gränsen till medvetslös. Annikas känsla av olust stegrades.

– Har du ingen som tar hand om dig?

Inget svar, gode värld, skulle hon ringa efter ambulans?

Annika gick fram till sängen, böjde sig över kvinnan.

– Hur är det med dig? Ska jag ringa efter någon? Var bor du, var kommer du ifrån?

Svaret var andlöst.

– Fredriksberg i Vaxholm. Jag kan aldrig mer åka dit. Han hittar mig direkt.

Annika gick till sin bag, tog upp block och penna, skrev Fredriksberg, Vaxholm och förföljd.

– Vem hittar dig?

– En man.

– Vilken man? Din egen man?

Hon svarade inte, flämtade.

– Vad var det du ville berätta om Frihamnen?

– Jag var där.

Annika stirrade på kvinnan.

– Vad menar du? Såg du morden?

Plötsligt mindes hon artikeln i tidningen, taxichauffören som Sjölander hittat.

– Det var du! sa hon.

Aida Begovic från Bijelina kämpade sig upp i sängen, puffade upp kuddarna mot sänggaveln och lutade sig mot dem.

– Jag skulle också ha varit död, men jag kom undan.

Kvinnan var rödflammig i ansiktet, håret var kladdigt av svett. Hon hade ett stort jack i pannan, var blå ner på kinden. Hon såg på Annika med ögon som bråddjup, svarta bottenlösa. Annika satte sig igen, munnen alldeles torr.

– Vad hände?

– Jag sprang och ramlade, försökte gömma mig, det låg en massa skräp på en lång lastkaj. Sedan sprang jag, han sköt efter mig, jag hoppade i vattnet. Det var så kallt, det var därför jag blev sjuk.

– Vem sköt?

Hon blundade, tvekade.

– Det kan vara farligt för dig att veta, sa hon. Han har dödat förr.

– Hur vet du det? frågade Annika.

Aida skrattade trött, fingrarna mot pannan.

– Låt oss säga att jag känner honom väl.

Den gamla vanliga historien, tänkte Annika.

– Vilka var de döda männen?

Aida från Bijelina slog upp ögonen.

– De är inte viktiga, sa hon.

Annikas osäkerhet gav vika för en klar och snabb irritation.

– Vad då inte viktiga? sa hon. Två unga människor som blivit skjutna i huvudet?

Kvinnan mötte hennes blick.

– Vet du hur många människor som dog i Bosnien under kriget?

– Det hör inte hit, sa Annika. Nu pratar vi om Frihamnen i Stockholm.

– Tycker du att det är någon skillnad?

De stirrade på varandra, tysta. Kvinnans feberblanka ögon hade sett för mycket. Annika vek undan blicken först.

– Kanske inte, sa hon. Varför mördades de?

– Vad vet du? undrade Aida från Bijelina.

– Inte särskilt mycket mer än det som stått i tidningen. Att männen förmodligen är serber, de hade serbiska kläder. Inga identitetshandlingar, inga fingeravtryck. Interpol har redan kontaktat Belgrad. Polisen letar efter dig.

– Är jag efterlyst?

Frågan var kort och intensiv, Annika studerade henne noggrant.

– Jag vet inte, sa hon. Jag tror det. Varför tar du inte kontakt med dem själv och frågar?

Kvinnan såg på henne genom feberdimmorna.

– Du förstår inte, sa hon. Du känner inte till min situation. Jag kan inte prata med polisen. Inte just nu. Vad vet du om mördaren?

– Undre världen, enligt polisen.

– Motiv?

– Någon form av kriminell uppgörelse, precis som det stod. Vad vet du egentligen om det här?

Aida Begovic från Bijelina slöt ögonen och vilade en liten stund.

– Du får inte berätta att du pratat med mig.

– Helt okey, sa Annika. Du omfattas av källskyddet. Ingen

myndighet får forska efter vem du är, det är ett brott mot grundlagen.

– Du förstår inte, det skulle kunna vara farligt för dig. Du får inte skriva det jag har sagt, då förstår de att du vet.

Annika studerade kvinnan, tvekade, svarade inte, ville inte lova något. Kvinnan reste sig upp mot kuddarna igen.

– Har du varit där? Har du sett lastbilarna ute vid havet?

Annika nickade.

– En av dem saknas, sa Aida från Bijelina. En långtradare full med cigaretter, inte bara i golvet, hela lasten, femtio miljoner cigaretter, femtio miljoner kronor.

Annika flämtade till.

– Fler mord kommer att ske, mannen som äger lasten kommer inte att låta tjuvarna slippa undan.

– Är det han som jagar dig?

Kvinnan nickade.

– Varför?

Hon blundade.

– Jag vet allt, sa hon.

De satt tysta en stund, ända tills knackningen kom. Aida från Bijelina blev alldeles vit i ansiktet. Knackningen upprepades. En mjuk röst, mörk och manlig, nästan som en viskning.

– Aida?

– Det är han, viskade kvinnan. Han skjuter oss båda två.

Hon såg ut att svimma vilket ögonblick som helst.

Annika fick en omedelbar och intensiv känsla av svindel. Hon reste sig, rummet vinglade till, hon tog ett snedsteg.

Ny knackning.

– Aida?

– Nu dör vi, sa kvinnan resignerat.

Annika såg henne böja huvudet och be.

Nej, tänkte Annika. Inte här, inte nu.

– Kom, viskade hon, drog upp kvinnan ur sängen och släpade ut henne i badrummet, slängde sedan in hennes kläder, slet av sig sin tröja, höll den för bröstet och öppnade dörren.

– Ja? undrade hon förvånat.

Mannen där utanför var stor och vacker, klädd i svart och höll handen innanför jackan.

– Var är Aida? sa han med lätt brytning.

– Vem? sa Annika förvirrat, munnen utan saliv, pulsen dånande i huvudet.

– Aida Begovic. Jag vet att hon är här.

Annika svalde, blinkade mot lampan i taket och sköt upp tröjan under hakan.

– Nu har du nog fått fel rumsnummer, sa Annika och flämtade. Det här är mitt rum. Om du ursäktar, så mår jag inte riktigt bra. Jag hade redan... gått och lagt mig.

Mannen tog ett steg framåt, lade vänster hand på dörren i ett försök att skjuta upp den. Annika satte reflexmässigt foten som stoppkloss på andra sidan. I samma ögonblick öppnades dörren till rummet bredvid. Ett tiotal lätt påstrukna konferensdeltagare från Telias IT-avdelning tumlade ut i hotellkorridoren.

Den store i svart tvekade, Annika tvingade ner luft i lungorna och skrek.

– Gå härifrån! Försvinn!

Försökte frenetiskt trycka igen dörren.

Några av konferensdeltagarna stannade till, såg sig omkring.

– Försvinn! skrek Annika. Hjälp mig, han försöker tränga sig in!

Två av Teliamännen bröstade upp sig och vände sig mot Annika.

– Hur var det här? undrade den ene.

– Jag är ledsen, älskling, sa mannen och släppte dörren. Vi kan fortsätta att prata senare.

Han snurrade runt på klacken och gick snabbt bort mot entrén. Annika stängde dörren, illamående av skräck.

Gode gud, gode gud, låt mig leva.

Benen skakade så att hon var tvungen att sätta sig på golvet, händerna darrade, hon ville kräkas. Badrumsdörren gled upp.

– Har han gått?

Annika nickade tyst, Aida från Bijelina snyftade till.

– Du räddade mitt liv. Hur ska jag någonsin…

– Vi måste härifrån, sa Annika, båda två, fort som fan.

Hon reste sig upp, släckte bordslampan och började rafsa ihop sina saker i mörkret.

– Vänta, sa Aida. Vi måste vänta tills han åker iväg.

– Han kommer att stå på pass och kolla oss, sa Annika. Satan, satan!

Hon kämpade mot tårarna. Kvinnan stapplade bort till sängen och sjönk ner.

– Nej, sa hon. Han tror att han är lurad. Han har betalat pengar, och nu ska han kolla om källan var opålitlig.

Annika tog tre djupa andetag, lugn nu, ta det lugnt.

– Hur kunde han veta att du var här? sa hon. Har du sagt det till någon?

– Han hittade mig igår också, han insåg att jag inte hunnit särskilt långt. Han har haft folk ute och letat. Kan du se om han åker iväg?

Annika torkade yttre ögonvrårna och kikade fram bakom gardinen. På parkeringen nedanför såg hon mannen tillsammans med två andra män. De satte sig allesammans i bilen bredvid hennes och körde iväg.

– De har åkt, sa Annika och släppte gardinen. Kom så drar vi.

Hon tände bordslampan igen, drog på sig jackan, stoppade ner pennan i bagen, plockade upp blocket från golvet, svettig på ryggen, kall om händerna.

– Nej, sa Aida från Bijelina. Jag stannar. Han kommer inte tillbaka.

Annika rätade på sig, kände ansiktet blossa.

– Hur vet du det? Han är ju helt livsfarlig! Jag kör dig till flyget eller tåget.

Kvinnan slöt ögonen.

– Du har sett honom, sa hon. Du vet att han letar efter Aida från Bijelina. Han kan inte döda mig här, inte ikväll. Han gör aldrig något så att han riskerar att åka fast. Han tar mig i morgon i stället, eller dagen därpå.

Annika sjönk ihop på stolen igen, lade blocket i sitt knä, blocket hon haft med sig på ett annat hotell i en annan förort.

– Har du ingenstans att gömma dig? undrade hon.

Aida skakade på huvudet.

– Finns det ingen som kan ta hand om dig?

– Jag törs inte åka till sjukhuset.

Annika svalde, tvekade.

– Det kanske finns ett sätt, sa hon. Det kanske finns någon som kan hjälpa dig.

Kvinnan från Bosnien svarade inte.

Annika bläddrade i sitt block, letade, hittade inte vad hon sökte.

– Det finns en stiftelse som hjälper människor som du, sa Annika och rotade i stället runt i sin bag, där, i botten låg kortet. Ring det här numret redan i kväll.

Hon klottrade ner Paradisets hemliga telefonnummer på en lapp och lade den på nattygsbordet.

– Vad då för stiftelse? undrade kvinnan.

Annika satte sig bredvid den sjuka, strök håret bakåt, försökte verka lugn och sansad.

– Jag vet inte exakt hur det går till, men det är möjligt att de här människorna kan hjälpa dig. De raderar människor så att de försvinner.

Kvinnans ögon lyste av skepsis.

– Hur då försvinner?

Annika försökte le.

– Jag vet inte riktigt. Ring dem ikväll, fråga efter Rebecka, hälsa från mig.

Hon reste sig.

– Vänta, sa Aida. Jag vill tacka dig.

Mödosamt drog hon fram en stor väska som låg under sängen, rektangulär, handtag och axelrem, stort lås av metall, öppnades med nyckel.

– Jag vill att du ska ha den här, sa Aida från Bijelina och höll fram en guldkedja mot Annika, tjock som en kätting, två ojämnt utplacerade berlocker.

Annika backade, svettig i sin jacka, ville därifrån.

– Jag kan inte ta emot sådana presenter, sa hon.

Aida log, för första gången, sorgset.

– Vi ses aldrig mer, sa hon. Du generar mig om du inte tar emot min gåva.

Tveksamt tog Annika emot halskedjan, tung och massiv.

– Tack, mumlade hon, släppte ner den i bagen. Lycka till.

Hon vände sig om, flydde den sjuka kvinnan, lämnade henne sittande på sängen med sin stora väska i famnen.

Parkeringen var tom. Hon skyndade över asfalten, steg som lät trippande, osäkra, för tunna. Snabb blick över axeln, ingen såg henne kliva in i tidningsbilen. Hon körde ut på motorleden, kollade backspegeln, svängde av första avfarten, parkerade bakom en bensinmack, väntade, kollade, körde i långsamma cirklar tillbaka till Stockholm.

Ingen följde efter henne.

Sedan hon parkerat i tidningsgaraget satt hon, flera minuter, lutad mot ratten och tvingade sin andning att fungera normalt.

Det var länge sedan hon varit så jävla rädd.

Över två år sedan.

Den store mannen med svarta kläder bröt med ett lätt handgrepp upp rumsdörren i korridoren på konferenshotellet långt ute i förorten. Han kände på luften att han kommit rätt. Det luktade skit och rädsla. Mörkret därinne var splittrat, en gatlykta på parkeringen nedanför målade vita tårtbitar i taket. Han stängde dörren bakom sig, den gick igen med ett litet klick. Steg in i rummet, tog sikte på sängen. Tände ljuset.

Tomt.

Sängkläderna upprivna, en rulle toalettpapper på nattygsbordet, i övrigt stod alla möbler enligt standardmöbleringen.

Vreden sköljde över honom i en våg som gjorde honom alldeles matt. Han sjönk ner på sängen, lade handen på en hög med snorpapper. På golvet bredvid hans fot låg en liten kartong. Han tog upp den, läste på förpackningen.

En tom ask med antibiotika, texten på serbokroatiska.

Det måste ha varit hon, hon måste ha varit här.

Han reste sig upp, sparkade tre gånger i sänggaveln innan den gav vika.

Hora. Jag ska hitta dig.

Han gick igenom hela rummet, centimeter för centimeter, låda för låda, granskade papperskorgar, garderober, rev fram skrivbord och sängbotten.

Ingenting.

Så tog han fram sin kniv och började systematiskt strimla sönder sängkläderna, duntäcket, kuddarna, sängens resårbotten, stolsdynan, duschförhänget, höll på att explodera av trycket inombords.

Han satte sig på badkarskanten, lade pannan mot knivens kalla blad.

Hon hade varit här, källan var att lita på. Var fan hade hon tagit vägen nu? Snart skulle han bli en visa, han som inte fick fatt i fittan. Han borde ha trängt sig in när han var här, men han hade otur, de jävla gästerna i korridoren, den svenska horan.

Han satte sig upp.

Den svenska kvinnan, vem fan var hon? Han hade aldrig sett henne förr. Hon hade talat utan brytning, och hon måste ha känt Aida. Varifrån? Och vad gjorde hon här? Hur var hon inblandad?

Plötsligt ringde mobiltelefonen i hans innerficka. Mannen slet upp jackan och drog fram mobilen, smekte vapnet i förbifarten.

– Molim?

Goda nyheter, äntligen goda nyheter.

Han lämnade rummet, gled ut från hotellet, sedd av ingen.

Annika Bengtzon klev på utan att knacka, sjönk ihop i hans gamla soffa utan att reagera över stanken.

– Jag har fått ett tips som jag vill dra med dig så snart som möjligt, sa hon. Har du tid nu?

Hon såg trött ut, på gränsen till sjuk.

– Det ser inte ut som om jag har särskilt mycket att välja på, sa Anders Schyman irriterat.

Hon tog ett djupt andetag, blåste långsamt ut luften.

– Ursäkta, sa hon, jag är lite toppskruvad. Jag var precis ute på ett jävla obehagligt...

Hon bökade av sig ytterkläderna.

– Igår kväll träffade jag en kvinna som heter Rebecka. Hon är föreståndare för en helt ny verksamhet, en stiftelse som heter Paradiset. De hjälper mordhotade människor till ett nytt liv, framför allt kvinnor och barn. Det lät jävligt spännande.

– Hur då hjälper?

– De raderar dem fullständigt ur alla register. Hon ville inte berätta exakt hur det går till innan jag fått klartecken att grejen publiceras.

Schyman betraktade henne, hon var nervös.

– Vi kan inte ge några sådana garantier innan vi vet vad det handlar om, det vet du, sa han. En sådan verksamhet måste granskas oerhört noggrant innan vi kan köra ut den. Den där Rebecka kan vara precis vem som helst, en bedragare, utpressare, mördare, det vet inte du.

Hon såg på honom, en lång blick.

– Tycker du att jag ska ta reda på det? Jag menar, tycker du att jag...

Hon tystnade, svalde. Han förstod vad hon var ute efter.

– Träffa henne gärna igen och säg att vi är intresserade. Däremot tycker jag inte att den här historien ska få ta tid och kraft från ditt jobb på natten.

Hon reste sig ur soffan och satte sig istället i en av besöksstolarna vid hans skrivbord.

– Du måste göra dig av med den här jävla soffan, sa hon. Varför ber du inte någon bära ut den?

Hon lade upp sitt block på skrivbordet. Han tvekade ett ögonblick, beslöt sig sedan för att vara uppriktig.

– Jag vet vad du vill. Att jag ska frigöra dig från nattarbetet och låta dig bli reporter igen.

Han lutade sig tillbaka, avslutade sin tankegång:

– Det är inte möjligt just nu.

– Varför inte? sa hon snabbt. Jag har suttit på natten i ett år och trehundrasextiotre dagar. Fastanställd sedan domen. Jag tycker jag har gjort mitt. Jag vill skriva. På riktigt.

En ohygglig trötthet föll över honom. Jag vill. Jag ska. Varför får inte jag. Bortskämda barnungar, över tvåhundra stycken som alltid skulle ha sin vilja fram, vars artiklar eller arbetsuppgifter eller löneläge alltid var det enda viktiga på jorden. Han kunde inte omplacera henne nu, inte inför den stundande omorganisationen.

– Hör vad jag säger, sa han. Det är inte läge just nu. Lita på mig.

Hon studerade honom ingående några sekunder, sedan nickade hon.

– Jag fattar, sa hon, reste sig och gick, bag och ytterkläder i en enda röra i famnen.

Anders Schyman suckade sedan hon stängt dörren.

Golvet glimmade, nybonat, dataskärmarna fick dunklet att vibrera. Isblå ansikten vände hela sin koncentration mot den virtuella verkligheten, tangentborden sjöng, klicketi klack, klicketi klock, mössen jagade över bildrutan, gnagde, hämtade, ändrade, deletade. Jansson pratade i telefon, rökte och slog frenetiskt på tangenterna, struntade i rökburen. Hon släppte ner sina saker på golvet intill nattdesken och gick ut på muggen, spolade varmvatten över handlederna, frusen in i märgen.

Hon blundade och såg mannen framför sig, den vackre svarte med handen innanför skinnjackan, mördaren. Hon mindes inte vad hon sagt, vad han sagt, bara sin egen tafatta förvirring och förlamande rädsla.

Varför just jag? tänkte hon. Varför alltid jag?

Hon torkade sina händer, betraktade sitt sorgliga ansikte i spegeln.

Mormor, tänkte hon. Jag får åka till mormor i morgon och sova, vila, leva.

En svag lättnad, pulsen tillbaka i kropp och händer. Bandet över bröstet släppte lite.

Paradiset, tänkte hon, jag kanske ska försöka få loss knäcket om stiftelsen Paradiset i alla fall. Jag kanske inte ska vara nere i Lyckebo hela ledigheten, jag kanske ska skriva lite också.

Hon log för sig själv, tipset om stiftelsen kanske kunde bli en vändpunkt. Hon fick kolla, hon fick jobba på riktigt. Schyman skulle...

Plötsligt blev hon alldeles kall, remmen som ett järnband igen.

Schyman! Tänk om han hade rätt. Tänk om Rebecka var en bluff, en fejk, en skurk. Hon satte handen för munnen och flämtade till. Gode värld, Aida från Bijelina, hon hade redan skickat folk in i Paradiset!

Kylan spred sig igen, tilltog i hela kroppen.

Åh herregud, hur kunde hon göra något så dumt? Rekommendera en verksamhet som hon inte visste någonting om?

Hon gick in i ett bås och satte sig på en toalettstol, yr och matt. Fanns det inga gränser för hennes dumhet?

Hon drog efter andan, försökte samla sig.

Vad är det jag har gjort? Vad hade Aida Begovic för val? Om inte jag hade varit där hade Aida redan varit död.

Reste sig, gick ut till tvättställen och drack vatten ur kranen, såg sitt ansikte flamma i spegeln.

Å andra sidan, hur kunde hon vara så säker på det? Aida kanske också var en lögnerska, en galning. Hon kanske brukade cykla från Huddinge in till Stockholm tills hon stupade, utan pengar att ta sig hem. Den vackre svartklädde var kanske hennes bror som skulle hämta henne hem till familjen.

Hon blundade, bakhuvudet mot kakelväggen, andades djupt några gånger.

Ingen skulle någonsin få veta. Ingen skulle någonsin få reda på vad hon gjort. Aida hade rätt. De skulle aldrig träffas mer.

Om Paradiset fungerade skulle hon försvinna, för alltid.

Om inte, så skulle hon dö.

Det fanns ett sätt att kolla om Aida visste vad hon pratade om.

Annika gick bort till sin plats, slog numret till Q.

– Ikväll har jag verkligen inte tid, sa hennes poliskälla.

– Har ni hittat långtradaren? frågade hon snabbt.

Lång tystnad, häpen.

– Jag vet att ni letar efter den, sa hon.

– Hur fan kände du till trailern? frågade han. Vi fick precis reda på att den är försvunnen, har inte hunnit efterlysa den.

Hon andades ut. Aida ljög inte.

– Jag har mina källor, sa hon.

– Du blir tamejfan alltmer spöklik, sa Q. Är du synsk?

Hon kunde inte låta bli att skratta högt, lite för högt.

– Jag menar allvar, sa Q. Det här är ingen lek. Passa dig för vem du pratar med om det här.

Skrattet fastnade.

– Vad menar du?

– Alla som kände till att långtradaren försvunnit ligger jävligt risigt till, inklusive din källa.

Hon blundade, svalde.

– Jag vet.

– Vet vad då?

– Vad vet ni?

Han suckade tyst.

– Det här är långt ifrån över, sa han.

– Det kommer att bli fler mord, sa Annika lågt.

– Vi försöker förhindra dem, men vi ligger långt efter, sa Q.

– Vad kan jag skriva?

– Långtradaren, eller rättare sagt trailern, kan vi släppa. Skriv att vi vet att den försvunnit, med en last cigg av okänt värde.

– Femtio miljoner, sa Annika.

Han andades i luren.

– Du vet mer än jag, men jag tror dig.

– Vilka var männen? frågade hon.

– Vi vet fortfarande inte.

– Min källa säger att de inte var viktiga. Vad tror du hon menade med det?

En stunds tystnad.

– Så du har en kvinnlig källa? Du vet att vi letar efter henne. Hon kan ha varit menad som ett tredje offer, vi har hittat blod på en lastkaj intill mordplatsen.

Tystnad.

– Bengtzon, för satan, passa dig.

Så lade han på.

Hon satt kvar i linjens döda sus några sekunder, en abstrakt känsla av obehag.

– Vad var det där? undrade Jansson.

– En kollgrej bara, sa hon och gick bort till krimredaktionen.

Sjölander satt i telefonen, kuttrade, såg irriterat upp. Hon satte sig på kanten av hans skrivbord, precis som han brukade göra på hennes.

– Frihamnsmorden. De kommer att bli en följetong. En trailer full med smuggelcigg är försvunnen, polisen väntar redan på nästa mord.

Kriminalchefen nickade uppskattande.

– Bra uppgifter, sa han. Skriver du själv?

– Helst inte, sa hon. Men det stämmer, jag har det från två håll. Det ena är polisen.

– Mejla över det du har, sa han.

– En lite fylligare bakgrund om cigarettmaffian, kanske?

Han hade redan lyft luren, gjorde tummen upp.

Tisdag 30 oktober

ANNIKA LÅG KRISTALLKLAR och stirrade upp i taket, sprucket och grått. Dagern bakom den vita gardinen skvallrade om lunchtid och dåligt väder. Egendomligt nog kände hon sig utsövd, hade inte ont någonstans.

Hon rullade över på sidan, blicken fastnade på kortet hon lagt på nattygsbordet, Rebeckas nummer. Beslutet kom från ingenstans, hon satte sig bara upp i sängen och slog numret, impulsivt, nyfiket.

Signalerna gick fram. De lät precis som vanliga telefonsignaler, varken skyddade eller raderade. Hon väntade spänt.

– Paradiset!

Rösten var en äldre kvinnas.

– Åhum, jag heter Annika Bengtzon och jag söker Rebecka.

– Ett ögonblick...

Telefonsus, vanligt tystnadsbrus, klackar mot golv som närmade sig, en toalett som spolade, hon lyssnade intensivt. Så här långt lät verksamheten på stiftelsen Paradiset helt normal.

– Annika? Så roligt att höra ifrån dig!

Den ljusa rösten, ljummen och lite släpig.

Annika kände ivern komma, hade nästan glömt hur den kittlade.

– Jag skulle vilja träffa dig igen, sa hon. När har du tid?

– Den här veckan blir det svårt, vi har flera nya klienter på väg in. Nästa vecka är vi också väldigt upptagna.

Hjärtat sjönk, skit också.

– Varför ringde du till oss om du inte hade tid att prata? sa Annika surt.

Tystnaden igen, telesus.

– Jag träffar dig gärna, när jag har tid, sa Rebecka med luftröst, sval, neutral.

– Och när är det?

– Jag har ett möte inne i Stockholm klockan fjorton. Vi skulle kunna träffas en stund före. Det är det enda hål jag har.

Annika såg på sin väckarklocka.

– Nu? Idag?

– Om det fungerar för dig.

Hon lade sig ner med luren mot örat.

– Visst, sa hon.

När de lagt på låg hon kvar i sängen en stund, rofylld. För ett ögonblick svävade ljuset i rummet igen, skimrande. Sedan kastade hon täcket åt sidan, drog på sig joggingbyxorna och munkjackan, sprang ner till duschen i huset på andra sidan gården med tvål och schampo. Vattnet var varmt och smekande, hon tvättade håret, torkade sig långsamt, ljuset var tillbaka.

Hon sprang uppför trapporna, bryggde kaffe och åt en yoghurt, borstade tänderna i slasktratten. Torkade upp lite vatten som hon stänkt på golvet.

Det drog kallt från det trasiga fönstret i vardagsrummet. Hon sopade ihop glaset och putsen, letade fram en papperskasse från skit-Ica som hon tejpade fast över hålet.

Snart, tänkte hon. Snart vet jag hur Paradiset fungerar.

Snart är jag hos mormor i Lyckebo.

Rebecka bar samma kläder som vid förra mötet, ljust neutrala, lin eller bomullsblandning. Håret hårt bakåt, blont, ett lätt forcerat drag runt munnen.

Evita Perón som hjälper de fattiga och svaga, tänkte Annika. *Don't cry for me Argentina.*

– Jag har lite bråttom, sa kvinnan, så vi kanske kan ta det lite snabbt.

Hon har en förkärlek för hotellbarer, konstaterade Annika när kvinnan vinkade till sig kyparen och beställde mineralvatten till dem båda.

– Vi hade kommit fram till raderingen, sa Annika, lutade sig tillbaka, håret fortfarande vått, luktade Wella. Ni får människor att försvinna. Hur går det till?

Rebecka suckade och plockade upp en servett.

– Du får ursäkta, sa hon och torkade sig om händerna, men vi har ganska mycket att göra just nu. Vi har precis fått ett nytt fall som är ganska komplicerat.

Annika såg ner i sitt block och provade pennan. Aida från Bijelina? tänkte hon.

Servitören kom med deras vatten. Hans förkläde var rent. Rebecka väntade ut honom, precis som förra gången.

– Jo, man får komma ihåg att det här handlar om personer som är väldigt rädda, sa hon. En del är nästan förlamade av skräck. De kan inte gå och handla, inte gå på posten, de fungerar inte som människor.

Hon skakade på huvudet åt sina stackars fall.

– Det är förfärligt. Vi måste hjälpa dem med allt, praktiska detaljer som barntillsyn, ny bostad, arbete, skolor. Och så förstås psykiatrisk och social vård, många är väldigt trasiga.

Annika nickade och antecknade, jo, det förstod hon ju, tänkte på Aida igen.

– Så vad gör ni? undrade hon.

Rebecka torkade bort en fläck på sitt glas och smuttade på vattnet.

– Klienten kan nå sin kontaktperson hos oss dygnet runt. Det är a och o att någon alltid kan ställa upp när det är som tyngst.

Kom till saken, tänkte Annika.

– Var bor de här människorna? Har ni något stort hus?

– Paradiset har flera egna fastigheter runt om i Sverige. Vi äger dem, i princip, eller hyr dem genom ett bulvanförfarande som inte går att spåra. Där får klienterna bo en tid. All behandling under den här tiden sker utan att läkaren känner till patientens identitet. Inga journaler förs. I stället för en patientbricka får klienten en bricka med ett referensnummer. Via Paradiset får sedan sjukhuset eller läkarmottagningen reda på vilket landsting som ska betala vården, klienten söker ju oftast inte hjälp i det län som betalar...

Annika antecknade, det här lät ju bra.

– Hur länge kan ni ha en... klient hos er?

– Så länge det behövs, sa Rebecka, den andlösa lilla rösten mycket bestämd. Det finns ingen övre tidsgräns.

– Men i ett normalfall?

Kvinnan torkade sig i mungipan.

– Går allting som det ska så är vi klara på tre månader.

– Och då har ni fixat ny bostad, läkarhjälp, är det något mer?

Kvinnan log.

– Naturligtvis. Det är mycket annat som också ska fungera när man bryter upp till ett nytt liv. Det här med lön och barnbidrag, till exempel. Vår kontakt med bankerna fungerar likadant. Vi har några som vi samarbetar med. Klienten behöver inte ha ett konto på orten där hon bor. För varje löneutbetalning och räkning tar bankerna kontakt med Paradiset som ordnar transaktionerna via ett referensnummer. Detsamma gäller kontakt med dagis, skolor, barnavårdscentraler, försäkringskassan, skattemyndigheten, ja allt. Många behöver juridisk hjälp och då ordnar vi det också.

Annika antecknade.

– Så ni ordnar nytt jobb, ny bostad, nya dagis, skolor, läkare, advokater, och allt går via Paradiset?

Rebecka nickade.

– Den förföljda människan försvinner bakom en vägg. Den som letar efter en raderad person stöter bara på oss, och där tar det stopp.

– Vad lever de här människorna av medan raderingen pågår? De kan väl inte jobba under tiden?

– Nej, naturligtvis inte, sa Rebecka. Många är sjukskrivna, andra har socialhjälp, många har ju barn och då får de förstås barnbidrag och bidragsförskott. Rättshjälpen går ofta in vid juridiska tvister, vårdnadsutredningar till exempel.

Annika funderade.

– Men, sa hon, om förföljarna inte ger sig, vad gör ni då? Kan ni hjälpa till med nya personnummer också?

– Vi har genomfört sextio lyckade raderingar. Inget av våra fall har behövt byta identitet. Det har inte varit nödvändigt.

Annika antecknade klart och lät pennan sjunka. Det här lät verkligen helt otroligt. Hon lyfte blicken och såg sig omkring i baren. Runda bord, mässingsdetaljer. Tjock heltäckningsmatta, pettingbelysning.

Var fanns bristerna i historien?

Annika skakade på huvudet.

– Hur kan ni vara så säkra på att alla som kommer till er talar sanning? De kanske är brottslingar som vill komma undan polis och rättsväsende?

Rebecka hyssjade henne när servitören gled förbi.

– Kan jag få ett nytt glas, det här var smutsigt? Tack. Jag förstår din fråga. Men ingen privatperson kan komma till Paradiset och be att få bli raderad. Vi arbetar bara på uppdrag av myndigheterna. Klienterna kommer till oss via polis, socialförvaltning, åklagarmyndighet, UD, ambassader, invandrarorganisationer och skolor.

Annika kliade sig i huvudet. Okey.

– Men om ni är så hemliga, hur får ni tag i era fall?

Kvinnan fick sitt glas, isbitarna klirrade.

– Så här långt har klienterna hamnat hos oss genom kontakter och rekommendationer. Fallen har kommit från hela landet. Som sagt, anledningen att jag tog kontakt med dig är att vi känner oss mogna att utvidga verksamheten.

Orden dröjde kvar, Annika lät dem hänga i luften några sekunder.

– Exakt hur mycket tar ni betalt för era tjänster? frågade hon.

Rebecka log.

– Ingenting. Vi tar bara betalt av de sociala myndigheterna för vår handläggningstid och de omkostnader vi har medan spåren sopas igen. Vi har ingen ekonomisk vinning av vår verksamhet. Vi tar bara betalt för våra egna utgifter. Även om vi är en ideell verksamhet utan vinstintresse, så måste vi ju ta betalt för vårt arbete.

Jo, hon hade sagt det förut.

– Hur mycket pratar vi om, i kronor och ören?

Porslinskvinnan böjde sig ner och plockade upp något ur sin väska.

– Här har du några informationsblad om vår verksamhet. De är väldigt informellt hållna, inte särskilt stiliga, men de myndighetspersoner som vi haft kontakt med har ju alla känt till oss på ett eller annat sätt och redan varit medvetna om vår kompetens.

Annika tog pappret. Högst upp stod en boxadress i Järfälla. Sedan följde en uppräkning av de tjänster Rebecka precis berättat om. Längst ner läste hon:

För kostnadsinformation kontakta oss på adress och telefon enligt ovan.

– Vad tar ni betalt? undrade Annika igen.

Rebecka letade efter något i sin väska.

– Tretusenfemhundra kronor per dygn och person. Det är en väldigt låg vårdkostnad. Här, det här kan du också titta på, sa hon och räckte över ytterligare ett papper.

Det innehöll ungefär samma uppgifter, något mer detaljerade.

– Nå, sa Rebecka. Vad tror du, är det värt att skriva om?

Annika lade ner pappren i sin bag.

– Jag kan inte svara på det nu. Först måste jag tala med mina chefer och höra om det här är något som tidningen vill bevaka. Sedan måste jag kontrollera dina uppgifter med några av de myndighetspersoner ni haft kontakt med. Du kanske kan ge mig några namn redan nu?

Rebecka funderade, vek ihop sin servett.

– I och för sig, sa hon. Det skulle jag kunna göra. Men, du

måste förstå att det här gäller väldigt känsliga ärenden, allt är sekretessbelagt. Ingen kommer att berätta om oss, om inte jag har sagt att det är i sin ordning. Därför skulle jag vilja återkomma till dig med en sådan lista.

– Visst, sa Annika. När det är klart behöver jag prata med några av dina fall, någon som är helt raderad.

Leendet, det svala.

– Det blir nog svårare. Du får aldrig tag i dem.

– Du kunde kanske be dem ringa mig.

Den lilla kvinnan nickade.

– Jovisst, det är förstås möjligt. Men de känner inte till våra rutiner. Vi avslöjar inget för dem, så att de inte ska kunna förråda sig själva.

– Jag tänker inte fråga dina klienter om era arbetsmetoder. Jag vill ha en mordhotad kvinna som säger: Paradiset räddade mitt liv.

För första gången log Rebecka så att hennes tänder syntes. De var små och vita som pärlor.

– Det kan jag däremot ordna, sa hon, sådana finns det många. Var det något annat?

Annika tvekade.

– Bara en sak, sa hon. Vad driver dig, egentligen?

Rebecka lade hastigt armar och ben i kors, en klassisk försvarsposition.

– Jag kan inte prata om det.

– Varför inte? sa Annika lugnt. Din organisation är verkligen udda, något måste ha fått dig att dra igång den?

De satt tysta en stund, Rebeckas fot gungade rytmiskt fram och tillbaka på knät.

– Jag vill inte att du skriver det här, sa hon till slut. Det här är privat, mellan dig och mig.

Annika nickade.

Kvinnan böjde sig framåt, ögonen uppspärrade.

– Som jag sa, viskade hon, så har jag själv varit hotad. Det var en fruktansvärd upplevelse, fruktansvärd! Jag kunde inte fungera till slut, inte sova, inte äta.

Hon såg sig om över axeln, lät blicken nudda vid de andra gästerna i baren, lutade sig ännu längre fram.

– Jag bestämde mig för att överleva. Det var så jag började konstruera det här skyddet. I mitt arbete upptäckte jag massor med människor i liknande situationer. Jag bestämde mig för att göra en insats, att ta det ansvar som myndigheterna inte förmår.

– Vem hotade dig? frågade Annika.

Rebecka svalde, darrade på underläppen.

– Jugoslaviska maffian, sa hon, har du hört talas om den?

Annika blinkade perplex.

– Vad har du med den att göra?

– Ingenting! sa Rebecka hetsigt. Alltsammans var ett enda stort missförstånd! Det var gräsligt. Gräsligt!

Plötsligt reste hon sig.

– Ursäkta mig, sa hon, sprang iväg mot toaletterna. På bordet låg en liten hög av sönderkramade pappersservetter.

Annika såg långt efter henne, vad fan var nu detta? Ytterligare en cigarettjuv?

Hon suckade, drack upp sitt ljumma vatten, läste igenom sina anteckningar. Trots de många orden fanns det luckor i historien, men hon såg dem inte ännu, och vad hade juggemaffian här att göra?

Porslinskvinnan dröjde. Annika blev otålig, kollade klockan, hennes tåg till Flen skulle snart gå. Hon betalade notan och hade satt på sig jackan när Rebecka kom tillbaka, klarögd och oberörd.

– Förlåt mig, sa kvinnan och log. Minnena kan göra så ont.

Annika betraktade henne, lika bra att få frågan ur världen.

– Har du något med de försvunna cigaretterna att göra? frågade hon, lätt stressat.

Rebecka log och blinkade fåraktigt.

– Har du tappat dina cigaretter? Jag röker inte.

Annika suckade.

– Jag kommer inte att kunna skriva något utan den där listan på myndighetspersoner, sa hon. Det är viktigt att jag får den så snart som möjligt.

– Naturligtvis, sa Rebecka. Du hör av mig inom kort. Om du inte har något emot det så går jag helst före dig, så att vi inte ses tillsammans. Kan du vänta några minuter?

Mission Impossible, tänkte Annika. The object has left the building.

– Visst, sa hon.

Tågets dunkande försatte henne i ett koncentrerat lugn innan de passerat Årstabron. Tanto gled förbi till vänster om henne, stora hus med panoramafönster mot vattnet. Spenaten tog vid, så litet Stockholm var. De förbirusande granarna fyllde hennes synfält med sin mörka vintergrönska, vajade i takt med tåget; dodunk, dodunk.

Radera människor, tänkte hon. Kan det verkligen vara möjligt? En organisation som står på alla papper, som håller kontakt med alla myndigheter, som tecknar alla avtal, är det verkligen lagligt?

Hon tog fram block och penna, började skissa.

Om kommunerna verkligen köper in Paradisets tjänster så måste de ju vara lagliga, tänkte hon.

Sedan har vi pengarna, hur mycket kostar det att bli raderad?

Hon bläddrade i sina anteckningar.

Tretusenfemhundra kronor per person och dygn. Det kanske var en rimlig siffra, hon kunde inte bedöma det.

Metodiskt ställde hon upp kostnaderna:

Fem personer på heltid, säg att de tjänade femtontusen kronor i månaden plus sociala avgifter, det gjorde runt etthundratusen kronor i månaden. Plus husen, säg att de hade tio hus med räntor eller hyror på vardera tiotusen kronor i månaden, det var ytterligare etthundratusen kronor. Mer? Läkarvården stod landstingen för. Kommunerna stod för socialbidraget, försäkringskassan för sjukpenningen, rättshjälpsnämnden för advokaträkningarna.

Kostnaden borde stanna runt tvåhundratusen kronor i månaden.

Intäkterna då?

Tretusenfemhundra kronor per dygn i en månad gjorde etthundrafemtusen kronor för en person.

Om de hjälper en kvinna med ett barn varje månad så går de med tiotusen i vinst, insåg hon.

Hon stirrade förbluffad på sin uträkning.

Kunde det verkligen stämma?

Hon räknade igenom siffrorna igen.

Sextio fall à tretusenfemhundra kronor per dag i tre månader blir nästan nitton miljoner.

Under tre års tid hade de haft en kostnad på drygt sju miljoner, vilket innebar en vinst på nästan tolv miljoner.

Det måste vara fel, tänkte hon. Jag bygger hela kostnadsdelen på uppskattningar och antaganden. De kanske har mycket högre kostnader, sådant som jag inte känner till. De kanske har läkare och psykologer och jurister anställda, och massor med kontaktpersoner som står stand by dygnet runt, året runt. Sådant är förstås dyrt.

Hon packade ner sina saker i bagen igen, lutade sig bakåt mot sätet och lät sig gungas till ro. Dodunk, dodunk.

Ljuden var alltid desamma, tänkte Anders Schyman. Stolar skrapade, en pratkanal på radio stod på, CNN på låg volym, prasslet av papper, en kakofoni av mansröster som steg och sjönk, korta meningar med eftertryck. Skratt, alltid skratt, hårda snabba.

Lukterna, alltid kaffe, lätt fotsvett, aftershave. Kvardröjande tobaksrök i utandningsluften, testosteron.

Ledningsgruppen samlades varje tisdag och fredag eftermiddag för att gå igenom större satsningar och långsiktiga strategier. Alla var män, över fyrtio, alla hade tjänstebil och exakt likadana mörkblå filtkavajer. Han visste att de kallades för Filtstimmet.

De träffades alltid i chefredaktör Torstenssons tjusiga hörnrum med utsikt över ryska ambassaden. De hade alltid wienerbröd och biskvier, Jansson kom sist, det gjorde han alltid. Han spillde alltid kaffe på mattan, bad aldrig om ursäkt och torkade aldrig upp. Schyman suckade.

– Ja, om vi skulle… sa chefredaktör Torstensson och flackade med blicken. Ingen tog någon notis om honom. Jansson kom insläntrande, sömndrucken, med håret på ända och en cigarett i mungipan.

– Vi röker inte här, sa chefredaktören.

Jansson spillde kaffe på mattan, drog ett djupt bloss och satte sig längst ner på bortre långsidan. Sjölander, kriminalchefen, pratade i mobiltelefonen strax intill honom. Ingvar Johansson bläddrade bland en packe telegram, Bild-Pelle stod och garvade åt något som nöjeschefen sa.

– Okey, sa Schyman. Sätt er ner så att vi kommer härifrån någon gång.

Sorlet dämpades, någon stängde av radion, Sjölander avslutade sitt samtal, Jansson tog en biskvi. Själv förblev han stående.

– Med facit i hand så ser vi att det var korrekt att satsa på orkanen, fortsatte Schyman medan männen bänkade sig. Han höll upp lördagstidningen i ena näven, bläddrade med den andra bland konkurrenterna.

– Vi var bäst, från start till mål, och det var välförtjänt. Vi var förutseende och samordnade våra resurser på ett nytt sätt. Alla redaktioner och arbetslag jobbade ihop, det gav oss en styrka som ingen annan kunde matcha.

Han lade ner tidningarna. Ingen sa något. Detta var mer kontroversiellt än det verkade. Alla dessa män var påvar över sitt eget område. Ingen ville släppa makt och inflytande till någon annan. Därför kunde det, i extrema situationer, hända att cheferna satt och höll på sina egna nyheter för att vara först med dem i sin egen upplaga eller sina egna avdelningar. Om de samarbetade flyttades makten högre upp i hierarkin, till den nivå av biträdande redaktionschefer som chefredaktören ville skapa.

Han plockade vidare bland tidningarna, satte sig ner.

– Satsningen på den handikappade pojken verkar också ha gett resultat, kommunen ska tydligen ompröva sitt beslut och ge honom den hjälp han har rätt till.

Tystnaden var kompakt. Bara CNN och ventilationen fortsatte som vanligt. Anders Schyman visste att de andra inte gillade att gå igenom gamla tidningar, skåpmat, idag är en annan dag, man måste satsa framåt för att nå uppåt, det var deras devis. Redaktionschefen höll inte med. Han ansåg att man måste lära av gårdagens misstag för att undvika morgondagens, en nog så självklar sanning som inte gått hem.

– Hur går det med förberedelserna inför sossekongressen?

frågade Schyman och såg bort mot chefen för samhällsredaktionen.

– Jo för fan, vi är kraftigt på gång, sa Filtkavajen och lutade sig framåt med några papper i händerna. Calle Wennergren har fått ett jävla bra tips om en av de kvinnliga ministrarna. Hon har tydligen handlat privat på regeringskortet, både blöjor och choklad.

Männen skrockade, ja jävlar, aldrig kunde de hålla reda på pengarna! Blöjor! Och choklad!

Schyman såg oberört på den andra mannen.

– Jaha, sa han. Och var är grejen?

Skratten dog ut, Filtkavajen log, oförstående.

– Privat, sa han. Hon har handlat privat på regeringskortet.

Alla nickade instämmande, vilken grej!

– Okey, sa Schyman. Det får vi gå vidare på. Varifrån kom tipset?

Lätt upprört mummel, sådant pratade man inte om. Schyman suckade.

– Jamen för helvete, sa han. Det fattar ni väl, att det är någon som är ute efter att sätta dit henne. Kolla vem det är. Det kanske är det som är grejen, maktkampen inom socialdemokratin, vad de är beredda att göra för att skada varandra inför kongressen. Något annat? Riksdagen?

De fortsatte att gå igenom de jobb som lagts ut, inom politiken, nöjet, utrikes, nyheterna. Ledarredaktionen gjorde anteckningar och kommentarer, olika ståndpunkter slogs fast, riktlinjer drogs upp.

– Kneg och Deg?

Chefen för avdelningen Arbete&Pengar föreslog med stor entusiasm en ny satsning på temat fonder, vilka som var på väg upp, vilka man skulle undvika, vilka som var etiska och vilka som var långsiktigt säkra. Rubriker som Bli en vinnare sålde alltid. Alla nickade, detta ansågs reservationslöst vara en bra grej. Samtliga medlemmar i stimmet satt på rejäla optioner.

– Kriminalavdelningen?

Sjölander harklade sig, satte sig upp. Han hade nästan lurat till på sin stol.

– Jo, för fan, sa han, vi har dubbelmordet i Frihamnen, och det är bara början enligt polisen. Som ni ser i tidningen idag så är vi ensamma med uppgifterna om den försvunna cigarettlasten. Femtio millar. De kommer att mörda varandra till höger och vänster över den här långtradaren.

Alla nickade uppskattande, bra grej.

– Och så har vi privatiseringen av den offentliga sektorn, sa chefredaktören, hans röst lite ljusare än de andras. Har någon reporter börjat arbeta med det?

Schyman ignorerade honom.

– Annika Bengtzon har en grej på gång, jag vet inte vad det kan ge. Hon har fått tag i någon skum stiftelse som gör sådant som socialtjänsten inte längre förmår, de gömmer undan mordhotade kvinnor och barn.

Filtstimmet skruvade lite olustigt på sig, vafan är det för något, vaddå stiftelse, det där lät ju jävligt luddigt.

– Annika Bengtzon kan komma med bra grejer, men hon är så jävla insnöad på det här med kvinnor och barn, sa Sjölander.

Alla nickade, ja, det var ett jävla tjat, ingen pondus i det området, ingen bra cred, bara sjaskigt och tragiskt.

– Fast man får ju komma ihåg vart hon kommer ifrån, sa Sjölander och flinade lite, alla flinade med, jo jo.

Schyman iakttog dem under tystnad.

– Hade grejen varit bättre om de gömt undan hotade män? frågade han.

Man började skrapa med stolarna igen, titta på klockan, jävlar, nu var det dags att sätta igång och producera, var man klara för den här gången?

Alla bröt upp, radion åkte på, det slamrade och larmade.

Anders Schyman gick tillbaka till sitt rum med samma känsla av lätt frustration som brukade infinna sig efter planeringsmötena. Den redaktionella tidningsledningens kategorisering av verkligheten, dess homogent incestuösa syn på saker, den insiktslösa bristen på självkritik.

När han satt sig ner och slagit igång tt-telegrammen fanns en alltom överskuggande tanke i hans sinne:

Hur fan ska det här gå?

Annika klev av bussen vid Konsum, trottoaren snorhal, drog upp axlarna, struntade i blickarna. Människor i skrikiga skidkläder flimrade i yttre ögonvrån, hon vände sig bort, ville de glo så fick de, hon gick sin egen väg. Gatan var grusad, hon steg ner på körbanan och gick mot bruket. Industriområdet krockade med himlens massiva gråhet, det luktade slask. Hon undvek som vanligt att se på den övergivna masugnen, tittade i stället till vänster, lät blicken smeka de vackra gamla arbetarbostäderna med sin kraftiga, faluröda timring. Till höger låg hennes gamla lägenhet, hon sneglade ditåt, hittills hade den stått tom.

Det gjorde den inte längre.

Hon stannade till mitt på gatan, förundrad.

Gardiner och blommor i fönstret, en liten skomakarlampa.

Någon bodde i hennes kök, sov i hennes sovrum. Någon som pyntade, vattnade, brydde sig. De tomma fönsterhålorna var levande igen.

Lättnaden förvånade henne med sin styrka, blev nästan fysisk. Något lyftes från hennes bröst. Den vanliga viljan att försvinna sjönk undan. För första gången sedan det hemska hände kände hon en våg av ömhet gentemot brukssamhället.

Jag hade det bra här också, tänkte hon. Vi hade det fint ibland. Det fanns kärlek emellanåt.

Hon lämnade samhället bakom sig, kom ner på Granhedsvägen, ökade takten, hissade upp bagen på axeln. Såg upp mot himlen, ett lätt sus i grantopparna, mörkret var inte långt borta.

Jag undrar om det finns träd på andra planeter, tänkte hon.

Vägen var isig och ojämn, hon kryssade för att hitta fotfäste. Några bilar med dimmiga halvljus passerade, det var ingen hon kände igen.

Tystnaden smög sig på. Knarret av skorna, hennes regelbundna andning, det diffusa mullret av ett plan på inflygning till Arlanda. Kroppen blev lätt, dansande, ögonen fria.

Skogen hade farit illa av stormen. På hygget bakom Tallsjön hade nästan alla frötallar gått av. El- och telefonstolpar hade rasat. Träden hade knäckts på alla höjder och ledder, de låg med rotvältor i dagen, avbrutna i manshöjd, kluvna, delade i toppen. Vägbanan var skräpig av sönderstormade grenar, hon fick kliva över resterna av en nedfallen björk.

Så utlämnade vi är, tänkte hon. Så lite vi egentligen kan styra.

Uppfarten till Lyckebo var inte plogad. En bil hade kört där någon dag tidigare, spåren hade tinat till dubbel bredd och sedan frusit till isrännor. Det var besvärligt att gå, bagen dunsade mot hennes höft.

Vägbommen som markerade Harpsunds marker stod öppen, granarna slöt sig omkring henne. Mörkret tätnade, här hade stormen inte orsakat lika stora skador. Staten hade råd att sköta sin skog.

Hon passerade den lilla bäcken, fallet ur trumman hade bildat en skulptur av is. Det porlade lite någonstans där under. Djurspåren korsade varandra i olika former och storlekar; älg, rådjur, hare, vildsvin. De som var ett par dagar gamla hade flutit ut till jättetassar.

Så öppnade sig gläntan med de tre faluröda husen, torpet, vedboden och ladugården. Allting stilla. Trädkojan till vänster, den sluttande ängen ner mot bryggan. Hon stannade till och drog av sig handskar och mössa, lät vinden från sjön vädra ut hennes hår, blundade och andades. Bilden av gläntan låg kvar på hennes näthinna som ett svartvitt negativ, stilla, färglöst, ljudlöst. Sakta tog en obestämbar oro form bakom ögonlocken, vad var det som var fel?

Hon öppnade ögonen på vid gavel, ljuset slog in, scenen kristallklar, efter två sekunder visste hon.

Ingen rök ur skorstenen.

Hon släppte bagen på marken och sprang, hennes egna hjärtslag som en dånande puls i hjärnan. Slet upp dörren, kyla och mörker, en illaluktande pust av fara.

– Mormor!

Benen stack fram under slagbordet, bruna stödstrumpor, ena skon hade åkt av.

– Mormor!!

Hon lyfte undan bordet, klämde vänstra ringfingret när bordsskivan slog igen.

– Åh herregud, åh herregud...

Den gamla kvinnan låg i framstupa sidoläge, det hade runnit lite blod ur hennes mun. Annika kastade sig ner över henne, tog hennes hand, iskall, strök henne över håret, tårarna vällde över, vågor av adrenalin.

– Mormor, gode Gud, hör du mig, hallå, mormor...?

Annika letade med fingrarna efter pulsen på handleden, hittade inte stället, letade på halsen, hittade inget där heller, händerna fumliga och fuktiga, rullade över den gamla kvinnan på rygg, böjde sig ner och försökte ana sig till en andedräkt. Jodå, hon andades.

– Mormor?

Ett stön till svar, så ett svagt mummel.

– Mormor!

Huvudet föll åt sidan, blodet hade torkat in på kvinnans kind. Hakan hängde slapp ner mot halsen. Nytt stön, kvidande.

– Ont, sa hon. Hjälp mig.

– Mormor, det är jag, herregud mormor, du har ramlat, jag ska hjälpa dig...

ABC, tänkte Annika, strök den gamla kvinnan över håret. Andning blödning chock. Hon måste hållas varm.

Snabbt reste hon sig och rusade ut till kammaren, den gustavianska sängen noggrant bäddad. Med ett enda ryck slet Annika till sig sängkläderna, inklusive underlakanet och bäddmadrassen, rusade tillbaka till köket. Hon lade ut madrassen på golvet, lyfte överkroppen och sparkade in madrassen under mormodern, sedan höfterna, sedan benen. Det blev lite knöligt. Därefter lakan och filtar, lyfte benen, svepte in. Satte sin mössa på kvinnans huvud, det gråa håret strävt mot darrande händer.

Ambulans, tänkte Annika.

– Vänta här mormor, sa hon. Jag ska fixa hjälp. Jag kommer snart.

Kvinnan kved till svar.

Hon rusade ut ur huset, genom skogen, förbi bäcken, passerade vägbommen, över vägen, duckade under en hängande elledning, hoppade över tuvorna i kärret och sprang uppför backen till Lillsjötorp.

Gode Gud, låt Gammel-Gustav vara hemma!

Gubben stod och högg ved. Han hörde inte Annika, lomhörd. Hon brydde sig inte om att hälsa utan rusade in i huset.

Spermahinken var där, Gustavs hemvårdare och Svens gamla vänsterprassel, Ingela som hon hette. Hon stod och diskade, såg bestört på Annika.

– Vad i all sin...?

Annika rusade bort till telefonen och slog 90 000.

– Du kan väl åtminstone stänga ytterdörren, sa Spermahinken irriterat, torkade händerna på en kökshandduk och gick mot hallen.

– SOS 112, vad är det som har inträffat? sa en dam i luren.

Annika började storgråta.

– Det är mormor! tjöt hon.

– Ska vi ta det från början? Vad är det som har hänt?

Annika blundade, strök sig över pannan.

– Det har hänt något med min mormor, sa hon. Jag trodde hon var död. Hon ligger i ett torp utanför Granhed, ni måste komma och hämta henne.

– Vad har du gjort med handen? sa Spermahinken förskräckt.

– Vilket Granhed? sa damen.

Annika hackade fram en vägbeskrivning, ta av i Valla mot Hälleforsnäs, sedan Stöttastensvägen, förbi Granhed, första höger efter Hosjön.

– Har det hänt något med Sofia? sa Spermahinken storögt.

Annika släppte ner luren och lämnade huset, sprang tillbaka samma väg som hon kommit. Det hade mörknat, hon ramlade flera gånger. Det lilla torpet hade börjat smälta in i fonden, den svarta skogen.

Kvinnan hade inte rört sig, låg alldeles stilla, andades lugnt. Annika satte sig ner, lade hennes huvud i sitt knä och grät.

– Du dör inte nu, hör du det! Du dör inte ifrån mig nu!

Långsamt lugnade hon ner sig. Det skulle dröja minst en halvtimme innan ambulansen kom. Hon torkade snor och tårar med baksidan av handen, då såg hon blodet. Skinnet och köttet på vänstra ringfingret hade klämts ihop när hon lyfte undan slagbordet. Blodet hade stelnat under naglarna, rann ner längs handleden. I samma ögonblick kom smärtan. Hon stönade och kände rummet gunga till. Vilken bebis hon var! Hon lindade disktrasan runt såret och knöt till.

Det var nog lika bra att försöka få upp lite värme i köket.

Hon gick bort till spisen för att göra upp eld, lade handen på järnet. Det var svalt men inte kallt, här hade inte eldats sedan tidigt i morse. Hon kramade ihop några tidningssidor, lade in ett vedträ och lite näver. Handen darrade när hon drog stickan mot plånet, smärtan dunkade i fingret. Med nästa sticka tände hon fotogenlampan och ställde den i fönstret ut mot vattnet.

Hon hämtade en kudde och lade under mormoderns huvud, såg begrundande på det gamla ansiktet. Sofia Katarina. Samma namn som den yngsta i Kulla-Gullas fostersyskonskara. Annika mindes hur vackert hon tyckt att namnet var. Som barn låtsades hon alltid att Martha Sandwall-Bergströms böcker egentligen handlat om hennes mormor. Sofia Katarina. Sossatina.

Var höll den jävla ambulansen hus?

Hon såg sig omkring i köket. Det fanns inga spår av kaffekok, smörgåsar, gröt eller lunch. Mormor måste ha fallit ihop tidigt i morse, direkt efter att hon klivit upp, gjort eld i spisen och bäddat. Det gör åtta timmar, tänkte Annika. Åtta timmar. Är det för länge? Klarar hon det?

Elden tog sig bra, hon stoppade in ett par vedträn till i spisen. Värmen flyttade omärkligt ut i rummet, kylan gav upp utan strid. Detta var ett hus som var vant vid värme och ljus, kärlek och harmoni. Nu hade villkoren förändrats.

Mormodern rörde på huvudet och stönade. Annikas vanmakt stegrades till brinnande ilska.

Satans jävla ambulanshelvete, var fan höll de hus?

Lövskogen var tät, illa skött, på gränsen till snårig. Vägen var lerig och sönderkörd, Ratko svor när vänster bakhjul slirade i gyttjan. Han stannade, växlade ner från drive till ettan, tryckte försiktigt på gasen igen. Den stora dieselmotorn morrade lågt, suget släppte, bilen brakade vidare. Han borde vara framme.

Ytterligare ett litet träd hade fallit över vägen, den okontrollerbara vreden övermannade honom på ett ögonblick. Han slog i ratten, hårt, satan, satan, han hade haft nog med hinder. Med en häftig gest tryckte han i parken och gick ut för att släpa bort björken. Han tryckte ner stammen i diket, hoppade på det lilla trädet, insåg plötsligt att han var framme. Revan i landskapet där trailern stod var bara några tiotal meter bort, den gula hytten lyste mellan lövträdens nakna spretighet. Om inte trädet fallit just här hade han förmodligen inte hittat tillbaka. Ödet strök honom som en fjäder i nacken, han viftade bort den.

Han stod kvar ett tag och andades, andedräkten som en rök omkring honom.

Det fanns ingenting som hette tur. Var man skapar sin egen

framgång, det var hans fasta övertygelse. Att de funnit långtradaren och klåparna som stulit den var inte tur, det var resultatet av årtiondens uppodlade kontaktnät.

Ingen kunde komma undan, han hittade dem alltid. De jävlarna trodde att de kunde blåsa honom.

Hans euforiska känsla när de återfunnit långtradaren hade förbytts i ett vanmäktigt raseri när de öppnat trailern. Ciggen var borta. Någon hade gömt dem, killarna hävdade att de inte visste vem eller var.

Ratko bet ihop tänderna tills det smärtade i käkarna.

Det fanns bara ett skäl till varför killarna inte snackat, de hade inte den blekaste aning om var lasten fanns.

Han tog av sig handskarna och tände en cigarett. Rökte den långsamt, ända till filtret. Släckte den mot skosulan och stoppade fimpen i fickan. Nuförtiden kunde de hitta DNA i filtret, från saliven. Skorna fick han också komma ihåg att slänga. Det räckte med det skit han hade, han behövde inte den svenska polisen i hälarna också.

Han stod kvar en stund, tog på sig handskarna igen. Det var bara att inse, han var fortfarande långt ifrån målet. Han hade haft anledning att vara förbannad många gånger i sitt liv, men den här gången var det annorlunda. Han visste inte om han var jägaren eller bytet. Han kände faran komma från flera håll. De överordnade sa att de litade på honom, att de förstod att han skulle ställa allt till rätta, men han visste att deras tålamod var begränsat. Nattens arbete hade inte lett honom närmare lasten, men det hade inte varit alldeles bortkastat. Det visade på hans initiativförmåga och handlingskraft. Ändå var han inte säker. Kvinnan var borta, han begrep inte vart hon tagit vägen. Han förstod fortfarande inte hennes roll i sammanhanget.

Han klev in i bilen, kastade en blick i backspegeln. Ingenting. Bara paketen som skymde sikten lite. Han körde fram ungefär trettio meter och svängde sedan höger in bland träden, bilen skumpade och hävde sig, sedan var han framme. Petade in parken, slog av tändningen, lät nyckeln sitta i. Hämtade dunkarna och satte igång. Noggrant och metodiskt dränkte han trailern och hytten med bensin, det plaskade och skvätte, både hans hår och kläder sög åt sig den rosaskimrande vätskan, ställde sedan tillbaka dunkarna. Han fick skynda sig, det skymde fort nu. Elden syntes tydligare i mörkret.

Till sist var det bara paketen kvar. Han tog det första över axeln, var nästan glad över bensinångorna från kläderna. Det var en jävel att lukta illa. När han skulle pressa in liket i lastbilens förarhytt tappade han kroppen på marken och förlorade besinningen. Sparkade med sina järnbeslagna skor, kött och ben dansade och rullade, gång på gång, igen och igen, tills han var alldeles slut. Han fick lov att vila ett tag, bensinen på hans kläder gjorde honom yr. Med ett beslutsamt grepp hävde han sedan upp paketet på passagerarsidan och gick för att hämta det andra. Plötsligt hörde han motorljud på avstånd. Han frös mitt i en rörelse, det andra liket halvvägs ute. Rädslan övermannade honom, han slängde paketet på marken och kastade sig in bland buskarna. Låg raklång i den fuktiga mossan, genomsur på några sekunder.

Ljudet avtog sakta och försvann. Han ställde sig på alla fyra, flämtande, snorig, borstade bort några kvistar i håret. Jävla tur att ingen såg honom.

Han reste sig upp, skamsen, såg liket ligga hopsjunket, hittade sin vrede. Drog fram paketet, sparkade och slog. Bar det sedan sammanbitet bort till lastbilshytten och tryckte in det på golvet på förarsidan. Arbetade snabbt och beslutsamt. Hämtade de två sista dunkarna, en i var hand. Lät vätskan rinna ner över kropparna, dränkte liken i bensin. Sista skvätten använde han till stubin, hällde den i en sträng på marken, in bland träden. Han andades ut, kände plötsligt hur utmattad han var. Vilade någon minut, drog av sig kläderna, inklusive kalsongerna, tog fram gymbagen med reservgrejerna. Klädde sig snabbt och huttrande i den råkalla luften, gjorde några hårda åkarbrasor.

Bättre, mycket bättre. Nu var bara fyrverkeriet kvar.

Han betraktade scenen ett ögonblick, trailern kropparna skogen, egentligen ganska nöjd.

Snurrade igång sin Bic-tändare, lade den mot marken, vände sig om och sprang.

Akutintaget påminde om ett garage. Ambulansen parkerade, en svärm av vårdpersonal i fladdrande rockar med kulspetspennor i bröstfickorna landade runt dem. De talade lugnt med varandra, utförde effektiva rörelser. Alla kvinnor hade nytvättat hår och alla män var slätrakade. Mormor rullades iväg i en flock av fladdrande landstingspolyester.

Annika steg ut ur bilen, såg skocken sväva bort mot medicinakuten. En tant bakom en glasruta hänvisade henne till väntrummet. Där satt fullt med hängiga ungar, rastlösa föräldrar, hålögda pensionärer, en högljudd invandrarfamilj. Annika grävde i sin bag och hittade ett telefonkort. Hon gick bort mot automaten, ursäktade sig när hon trängde sig förbi den högljudda familjen, satte vänstra handen på luren och pannan mot apparaten, andades djupt. Hon måste.

Modern svarade efter fjärde signalen, en anstrykning av irritation.

– Det är mormor, sa Annika. Hon är riktigt dålig. Jag hittade henne i torpet, hon var nästan död.

– Vad menar du? sa modern i andra luren, och sedan, mot någon i rummet: Nej, inte dom glasen, ta dom röda…

– Mormor är skitsjuk! skrek Annika. Hör du inte vad jag säger!?

Modern kom tillbaka.

– Sjuk? Rösten förvånad, inte rädd, inte chockad. Förundrad.

– Hon levde i ambulansen, men sedan rullade de iväg med henne och jag vet inte vad som hände…

Annika började gråta, ljudlöst.

– Mamma, kan du inte komma hit?

Modern satt tyst, ett svagt sus på linjen.

– Och vi som ska ha middag. Var är du?

– Kullbergska.

Den högljudda familjen fick äntligen komma in någonstans, i tystnaden ekade lurens klang i klykan.

En fladdrande underläkare kom fram emot henne.

– Anhörig till Sofia Katarina? Vill ni vara så vänlig och följa med här.

Mannens vita rygg gled tillbaka bakom glasdörren och försvann. Annika svalde och följde efter. Oh Gud, hon är död, nu säger han att hon har dött. Säger att ni hittade henne för sent. Varför tar ni inte hand om era gamla?

Patientrummet var litet, sorgligt och fönsterlöst. Doktorn presenterade sig, mummel och snabbt handslag, klickade igång en kulspetspenna och böjde sig över sina papper. Annika svalde.

– Är hon död?

Läkaren lade ner pennan och gned sig i ögonen.

– Vi kommer att göra en neurologisk undersökning för att försöka utreda vad som gått snett. Just nu tar vi en rad prover, socker, blodvärde, blodtryck.

– Och? sa Annika.

– Läget förefaller stabilt, sa han, mötte hennes blick. Hon blir inte sämre, vakenhetsgraden är lite bättre, vi har uteslutit högt socker. Men reflexerna är svaga, hon är slapp i ena sidan. Du kanske noterade att ena mungipan hängde.

Det var ett konstaterande, ingen fråga.

– Blodet då? sa Annika. Varför blödde hon ur munnen?

Läkaren reste sig.

– Hon bet sig i fallet. Vad har du runt din hand?

– En disktrasa. Jag klämde mig. Kommer hon att bli bra?

Annika reste sig också, läkaren klämde fast pennan mot bröstfickans kant.

– När vi är klara här gör vi en datortomografi. Det kommer att ta ett tag innan vi kan bedöma omfattningen.

– En bild av hjärnan? Men vad är det för fel? Kommer hon att dö?

Annikas handflator hade blivit våta av svett.

– Det är för tidigt att…

– *Dör hon?*

Rösten var alltför gäll, bar inte, läkaren drog sig bakåt.

– Något har hänt i vänstra sidan av stora hjärnan, någon form av kärlkatastrof. Antingen har hon fått en propp i hjärnan, en cerebral trombos, eller en blödning, en cerebral hemorragi. Det är för tidigt att bedöma vilket.

– Vad är skillnaden?

Mannen lade handen på dörrhandtaget.

– Vid en blödning kommer symptomen plötsligt och patienten blir i de flesta fall medvetslös. Ofta har patienten en historia av högt blodtryck. Du ska få den där handen omsedd, och en stelkrampsspruta.

Han lämnade rummet, ett vinande ljud av statisk elektricitet när rocken svepte förbi dörrpostens plast. Annika satte sig igen, förlamad, munnen halvöppen, fick inte luft.

Det här händer inte, inte mig, inte nu.

Hon satt kvar tills en sköterska kom och gav henne tre stygn i fingret, en spruta i rumpan och en vit gaskondom som gick ner på handleden. Sedan tog hon sig ut i väntrummet igen, ena handen som stöd längs korridorens målade glasfibervägg, sjukhusljuden avlägsna, paniken strax under ytan.

Modern dök upp i väntrummet, öppen minkpäls, omodern, för trång över axlarna, pratade högljutt med tanten i receptionen. Sjönk sedan ner på stolen bredvid utan att ta av sig.

– Har de sagt något?

Annika suckade hårt, kämpade tillbaka tårarna, sträckte ut armarna och kramade om sin mamma.

– Det är något i hjärnan. Åh mamma, tänk om hon dör!

Mumlade mot hennes axel, snorade ner hennes päls.

– Var är hon nu?

– På röntgen.

Modern lösgjorde sig, klappade Annika på kinden, hostade, torkade sig med handsken i pannan.

– Ta av pälsen, annars blir du för varm, sa Annika.

– Jag vet vad du tänker, sa modern. Du tycker det här är mitt fel.

Annika såg upp på sin mor, såg hur den förväntade kritiken ristat avståndstagande i hennes ansikte. Ilskan kom som en vit blixt.

– Åh nej du, sa hon. Skyll inte på mig för att du har skuldkänslor.

Modern fläktade sig med handen.

– Det har jag inte alls, men du tycker att jag borde ha det.

Annika kunde inte sitta kvar. Hon reste sig och gick bort till luckan.

– När får vi reda på något om Sofia Katarina?

– Det går bra att sitta ner och vänta, sa tanten.

Modern hade låtit pälsen glida ner på axlarna.

– Vet du var man kan röka? undrade hon, fingrade på handväskan.

– Nu när du ändå drar upp det, sa Annika, så tycker jag faktiskt att det är lite konstigt att det blir jag som hittar henne, jag som bor tolv mil härifrån. Du har bara tre kilometer.

Hon satte sig två stolar bort, ryggen mot ett element.

– Så ska man få det kastat i ansiktet också, sa modern.

Annika vände sig bort, blundade och lät värmen gå in genom tröjan, lutade huvudet bakåt, en metallkant skar in i nacken. Tårarna brände.

– Inte nu mamma, viskade hon.

– Annika Bengtzon?

Den kvinnliga läkaren hade hästsvans och en mapp med papper i handen. Annika satte sig upp, torkade sig hastigt under ögonen, tittade ner i golvet. Läkaren satte sig ner mitt emot henne och lutade sig fram.

– Datortomografin visar precis det vi misstänkte, sa hon. En blödning i vänster sida av hjärnan, mitt i centrum av nervsystemet. Det ser vi också på de högersidiga symptomen och på att ögat verkar oaffekterat.

– Slaganfall? sa modern andlöst.

– Ja. En stroke.

– Herregud, sa modern matt. Kommer hon att bli frisk igen?

– Lite av symptomen brukar gå tillbaka. Men i den här åldern, med det här akuta förloppet, kan vi nog tyvärr räkna med rätt kraftiga restsymptom.

– Blir hon grönsak? undrade Annika.

Läkaren såg vänligt på henne.

– Vi vet inte om blödningen har påverkat intellektet. Den behöver inte ha gjort det. Det beror till stor del på rehabiliteringen. Den är väldigt viktig i sådana här fall.

Annika svalde, bet sig i läppen.

– Kan hon bo hemma igen?

– Vi måste avvakta innan vi kan bedöma det. Rent generellt brukar tillståndet förbättras om patienten får bo hemma, med intensiv hemtjänst förstås. Alternativet är ett institutionsboende eller långvård.

– Institution? sa Annika. Inte Lövåsen väl?

Läkaren log.

– Det är inget fel på Lövåsen. Du ska inte tro allt du läser i tidningarna.

– Det var jag som skrev artiklarna, sa Annika.

– Jag har då inget emot Lövåsen, sa modern.

Läkaren reste sig.

– Hon ligger på intaget nu. När hon har fått upp värmen kan ni få komma in till henne. Det tar en stund.

Annika och hennes mor nickade, samtidigt.

Thomas kramade ihop skräpet efter hamburgaren och kastade det i papperskorgen. Han fick komma ihåg att tömma den på vägen ut, annars skulle det stinka gatukök i hans rum hela veckan.

Med en suck lutade han sig tillbaka i kontorsstolen och stirrade på fönstret. Mörkret därute kastade tillbaka bilden av hans rum, en annan ekonomiskt ansvarig socialtjänsteman i en annan värld, likadan, fast spegelvänd. Rådhuset var stilla, nästan alla tjänstemän hade gått hem. Snart skulle ledamöterna i socialnämnden börja samlas i konferensrummet intill, men än var det tyst. Han kände sig egendomligt nöjd, fri och i fred. Han hade skyllt på arbete när Eleonor pratat om middagen, det var ingen lögn men knappast heller någon sanning. Arbetsuppgifterna var alltid många och tunga den här tiden på året, men inte fler eller värre än vanligt. Tidigare hade det inte hindrat honom från att komma hem och äta. Middagarna var deras heliga stund. Förrätt, varmrätt, Eleonor åt aldrig dessert. Alltid tända stearinljus under den mörka årstiden, alltid manglade servetter. Han hade uppskattat det, hon hade älskat det, ofta berättat om det för deras gemensamma vänner. Så romantiskt. Så fantastiskt. Ett sådant perfekt par, a match made in heaven.

Nej, tänkte han, inte i himlen, i Perugia.

Han kunde inte säga när tristessen börjat smyga sig på. Känslan av vuxen verklighet sjönk undan, något annat tog över, något sannare. De var inte vuxna, de lekte vuxna. De seglade, höll middagar, engagerade sig i föreningslivet. Vaxholm var deras värld, ortens och kommunens utveckling och framgång deras stora intresse och ambition. De var båda födda och uppvuxna här, hade aldrig bott någon annanstans. Ingen kunde säga något annat än att de tog ansvar, både socialt och i arbetslivet.

Men när det kom till deras egen relation var ansvaret rejält urvattnat. De betedde sig fortfarande som två tonåringar som just flyttat hemifrån, lekte romantiska lekar och alltid var tvungna att ta hänsyn till sina föräldrar.

Thomas suckade. Där kom det igen.

Föräldraskapet.

Eleonor ville inte ha barn. Hon älskade deras liv, deras

gemensamma tillvaro, middagarna, resorna, sin karriär, sin aktieportfölj, grannarna, föreningslivet, båten.

Jag behöver inte bekräfta min kvinnlighet med att föda barn, hade hon sagt sist de grälat om det. Det är mitt liv. Jag gör vad jag vill med det. Jag vill ha roligt, träffa folk, avancera på jobbet, satsa på oss, och på huset.

– Vi är klara att börja.

Förvaltningschefen stod i hans dörr, han blinkade förvirrat.

– Javisst, jag kommer.

Han samlade raskt ihop sina papper, lätt generad. Visste med sig att han var disträ och undrade hur tydligt det märktes.

De elva ledamöterna hade tagit plats runt bordet, han satte sig mitt emot nämndesekreteraren uppe vid ordförandens kortsida. Verksamhetscheferna satt bredvid varandra längs ena långsidan, ett par tjänstemän var närvarande. Dagordningen hade ett tjugotal punkter, de flesta berörde honom inte. Budgeten skulle gås igenom vid ett särskilt tvådagarsmöte på hotellet, idag skulle han bara dra några korta punkter och sedan finnas till hands om det kom upp några akuta frågor.

Medan ordföranden öppnade mötet ögnade han dagordningen, det vanliga köret, barnomsorgsplanen, personalfrågor, handikappomsorgen, hemtjänsten. Hälften av punkterna var surdegar som bordlagts fyrtioelva gånger och knappast skulle komma till beslut ikväll. Hans punkt om den skenande kostnaden för färdtjänsten kom som nummer åtta. Med en liten suck lät han blicken glida ner över pappret, drack lite isvatten. Punkt nummer sjutton var ny: Avtal stiftelsen Paradiset.

Vad var nu detta för revolutionerande verksamhet? Trodde de verkligen att de kunde dra på sig nya avtal nu, i det här pressade läget? Han suckade så tyst han kunde, vände uppmärksamheten mot nämndens ledamöter.

Partidemagogerna, sossen och moderaten, satt i var sitt hörn av bordet, redo att dra igång sina argument och reservationer. ”Individens frihet”, skulle moderaten säga, sossen skulle kontra med ”solidaritet”. Snart skulle politikernas önskemål om något *konkret* komma upp, kraven på *uppföljning* skulle uttalas, han skulle hänvisa till siffror och tabeller vilket inte tillfredsställde någon.

Perugia, tänkte han, just nu ligger han där, ruvande på sin bergstopp i Umbrien, kung över omgivningen.

Han log åt sin egen tanke.

Egendomligt att jag tänker på staden som en man.

– Thomas?

Ordföranden såg vänligt på honom. Han harklade sig och bläddrade fram rätt papper.

– Vi måste göra något åt färdtjänsten, sa han. Kostnaden ser ut att landa på en summa som ligger tre gånger över budgeten för innevarande år. Jag kan inte se hur vi ska få stopp på ökningen, lagen om hur vi ska handskas med den här frågan ger oss inga svar. Behovet, om det släpps fritt, är omättligt.

Han drog siffror och tabeller, konsekvenser och alternativ. Ordföranden tog fram ett cirkulär med nya riktlinjer från kommunförbundet, de var tydligen inte ensamma om problemet. Kommunförbundet hade uppmärksammat saken, deras centrala direktiv lika luddigt pompösa som vanligt. Snart fastnade man i en diskussion om hur man skulle vidareutbilda biståndshandläggarna i frågan, genom att skicka dem på kurs eller ta in en konsult.

Stiftelsen Paradiset, tänkte han. Vackert namn.

Mötet segade sig fram. Man fastnade i ytterligare en detaljdiskussion, renoveringen av en lekplats, och han kände irritationen stiga. När sedan punkt nummer sjutton kom upp lutade han sig fram. En av tjänstemännen, en kvinnlig socialsekreterare som arbetat länge i kommunen, föredrog ärendet.

– Det här gäller ett principbeslut om att upphandla tjänster av en ny organisation, sa hon. Vi har ett brådskande fall som redan behandlats av nämnden för särskilda ärenden, men vi kände att vi ville dra avtalet med er innan vi säger ja.

– Vad är det här för stiftelse? undrade sossedemagogen misstänksamt, och redan då anade Thomas hur det hela skulle sluta. Om sossen var emot skulle moderaten automatiskt vara för.

Tjänstemannen tvekade, hon kunde inte gå in på några detaljer i ärendet eftersom protokollet från mötet var offentlig handling.

– Rent generellt kan jag säga att verksamheten arbetar med att skydda mordhotade människor, sa hon. Vi har gått igenom deras förfaringssätt med föreståndaren, och i just det här speciella fallet är detta en tjänst som vi behöver köpa in, anser vi...

Alla läste avtalet noggrant, trots att det inte fanns särskilt mycket att studera. Vaxholms kommun förband sig att betala för skyddat boende à tretusenfemhundra kronor per vårddygn tills en tillfredsställande lösning arrangerats för den aktuella klienten.

– Vad är det här egentligen? fortsatte sossen. Vi har ju redan avtal med flera olika behandlingshem, behöver vi verkligen ett till?

Tjänstemannen såg besvärad ut.

– Det här är en helt ny och unik verksamhet, sa hon. Paradisets enda verksamhetsområde består i att skydda och hjälpa mordhotade människor, oftast kvinnor och barn. Människorna raderas ur alla offentliga register, förföljarna hittar dem aldrig. Alla spår slutar vid en stum vägg, vid den här stiftelsen.

Samtliga närvarande stirrade på tjänstemannen.

– Kan det verkligen vara lagligt? undrade den nyinvalda miljöpartisten, en ung kvinna. Hon nonchalerades som vanligt.

– Varför kan vi inte själva ordna det här, inom socialförvaltningen? sa moderaten.

Verksamhetschefen för individ- och familjeomsorgen, som tydligen var införstådd i ärendet, tog till orda.

– Det här är inga konstigheter, sa han. Man skulle kunna säga att det handlar om ett förhållningssätt, en smidighet som bara en helt extern organisation klarar av. De har en flexibilitet som vi saknar som myndighet. Jag tror på det här.

– Det var väldigt dyrt, sa sossen.

– Vård kostar pengar, när ska ni inse det? undrade moderaten och sedan var de igång.

Thomas lutade sig bakåt och granskade avtalet. Det var verkligen extremt avskalat. Ingenting om vilka tjänster som upphandlades fanns preciserat, ingenting om var verksamheten bedrevs, inte ens ett organisationsnummer. Allt som fanns var en hänvisning till en postbox i Järfälla.

Som vanligt önskade han att han hade makt att yttra sig, att han kunde komma med de konkreta och väsentliga invändningarna mot förslaget.

De måste naturligtvis ta referenser på verksamheten, kontrollera med kommunens jurister om åtgärderna verkligen var hållbara enligt lagen. Och hur kunde de dra på sig fler utgifter just nu? Och varför i helvete frågade de inte honom om det var ekonomiskt möjligt att ta besluten, det var ju bara han som hade perspektiv på budgeten, vad fan satt han där för annars? Som en jävla väggprydnad?

– Måste vi ta beslut om det här just i kväll? frågade ordföranden.

Både tjänstemannen och verksamhetschefen nickade.

Ordföranden suckade.

Då brast någonting för honom. För första gången under sina sju år på kommunen höjde Thomas rösten på ett nämndemöte.

– Det här är ju sjukt! sa han upprört. Hur kan ni tro att det bara är att handla och handla utan tanke på konsekvenserna? Vad är det här för verksamhet? I stiftelseform, dessutom! Jesus! Och vilket jävla avtal sedan, inte ens ett organisationsnummer kan de redovisa. Det här stinker, om ni frågar mig, vilket ni förbanne mig borde göra!

Alla stirrade på honom som om han varit ett spöke. Först nu insåg han att han ställt sig upp, att han lutade sig fram över bordet med avtalet som en flagga i högernäven ovanför sitt huvud. Ansiktet brände, han kände sig svettig. Han släppte avtalet på bordet, strök håret bakåt, rättade till slipsknuten.

– Ursäkta, sa han. Förlåt, jag…

Förvirrat satte han sig ner, började bläddra lite bland papprena framför sig, ledamöterna släppte honom med blicken och såg generat ner i bordet. Han ville dö, sjunka genom golvet och försvinna.

Ordföranden drog ljudligt efter andan.

– Ja, om vi skulle komma till beslut, då…

Avtalet antogs med sju röster mot fyra.

– Jag har världens grej på gång.

Sjölander och Ingvar Johansson såg irriterat upp på reportern som störde dem. De missbelåtna minerna byttes raskt till välvilliga leenden när de såg att det var Calle Wennergren som kom.

– Shoot för fan, sa Sjölander.

Reportern satte sig på kriminalchefens skrivbord.

– Frihamnsmorden, sa han. Jag har fått jävligt bra tips.

Både Sjölander och nyhetschefen släppte ner fötterna på golvet och rätade på ryggarna.

– Vad? undrade Ingvar Johansson.

– Jag har precis snackat med en snut, sa Calle Wennergren lågt. De tror att det är Ratko som ligger bakom.

De äldre männen betraktade avvaktande den yngre.

– Varför? undrade Sjölander.

– Ni vet, sa Calle Wennergren, maffian, juggar, försvunna cigaretter, det luktar Ratko lång väg.

– Vem har du snackat med?

– Kille på krim.

– Ringde du honom, eller ringde han dig?

Reportern höjde förvånat på ögonbrynen.

– Han ringde, hurså?

Sjölander och Ingvar Johansson bytte ett snabbt ögonkast.

– Okey, sa krimchefen. Vad ville polisen?

– Tipsa att det är Ratko som ligger bakom, de letar som fan efter honom just nu. Polisen vill att vi ska köra namn och bild på honom.

– Är han efterlyst?

Reportern rynkade pannan.

– Det sa inte krimaren, bara att de letar efter honom.

– Det här är bra, sa Ingvar Johansson, skissade i ett block. Vi gör så här, Sjölander sätter ihop bakgrunden på Ratko, du åker ut på juggekrogarna och tar kommentarer av folk i natt. Det här kan vara etta och löp.

– Right on! sa Calle Wennergren och studsade iväg mot fotodesken.

De bägge arbetsledarna såg efter reportern tills han försvunnit.

– Visste du detta? undrade Ingvar Johansson.

Sjölander suckade och lade upp fötterna på skrivbordet igen.

– Polisen har inte ett piss att gå på. De döda killarna var nya, precis influgna från Serbien. Det finns inga vittnen till morden, ingen som kan snacka. Jag vet inte varför, men snuten vill tydligen röka ut Ratko.

– Har han något med det här att göra?

Krimchefen skrattade till.

– Klart han har, Ratko styr all jugoslavisk cigarettverksamhet i Skandinavien. Han kanske inte är skyldig till morden, men han har garanterat ett finger med i spelet.

Männen satt i sina egna tankar någon minut och delade sedan samma slutsats.

– Klockren polisplantering, sa Ingvar Johansson.

– Renare blir den aldrig, instämde Sjölander.

– Varför? undrade nyhetschefen.

Krimchefen ryckte på axlarna.

– Snuten har inte ett skit att gå på, vill röra om i grytan. Antingen försöker de undergräva Ratkos position eller så vill de befästa den, för oss är det skitsamma. Om en krimare går ut och säger att de letar efter Ratko så är det ett gjutet löp.

De nickade mot varandra.

– Informerar du Jansson? frågade Sjölander.

Ingvar Johansson reste sig och gick bort mot nattdesken.

En svag lampa spred ett gulaktigt ljus i ena hörnet. Ett EKG blippade rytmiskt och entonigt. Sofia Katarina låg uppkopplad med dropp och sladdar. Hennes kropp verkade ihopsjunken och torr under den tunna filten, så stilla och liten. Annika gick fram och strök henne över håret, slogs av hur oerhört gammal hon verkade. Så märkligt. Hon hade aldrig tänkt på sin mormor som en åldring.

– Så hon ser ut, sa modern. Se på munnen.

Den högra mungipan hängde ner, det rann lite saliv ner på halsen. Annika tog en pappershandduk och torkade bort det.

– Hon sover nu, sa läkaren. Det går bra att stanna här en stund.

Lämnade sedan rummet, dörren gick igen med en pust.

De satt på var sin sida om sängen, modern fortfarande med pälsen på. Rummet var fyllt av sjukhusljud, ventilationens sus, apparaternas elektroniska sång, träskor i korridoren utanför. Ändå var tystnaden tryckande.

– Vem hade väl kunnat ana? sa modern. Just idag...

Hon började snörvla.

– Det är klart du inte kunde veta, sa Annika lågt. Det är ingen som klandrar dig.

– Hon var inne och handlade igår. Jag satt i kassan, hon var så pigg och glad.

De satt tysta igen, modern grät.

– Vi måste hitta någonstans där hon kan bo, sa Annika. Lövåsen är inte att tänka på.

– Ja, jag kan då inte! sa modern bestämt och tittade upp.

– Felmedicineringar, vanvård, jag skrev en hel artikelserie om misskötseln av Lövåsen. Mormor ska inte dit.

– Det var ju så länge sedan, det är säkert mycket bättre nu.

Modern baddade sig i ansiktet med en pappersnäsduk, Annika reste sig.

– Vi kanske kan lösa det privat, sa hon.

– Ja, hemma hos mig kan hon inte bo!

Modern hade rätat på ryggen och slutat badda, Annika såg henne sitta där, astmatisk av all rökning, varm av päls och vallningar, med glesnande hår, accelererande övervikt, avståndstagande och egenkär. Innan hon hann tänka sig för hade hon gått fram och tagit tag i hennes axlar.

– Var inte så förbannat omogen, väste hon. Jag menade privata vårdalternativ. Det här handlar inte om dig, begriper du inte det? För en gångs skull står du inte i centrum.

Kvinnan gapade, röda fläckar flammade på hennes hals.

– Du din... började hon, knuffade bort Annika och reste sig.

Den unga kvinnan stirrade på den äldre och anade utbrottet.

– Sjung ut, sa hon sammanbitet. Säg vad du tänkte.

Modern drog igen pälsen över bröstet och tog några snabba steg fram emot henne.

– Om du bara visste hur mycket skit jag tagit för din skull! viskade hon. Hur tror du egentligen det har varit för mig de här åren? Alla blickar bakom ryggen? Allt skvaller? Inte underligt att din syster flyttade, hon som alltid såg upp till dig. Det är otroligt att Leif har stått ut, han har varit nära att lämna mig flera gånger. Då hade du mått, du har alltid missunnat mig all kärlek, du har aldrig kunnat tåla Leif...

Annikas ansiktsfärg vek, modern gick runt henne, backade mot utgången, pekade på henne, ett anklagande finger.

– Och för att inte tala om Sofia! fortsatte hon, rösten högre. Hon som var så respekterad. Husfru på Harpsund, och så sluta sina dagar som mormor till den som mördade...

Annika kunde inte andas.

– Dra du åt helvete, fick hon fram, flämtade.

Modern gick inpå henne igen, spottet fräste ur hennes mun.

– Du som är så fin journalist, du borde väl tåla att höra sanningen!

Plötsligt var hon på bruket igen, vid koksintaget, intill masugnen, såg kattkroppen flyga, såg järnröret ligga där. Slog händerna runt huvudet, böjde sig ner mot knäna.

– Gå, viskade hon. Gå härifrån mamma, fort.

Modern tog upp ett läderetui med cigaretter och en grön plasttändare.

– Sitt här du bara, sa hon, och tänk över vad du har ställt till med.

Det blev tyst, mörkret tätnade, Annika kämpade för att få luft. Chocken satt som en sten strax under halsen, gjorde det svårt att andas.

Hon hatar mig, tänkte hon. Min mamma hatar mig. Jag har förstört hennes liv.

En våg av självömkan sköljde över henne, tryckte henne mot jorden.

Vad har jag gjort med dem jag älskar? Åh, Gud, vad har jag gjort?

Sofia Katarinas vänstra hand fumlade över den gula landstingsfilten.

– Barbro? mumlade hon.

Annika såg upp, mormor, åh mormor, flög fram till henne, tog hennes kalla orörliga högra hand, tvingade tillbaka sin ångest, försökte le.

– Hej mormor, det är jag. Annika.

– Barbro? sluddrade mormodern frågande, såg på henne med skumma ögon.

Tårarna steg upp, grumlade synen.

– Nej, det är jag, Annika. Barbros dotter.

Den gamla kvinnans blick gled iväg över rummet, vänsterhanden trevade och plockade.

– Är jag i Lyckebo?

Gråten vällde fram, hon andades med öppen mun och lät tårarna rinna.

– Nej mormor, du blev sjuk. Du är på sjukhus.

Den gamlas ögon kom tillbaka till Annika.

– Vem är du?

– Annika, viskade Annika. Det är jag.

Så glimmade det till bakom grumligheten.

– Så klart, sa Sofia Katarina. Min älsklingsflicka.

Annika grät, pannan mot den gamla kvinnans mage, höll hennes hand i sin. Reste sig till sist för att gå och snyta sig.

– Du har varit himla dålig, mormor, sa hon på väg runt sängen. Nu måste vi se till att du snart blir alldeles bra.

Men mormodern hade somnat igen.

Onsdag 31 oktober

AIDA TOG SATS, backen framför henne var oändlig. Gatan gungade, hon vinglade framåt, svetten rann bakom örat och ner på halsen. Var hon aldrig framme?

Hon satte sig ner på vägbanan, benen i diket, lutade huvudet mot knäna. Märkte inte kylan och vätan, hon skulle bara vila lite, sedan skulle hon gå vidare.

En bil kom över backkrönet, saktade in när den passerade. Hon kände blickarna i ryggen. Här kunde hon inte sitta. I ett prydligt villaområde som det här skulle snart någon ringa polisen.

Hon ställde sig upp, för en sekund svartnade det för hennes ögon.

Jag måste hitta huset. Nu.

Hon gick framåt, och redan vid nästa infart såg hon numret. Så fånigt, hon hade nästan gett upp tjugo meter från målet. Hon försökte skratta. I stället snubblade hon på en sten och höll på att ramla, började nästan gråta.

– Hjälp mig, mumlade hon.

Hon tog sig fram till trappan, drog sig upp längs staketet, ringde på. Bastant ytterdörr, två sjutillhållarlås. En klocka skrällde någonstans där inne. Inget hände. Hon ringde igen. Och igen. Och igen. Försökte kika in igenom ytterdörrens bruna sidoglas, mörker, tomhet, inte ens några möbler.

Hon sjönk ner på trappan, lutade pannan mot ytterväggen. Nu orkade hon inte mer. Han fick komma. Det spelade ingen roll. Ring polisen. Det kunde inte bli värre.

– Aida?

Hon orkade knappt titta upp.

– Men kära nån, hur är det fatt?

Medvetandet sviktade, hon höll fast sig i väggen.

– Herregud, hon är ju sjuk. Anders! Kom hit och hjälp mig!

Någon tog tag i henne, drog henne på fötter, en upprörd kvinnoröst, en lugnare mansröst, det blev varmt, mörkt, hon var inne i huset.

– Lägg henne på soffan.

Det gungade, guppade, hon förflyttades, landade. Tittade in i en soffrygg, brun, stickig. Fick en filt över sig, frös ändå.

– Hon är riktigt dålig, sa kvinnan, jättehög feber. Vi måste ta henne till en läkare.

– Vi kan inte ta hit någon läkare, det förstår du väl, sa mannen.

Hon tänkte säga något, protestera, nej, ingen läkare, inget sjukhus.

Människorna gick in i ett annat rum, hon hörde dem mumla. Kanske somnade hon till, för i nästa sekund stod mannen och kvinnan ovanför henne med en kopp rykande te.

– Det är du som är Aida, förstår vi, sa kvinnan. Jag heter Mia, Maria Eriksson. Det här är min man, Anders. När blev du så här sjuk?

Hon försökte svara.
– Inga läkare, viskade hon.
Kvinnan som hette Mia nickade.
– Okey, sa hon. Inga läkare. Vi förstår. Men du måste komma under läkarvård, och vi har en lösning.
Hon skakade på huvudet.
– De letar efter mig.
Mia Eriksson strök henne över pannan.
– Vi vet. Det finns sätt att hjälpa dig så att ingen får reda på det.
Hon blundade, andades ut.
– Är jag i Paradiset? viskade hon.
Svaret kom långt bortifrån, hon höll på att flyta bort igen.
– Ja, sa kvinnan. Vi ska ta hand om dig.

Sömnen och medvetandet hade kommit och gått under natten. Sofia Katarina var omväxlande förvirrad, rädd och sentimental.
Sjukgymnasten gav en nedslående rapport efter den första, korta undersökningen.
– Hon har ganska dålig funktion på höger sida, sa sjukgymnasten. Det kommer att krävas mycket jobb här.
– Hur gör man för att öva upp rörelseförmågan igen? undrade Annika.
Kvinnan log lite.
– Felet sitter inte i benen, utan i huvudet. Någon behandling som kan återställa funktionen hos döda nervceller finns inte. Därför gäller det att ta vara på de som finns kvar. Nervceller som klarat sig och som tidigare varit inaktiva måste aktiveras. Det kan man göra genom sjukgymnastik i massor med olika former.
– Men när blir hon bra?

– Det kan dröja halvårsvis innan man ser resultat. Det viktigaste nu är att behandlingen kommer igång snabbt och genomförs konsekvent.

Annika svalde.

– Vad kan jag göra?

Sjukgymnasten tog hennes hand och log.

– Du gör precis rätt. Bry dig. Tala med henne, aktivera henne, sjung gamla sånger tillsammans med henne. Du kommer att märka att hon gärna vill tala om det som varit. Låt henne göra det.

– Men när blir hon som vanligt igen?

– Du kommer aldrig att få tillbaka din mormor som hon var förr.

Annika blinkade, avgrunden öppnade sig, paniken smög sig på.

– Hur ska jag klara mig? Hon har alltid varit mitt stöd.

Rösten för gäll, desperat.

– Nu får du vara hennes.

Sjukgymnasten klappade henne på handen, Annika märkte inte att hon gick.

– Mormor, viskade hon, smekte hennes hand.

Men den gamla sov. Dagens ljud kröp in under springan i golvet och spred sig i det lilla grå rummet. Trots att Annika sovit lätt och vaknat ofta kände hon sig uppe i varv, rastlös på gränsen till hyperaktiv.

Hon måste fixa ett ställe där de kunde rehabilitera mormor på ett bra sätt. Lövåsen var inte det stället, det kunde hon svära på. Irriterat reste hon sig och gick runt i rummet, igen och igen. Det värkte i benen, dunkade i fingret.

Det måste finnas andra alternativ, privata vårdhem, servicehus, hemsjukvård.

Annika såg inte när dörren gled upp, kände bara draget runt benen.

Det var den kvinnliga läkaren igen, hennes mor i minkpälsen bakom henne.

– Vi ska diskutera Sofias framtid, sa läkaren, och Annika tog sina grejer och följde efter.

– Jag har inga möjligheter att själv vårda henne, sa modern när de parkerat sig i var sin besöksstol i läkarens rum. Jag har ett arbete att sköta.

– Barbro, du skulle kunna få vårdbidrag om du tog hand om din mor, försökte läkaren.

Modern skruvade på sig.

– Jag känner att jag inte vill ge upp mitt yrkesliv.

Någonting brast. Bristen på sömn, kärlek, sammanhang slog upp i Annikas hjärna. Hon reste sig upp och skrek.

– Du är ju för fan bara springvikare i kassan på Konsum, vad fan kan inte du ta hand om mormor för?

– Sätt dig ner, sa läkaren bestämt.

– I helvete! skrek Annika, förblev stående, rösten ostadig, skakade i benen. Ni skiter i mormor, allihop! Ni vill stoppa in henne på cykelverkstan på Lövåsen och slänga bort nyckeln. Jag vet hur det är där! Jag har skrivit om det! Vanvård, personalbrist, felmedicineringar!

Läkaren reste sig också, gick runt bordet och fram till Annika.

– Antingen sätter du dig ner, sa hon lugnt, eller så går du ut.

Annika strök sig över pannan, benen vek sig, hon sjönk ner på stolen, Barbro fingrade på pälskanten, sökte förståelse i läkarens ögon, vad fick hon inte stå ut med?

– Lövåsen hade varit ett bra alternativ…

– I helvete!

– …om det funnits några platser där. Det gör det inte. Kön är lång. Sofia kommer mycket snart att vara medicinskt färdigbehandlad, men behöver alltså tillsyn dygnet om och en omfattande och intensiv rehabilitering. Vi måste därför snabbt komma upp med några andra lösningar. Därför vänder jag mig till er. Har ni några andra förslag?

Modern slickade sig osäkert om läpparna.

– Jaa, sa hon, jag vet då inte, man tror ju att samhället ska ställa upp och ta sitt ansvar när något sådant här händer, det är ju därför vi betalar skatt…

Annika stirrade ner på sina händer, ansiktet brann.

– Finns det någon annan plats, någon annanstans? frågade hon.

– Eventuellt i Bettna, sa läkaren.

– Det är ju för fan flera mil från Hälleforsnäs, nästan tjugo från Stockholm, sa Annika och såg upp. Hur ska vi kunna besöka henne?

– Jag säger inte att det är en idealisk…

– Stockholm då? sa Annika. Kan hon få en plats i Stockholm? Jag skulle hälsa på henne varenda dag.

Hon hade rest sig igen, läkaren viftade ner henne med handen.

– Det blir i sista hand, i så fall. Vi måste först försöka hitta en lösning inom vår egen kommun.

Modern sa ingenting, fingrade nervöst på hakarna längs framkanten av sin päls. Annika satt hopsjunken på sin stol, stirrade i golvet. Läkaren betraktade dem tyst en stund, mor och dotter, den unga kvinnan i chock, den äldre förvirrad och bekymrad.

– Det här har varit en hemsk upplevelse, sa hon och vände sig mot Annika. Du kommer förmodligen att få en del symptom som en följd av det här traumat. Du kan börja frysa, gråta och bli deprimerad.

Annika mötte läkarens blick.

– Kul, sa hon. Vad gör jag åt det då?

Läkaren suckade lätt.

– Drick sprit, sa hon och reste sig.

Annika stirrade på henne.

– Menar du allvar?

Läkaren log lite, sträckte fram handen.

– Det är en beprövad kur i det här sammanhanget. Vi får säkert anledning att träffas snart igen. Om ni vill kan ni sitta kvar här en stund, jag måste gå ronden.

Hon lämnade kvinnorna i det lilla rummet, dörren gick igen. Tystnaden blev monumental. Modern harklade sig.

– Har du pratat med sjukgymnasten? undrade hon försiktigt.

– Klart jag har, sa Annika. Jag har varit här hela natten.

Barbro reste sig och gick fram till Annika, smekte henne över håret.

– Vi ska inte bråka, viskade modern. Vi måste hålla ihop nu när mamma är sjuk.

Annika suckade, tvekade, lade sedan sina händer runt sin mors bastanta midja, örat mot magen. Det bullrade svagt därinne.

– Nej, det är klart att vi inte ska, viskade hon tillbaka.

– Åk hem och vila, sa Barbro och skramlade efter nycklarna i pälsfickan. Jag stannar här hos Sofia.

Annika släppte taget.

– Tack, sa hon, men jag åker hellre hem till Stockholm och sover där. Jag kan ju vara tillbaka här på nolltid, X2000 tar bara femtioåtta minuter.

Hon samlade ihop sina saker och kramade om sin mor.

– Du ska se att allting blir bra, sa Barbro.

Annika gick ut i sjukhuskorridoren, ändlös och kall.

Frossan kom mycket riktigt på tåget. Hon hade köpt tidningarna, satt med dem framför sig men kunde inte förmå sig att slå upp dem.

Sprit, tänkte hon, jo tjenare.

Hon tänkte inte dricka någon. Det hade hennes farsa gjort så det räckte för hela familjen resten av deras liv. Han söp tills han dog, knallfull i ett dike intill vägen mot Granhed.

Hon kröp ihop på sätet. Svepte jackan om sig, det hjälpte inte. Kylan kom inifrån, från hjärtat.

Alla jag älskar dör, tänkte hon i ett anfall av självömkan. Pappa, Sven, snart kanske mormor.

Nej, tänkte hon sedan. Inte mormor. Hon kommer att bli nästan bra. Vi kommer att fixa ett ställe som får upp henne på benen igen.

Hon fingrade på tidningarna, men orkade inte läsa. I stället lutade hon huvudet bakåt och blundade, försökte slappna av. Det gick inte, kroppen ryckte och skakade.

Hon lutade sig bakåt igen, suckade. Sträckte sig efter tidningen och gick direkt på sexan-sjuan, det tyngsta nyhetsuppslaget. En man på en stor bild, suddig, uppdragen till det publicerbaras gräns, stirrade på henne från tidningssidan. Efter en sekund kände hon igen honom. *Var är Aida? Aida Begovic. Jag vet att hon är här.*

Rubriken var lika stor och svart som mannen utanför hotellrumsdörren i förrgår kväll.

Ledaren för cigarettmaffian, stod det, och under bilden:

Han kallas för Ratko, kom till Sverige på sjuttitalet, är dömd för bankrån och kidnappning. Idag anklagas han för krigsförbrytelser i det forna Jugoslavien. Den svenska polisen misstänker att han är hjärnan bakom den organiserade cigarettsmugglingen till Sverige.

Hon slog ihop tidningen, tänderna skallrade, fingret med klämskadan och de tre stygnen värkte. Illamåendet var tillbaka.

Anders Schyman drämde tidningen i bordet framför Ingvar Johansson.

– Förklara det här, sa han.

Den suddige mannen på tidningssidan glodde oseende upp på de bägge männen. Nyhetschefen släppte blicken från dataskärmen.

– Vad menar du?

– Mitt rum. Nu.

Sjölander var redan där, stod och trampade i en dammhög som ersatt soffan. Schyman satte sig tungt i sin stol, den knakade under hans tyngd. Ingvar Johansson drog igen dörren.

– Vem tog beslutet att köra namn och bild på Ratko? frågade redaktionschefen ut i rummet.

De stående männen utbytte blickar.

– Jag går ju hem efter överlämningen, jag kan inte spekulera i vad som... började Ingvar Johansson, Schyman klippte av honom direkt.

– Skitsnack, sa han. Jag känner igen ett utlägg från dagen när jag ser det. Dessutom har jag redan pratat med Jansson och Torstensson. Chefredaktören var överhuvudtaget inte informerad om publiceringsbeslutet, Jansson var uppriktigt förvånad och sa att hela paketet var ett upplägg som levererades från dagen. Sätt er.

Sjölander och Ingvar Johansson sjönk unisont ner på besöksstolarna. Ingen sa något.

– Det här är inte acceptabelt, sa Schyman lågt när tystnaden blivit tryckande. Beslut om namnpubliceringar på icke dömda brottslingar ska tas av ansvarige utgivaren, det kan väl för helvete inte vara någon överraskning för er två.

Sjölander såg ner i golvet. Ingvar Johansson skruvade på sig.

– Vi har kört namn på honom förut. Att han är en gangster är inget nytt.

Anders Schyman suckade djupt.

– Vi skriver inte bara att han är en gangster. Vi kopplar ihop honom med dubbelmordet i Frihamnen, pekar indirekt ut honom som dubbelmördare. Jag har redan snackat med juristerna, om Ratko stämmer oss så torskar vi, för att inte snacka om vad Pressombudsmannen skulle säga.

– Han stämmer inte, sa Ingvar Johansson tvärsäkert. Han ser det här som ren reklam för sin verksamhet. Dessutom sökte vi honom för en kommentar. Calle Wennergren åkte runt och snackade med folk på juggekrogarna i natt...

Anders Schyman slog handflatan i bordsskivan, bägge männen på andra sidan hoppade till.

– Det begriper jag väl, röt han. Det är inte det jag pratar om. Jag snackar om en utbredd jävla självsvåldighet när det gäller publicistiska frågor på den här redaktionen! Det är inte ni två som ska ta den här typen av beslut! Det gör ansvarige utgivaren! Hur jävla svårt är det att fatta?

Sjölander rodnade, Ingvar Johansson bleknade.

Anders Schyman såg deras reaktioner och visste att han äntligen hade deras uppmärksamhet. Han tvingade tillbaka sin egen upprördhet, koncentrerade sig på att lägga ner rösten i normalt tonläge.

– Jag utgår från att ni har mer att komma med än vad som står i tryck, sa han. Vad vet vi?

Så fick han till stånd den diskussion som egentligen skulle ha ägt rum exakt tjugofyra timmar tidigare.

– Polisen har hittat hylsorna och ena kulan, sa Sjölander. Ammunitionen är jävligt ovanlig, kaliber 30.06, amerikansk typ Federal, märke Trophy Bond. Hylsorna är förnicklade, alltså blanka, ser ut som karljohanssvampar. Nästan alla andra hylsor är av mässing.

Schyman antecknade, Sjölander slappnade av lite.

– Kulan hittades nedborrad i asfalten mellan silorna, fortsatte han. Man kan inte dra några slutsatser om var mördaren stod, eftersom kulan krockat med allt möjligt inne i huvudet på killen och ändrat riktning flera gånger. Hylsorna hittades på baksidan av ett tomt magasin.

– Vapnet? undrade Schyman.

Sjölander suckade.

– Det är möjligt att snuten vet, men de har inte sagt något till mig, sa han. Däremot har de dragit ett gäng andra slutsatser. Mördaren var till exempel jävligt petig i sitt val av utrustning. Det här är otroligt dödliga grejer, sådant man skjuter storvilt med.

– Det är kanske inte så konstigt, sa Schyman. Om man nu verkligen vill ta livet av någon är det väl lika bra att göra det ordentligt.

Nu blev Sjölander ivrig, lutade sig fram över skrivbordet.

– Det är det som är så märkligt, sa han. Varför sköt han offren i huvudet? Var som helst i bröstet eller ryggen hade skotten varit dödande inom några sekunder. Det är något jävligt skumt med den här mördaren. Något annat än en snabb och effektiv död driver honom, ett braverande stort ego, hat, hämnd. Varför satsa på ett mästerskott när man kan döda var som helst?

– Varför står inte det här i tidningen idag? undrade Schyman.

Sjölander lutade sig tillbaka igen.

– Det skulle sabotera utredningen, sa han.

– Att peka ut Ratko som dubbelmördare, vilken effekt har det på utredningen? frågade redaktionschefen.

Det blev tyst igen.

– Vi måste snacka om de här grejerna, sa Schyman. Det är förbannat viktigt för tidningens stabilitet i längden. Vem gav er tipset om Ratko?

Ingvar Johansson harklade sig.

– Vi har en källa på krim som tyckte att vi skulle gå ut med en bild på honom. Snuten är övertygad om att han har med detta att göra på något sätt, de ville sätta lite eld i arslet på honom.

– Och ni ställde upp? sa Anders Schyman kvävt. Ni satte tidningens trovärdighet på spel, ni tog på er chefredaktörens publiceringsansvar och sprang polisens ärenden? Gå ut härifrån, nu.

Han vände sig bort från männen i besöksstolarna, slog upp tt-telegrammen på sin skärm och anade i ögonvrån hur de snabbt och tyst dröp av ut på redaktionen igen.

Han andades ut, inte helt säker på hur diskussionen egentligen hade avlöpt. En sak var säker, det var jävligt hög tid för honom att agera.

Övertrampet på nämndemötet hade legat som en tegelsten strax under bröstbenet hela natten och ville inte försvinna. Thomas slätade till kavajens framsida, tvekade ett ögonblick men gick sedan och knackade på socialchefens dörr. Hon var inne.

– Jag ska gå rakt på sak, sa han. Det finns ingen ursäkt för mitt beteende igår, men jag vill ändå ge en förklaring.

– Sätt dig, sa chefen.

Han sjönk ner, tog några snabba andetag.

– Jag mår inte bra, sa han. Är inte i balans. Det har varit lite tungt på sistone.

Socialchefen betraktade den unge mannen under tystnad. När han inte sa något mer frågade hon till slut, dämpat:

– Är det Eleonor?

Chefen fanns i utkanten av deras umgängeskrets. Hon hade varit hemma hos dem på middag ett tiotal gånger.

– Nej, inte alls, sa Thomas snabbt. Det är jag. Jag... ifrågasätter allting. Är det här allt? Blir det inte roligare än så här?

Kvinnan bakom skrivbordet log vemodigt.

– Fyrtioårskris, konstaterade hon. Men är det inte lite tidigt? Hur gammal är du?

– Trettiotre.

Hon suckade.

– Ditt utbrott igår är inte försvarbart, men vi stryker ett streck över det nu, tycker jag. Du gör inte om det, hoppas jag.

Han skakade på huvudet, reste sig och gick. Utanför dörren stannade han till, funderade, gick sedan in till tjänstemannen som föredragit ärendet om stiftelsen Paradiset.

– Jag är lite upptagen, sa hon snipigt, sur över gårdagen.

Han försökte le, avväpnande.

– Ja, jag förstår, sa han. Jag ville bara be om ursäkt för gårdagen. Det var tjänstefel av mig att brusa upp så där.

Tjänstemannen knyckte på nacken och antecknade någonting.

– Ursäkten godtagen, sa hon stelt.

Han log lite bredare.

– Så bra. Då var det bara några saker som jag undrar över i det här ärendet. Organisationsnumret på verksamheten, till exempel.

– Det har jag inte.

Han såg på henne så länge att hennes kinder började bränna. Hon visste tydligen inte ett skit om den här stiftelsen.

– Jag kan ta reda på det, sa hon.

– Det är nog bäst, sa han.

Tystnad igen.

– Vad handlar egentligen det här om? frågade han till slut.

Hon såg upp på honom, barsk i synen.

– Det kan jag inte berätta, det vet du.

Han suckade.

– Kom igen. Vi jobbar mot samma mål. Tror du jag skvallrar?

Kvinnan tvekade ett ögonblick, sköt sedan undan sina anteckningar.

– Fallet är akut, sa hon. Det är en ung kvinna, flykting från Bosnien, som är jagad av en man. Han hotar att döda henne. Vi fick in ärendet först igår, och det brådskar. Det gäller faktiskt liv eller död!

Thomas såg rakt på henne.

– Hur vet vi att det är sant?

Tjänstemannen svalde, ögonen blev lite blanka.

– Du skulle ha sett henne, så ung och vacker och… lemlästad. Hon hade ärr över precis hela kroppen, flera skottskador, märken efter knivar, ett stort jack i huvudet, blå i halva ansiktet. Två tår var bortskjutna. I lördags försökte mannen döda henne igen, hon överlevde genom att hoppa i vattnet och fick lunginflammation på kuppen. Polisen kan inte skydda henne.

– Men det kan den här stiftelsen Paradiset?

Nu blev kvinnan ivrig, torkade sig diskret i ögonvrån, hon var bara människa.

– Det är verkligen en fantastisk verksamhet. Man har utarbetat ett sätt att radera människor så att deras vistelseort inte röjs i offentliga register. All kontakt med omvärlden står Paradiset för. Man tillhandahåller kontaktpersoner dygnet runt, läkarhjälp, psykologer, jurister, boende, hjälper till med skolor, arbete och daghem. Tro mig, att upphandla den här verksamheten är en god affär för kommunen.

Thomas skruvade på sig.

– Själva Paradiset, var ligger det? I Järfälla?

Kvinnan lutade sig fram.

– Det är en del av poängen, sa hon. Ingen vet var Paradiset finns. Alla som jobbar där är raderade. Telefonerna är kopplade över militära nummer i andra län. Skyddet är verkligen vattentätt. Varken jag eller verksamhetschefen har någonsin stött på något liknande, det är en otrolig organisation.

Thomas såg ner i golvet.

– Allt hemlighetsmakeri innebär väl också att ingen kan kontrollera det här, eller hur?

– Ibland måste man lita på människor, sa tjänstemannen.

Lägenheten var utkyld, papperskassen Annika tejpat över den trasiga rutan höll inte värmen. Tröttheten överföll henne i samma stund hon släppte ner bagen på hallgolvet. Hon lät ytterkläderna falla ner i en hög, kröp ner i den obäddade sängen och somnade med kläderna på.

Plötsligt stod programledarna från Studio sex framför henne. Deras kyligt granskande illvilja framkallade alltid samma kramp i magen.

– Det var inte meningen! ropade hon.

Männen kom närmare.

– Hur kan ni påstå att det var mitt fel? skrek hon.

Männen försökte skjuta henne. Deras vapen dånade i hennes huvud.

– Det var inte jag som gjorde det, jag hittade henne bara! Hon låg på golvet när jag kom! Hjälp!

Hon vaknade med ett ryck, andfådd. Knappt en timme hade gått. Hon andades häftigt några gånger, in ut, in ut, och började gråta, okontrollerat, krampaktigt. Låg kvar länge medan skakningarna ebbade ut.

Åh mormor, gode gud, hur ska det här gå? Vem ska ta hand om dig?

Annika satte sig upp, försökte samla sig. Någon var tvungen att ordna det här, det var hennes tur att ställa upp.

Hon slet åt sig telefonkatalogen, ringde kommunupplysningen och frågade om det fanns någon plats på något vårdhem i Stockholm. Hon fick beskedet att ta kontakt med sin stadsdelsnämnd och diskutera lämpligt boende med en biståndsbedömare.

Om hon ville kunde hon hämta informationsmaterial på nätet eller på Medborgarkontoret, Hantverkargatan 87. Hon antecknade adressen i marginalen på en gammal tidning, tackade och suckade. Gick ut i köket, försökte äta lite yoghurt, slog på text-tv:n och kollade om det hänt något, det hade det inte, kände att hon luktade svett, tryckte ner kläderna i tvättkorgen, fyllde diskhon med kallvatten och tvättade sig under armarna.

Varför åkte jag hem? Varför stannade jag inte hos mormor?

Hon satte sig ner i soffan i vardagsrummet, lutade huvudet i händerna och beslöt sig för att vara ärlig.

Hon hade inte orkat vara kvar på sjukhuset. Hon ville tillbaka till något hon höll på att hitta igen, något hon haft förut men tappat. Det fanns något här i Stockholm, i arbetet på

Kvällspressen, i lägenheten, något som borde vara lockande och levande, inte likgiltigt och dött.

Hon reste sig tvärt och hämtade blocket med sina anteckningar i bagen. Slog numret till Paradiset utan att tänka mer.

Den här gången svarade Rebecka Björkstig själv.

– Jag har funderat på några saker, sa Annika.

– Är du inte färdig med artikeln snart?

Kvinnan lät lite stressad.

Annika drog upp benen under sig, lade huvudet i vänstra handen.

– Det är ett par detaljer jag saknar, sa hon. Jag hoppas att vi kan avsluta det här så snart som möjligt, min mormor är sjuk.

Rebeckas röst var full av medlidande när hon svarade.

– Åh, så tråkigt. Jag ska naturligtvis hjälpa dig så mycket jag kan. Vad gäller saken?

Annika svalde, rätade lite på ryggen, bläddrade i sitt block.

– De anställda i Paradiset. Hur många är de?

– Vi är fem heltidsanställda.

– Läkare, jurister, socialsekreterare, psykologer?

Rebecka lät road.

– Nej, inte alls. Sådant står landstingen, kommunerna och rättshjälpsnämnden för.

Annika strök håret bakåt.

– Kontaktpersonerna dygnet runt, vilka är de?

– Våra anställda, naturligtvis. De är högt kvalificerade.

– Vad tjänar de, i månaden?

Nu blev Rebecka lite förnärmad.

– De tjänar fjortontusen kronor i månaden, de gör inte detta för att bli rika, utan för den goda sakens skull.

Annika bläddrade i blocket, skummade sina anteckningar.

– Era fastigheter, hur många är de?

Nu tvekade Rebecka.

– Varför undrar du det?

– För att få en uppfattning om er verksamhet, sa Annika.

– Vi äger nästan inga fastigheter, vi hyr dem vid behov, sa Rebecka efter viss vacklan.

– Era pengar, sa Annika. I den mån ni gör någon vinst, var hamnar den?

En lång tystnad följde, Annika trodde nästan kvinnan lagt på.

– Den lilla vinst vi har gjort har gått tillbaka in i stiftelsen, den har använts för att bygga upp verksamheten. Jag gillar inte riktigt din insinuation här, sa Rebecka Björkstig.

– En sista fråga, sa Annika, den här listan med myndighetspersoner som jag skulle kunna prata med, har du skickat den?

– Det här är en skyddad linje, sa kvinnan lågt i luren. Jag kan säga som det är. Alla pengar som blivit över har gått till att bygga upp en kanal för de riktigt svåra fallen. Sedan en tid tillbaka har vi också möjlighet att hjälpa klienter som inte kan bo kvar i Sverige överhuvudtaget. Vi har kontakter så att vi kan ordna statliga arbeten och bostäder i andra länder. Också där kan läkare och psykologer kontaktas, arbete och språkutbildning arrangeras via oss.

Annika släppte ner fötterna på golvet, antecknade, detta var lite magstarkt.

– Men, hur går det till?

Kvinnan lät väldigt nöjd.

– Rutinerna är redan utarbetade, vi har provat med två fall som blivit mycket framgångsrika.

Annika kände hur hon häpnade.

– Två fall som fått ett nytt liv i ett annat land? Utan att byta identitet? Bara med hjälp av Paradiset?

– Två hela familjer, det är korrekt. Men varken vi eller någon annan organisation kan byta personnummer på människor. Det kan bara regeringen. Men, som sagt, det har inte varit aktuellt. Vad beträffar listan så har jag redan gjort i ordning den. Säg bara vart jag ska faxa den så har du den inom en kvart.

Annika uppgav faxnumret till kriminalredaktionen på tidningen.

– Jag ringer tillbaka och bekräftar att jag har fått den, sa Annika.

– Ja, det blir bra. Vi hörs snart.

De lade på. Tystnaden var tillbaka, mindre hotfull, väggarna lite klarare. Hon hade en uppgift, ett ansvar, ett uppdrag som behövde henne.

Löparen ökade takten, lät fötterna trumma mot underlaget. Pulsen stegrades, men inte andningen. Den blev bara djupare, hårdare, bra! Han var i fin form, flöt fram trots att terrängen var rätt besvärlig. Slyskog, vanskött, stora förkastningar i landskapet. Han kastade en blick på kartan, skala 1:15000, byggd på flygbilder och ett omfattande rekognoseringsarbete på marken som han själv brukade vara delaktig i, fem färger i en produktion av Svenska orienteringsförbundet. Detta var i utkanten av hans tassemarker, men en bra trakt att träna tuffa förhållanden.

Han övade att ta ut riktningen medan han sprang, kompassen i högra och kartan i vänstra handen, saktade inte ner trots att han bestämt sig för att identifiera alla symbolbeskrivningar, stenrös, upphöjningar, stigkrökar. Därför såg han inte trädroten. Den fällde honom handlöst, han stöp på skallen ner bland de små lövträden. Pannan slog i marken, han såg stjärnor några sekunder. När han klarnade till kände han smärtan i foten. Järnspikar! Bara en tävling kvar under säsongen och så detta! Så rackarns onödigt!

Han stönade och satte sig upp, klämde på vristen. Det kanske inte var så farligt. Han provade att rulla foten, nej, inget var brutet, möjligen lite stukat. Försiktigt ställde han sig upp och stödde lite på foten, aj! Han fick ta det lite lätt, försöka komma tillbaka till bilen så smidigt som möjligt. Studerade kartan för att hitta bästa vägen.

För några minuter sedan hade han passerat en lerig skogsväg som följde en av de större förkastningarna. På kartan såg han att den ledde ut på stora vägen, därifrån kunde han få lift till sin egen bil. Suckade tungt, stoppade in kartan och kompassen innanför jackan och linkade iväg.

Efter att han haltat något hundratal meter längs den leriga vägen skymtade han svedda små björkar inne bland träden. Han hejdade sig förvånat. Skogsbrand, i den här vätan? Sedan lukten, stickande, metallisk.

Löparen kontrollerade att kartan och kompassen hängde innanför jackan som de skulle, lämnade sedan den uppkörda vägen. Han tog det försiktigt, följde några hjulspår som gick in mellan träden, ner mot en liten ravin. I skogsbrynet stannade han till, perplex.

Framför honom stod ett förvridet metallskelett, en utbränd rest av vad som måste ha varit en lastbil, en stor trailer. Hur i allsindar hade den kommit dit? Och hur hade den brunnit upp så fullständigt?

Försiktigt haltade han fram mot resterna, skorna färgades svarta av sotet på marken. Det blev varmare när han kom närmare, det kunde inte ha varit så länge sedan det brann.

Marken intill förarhytten täcktes av fint glas, det knastrade under hans sulor. Resterna av dörrarna hängde på trekvart, han gick fram och tittade in i förarhytten.

Det låg något på golvet, satt något på passagerarsätet, oformligt, sotigt, spretigt. Han böjde sig fram och petade till saken som låg närmast. Något lossnade. Han drog av sig handsken och föste undan sotet. När tänderna grinade mot honom förstod han vad han betraktade.

Krimfaxen stod på researchern Eva-Britt Qvists arbetsplats. Eva-Britt servade kriminalredaktionen med olika former av kollar, arkivsökningar, dagböcker, katalogisering av domar och annan research. Hon var inte där, Annika bläddrade raskt igenom den lilla hög med fax som ramlat in under dagen. En kommuniké från Stockholmspolisens pressavdelning, information från RÅ, en dom om ett narkotikabrott.

– Vad gör du bland mina papper?

Den kompakta kvinnan kom ångande bortifrån kafeterian med en ilsken rynka mellan ögonbrynen. Annika backade.

– Jag väntar på ett fax, sa hon. Jag skulle bara kolla om det kommit.

– Varför ger du ut mitt nummer? Det här är krimredaktionens fax.

Eva-Britt Qvist slet till sig pappren ur Annikas händer och rafsade ihop de som låg kvar på bordet. Annika såg häpen på kvinnan. Det hade nästan aldrig pratat med varandra tidigare, Eva-Britt Qvist jobbade dagtid och Annika på nätterna.

– Ursäkta, sa hon förvånat. Jag brukar alltid ge ut det här numret på nätterna. Jag visste inte att det var fel.

Researchern spände ögonen i Annika.

– Och aldrig fyller du på pappret.

Illviljan träffade som pilar, försvaret kom i form av ilska.

– Gör jag visst! sa Annika. Senast förra passet! Vad är det frågan om? Det är väl inte din egen jävla privata fax? Har min lista på myndighetspersoner kommit från stiftelsen Paradiset?

– Vad är det här, flickor?

Anders Schyman stod bakom dem.

– Flickor? sa Annika och snurrade runt. Tycker du att vi står här alldeles ensamma också?

Redaktionschefen skrattade.

– Jag visste att den skulle trigga igång dig. Hur går det?

– Rebecka ska skicka mig ett fax så att jag kan slutföra den här artikelserien om stiftelsen Paradiset, men Eva-Britt gillar inte att jag gett ut hennes faxnummer.

Annika märkte att hon var upprörd, skämdes över sin dåliga självkontroll.

– Det har inte kommit, sa researchern.

Schyman vände sig mot Eva-Britt Qvist.

– Då tycker jag att du håller extra noga koll efter den där listan ett tag framöver, sa Schyman lugnt och långsamt. Den kommer att lägga grunden till en rejäl satsning i tidningen.

– Det här är faktiskt en kriminalredaktion, sa Eva-Britt Qvist.

– Och det här är en kriminalgrej, sa Schyman. Lägg av med revirtänkandet. Kom med Annika, jag vill ha en uppdatering på den här historien.

Annika följde efter redaktionschefen bort mot hans rum, såg inget annat än hans breda rygg.

Soffan var borta.

– Jag följde ditt råd, sa Schyman. Hädanefter kommer alla mina gäster att få sitta på golvet. Varsågod!

Han visade med handen mot hörnet fullt med damm, hon sjönk ner i en besöksstol.

– Jag tror det går loss, sa hon och strök sig över pannan. Rebecka Björkstig har lovat att faxa de sista uppgifterna, och så har jag fått en förklaring på vart pengarna går.

Schyman tittade upp.

– Pengarna? Tar de betalt?

Annika bläddrade i ett stort block hon hällt ut ur sin bag.

– Vinsten har gått till att bygga upp en kanal för folk som inte kan bo kvar i Sverige, rabblade hon ur sina anteckningar. Paradiset har kontakter så att de kan ordna statliga arbeten och bostäder i andra länder. Man har lyckats med två fall så här långt, två familjer. Ingen har behövt byta identitet. Byta personnummer på människor kan varken Paradiset eller någon annan organisation göra, det kan bara regeringen. Men det har aldrig varit aktuellt för Paradisets klienter.

Hon såg upp på redaktionschefen, försökte le.

– Bra grej, va?

Anders Schyman betraktade henne lugnt.

– Det där stämmer inte, sa han.

Hon slog ner blicken i bordet, svarade inte.

– Ordna statliga jobb i andra länder? sa han. Det låter som rena rövarhistorien. Har hon några bevis för det?

Annika bläddrade i sitt block utan att se upp.

– Två fall, sa hon, två hela familjer.

– Har du pratat med dem?

Hon svalde, lade benen över varandra, kände hur hon gick i försvarsställning.

– Rebecka vet vad hon pratar om.

Redaktionschefen knackade fundersamt med en penna i bordet.

– Verkligen? Det är inte regeringen som beslutar om nya personnummer på folk. Själva ändringen genomförs av Riksskatteverket på uppdrag av Rikspolisstyrelsen.

Ljudintrycken dämpades, hon kände att hon bleknade.

– Är det sant?

Han nickade, Annika rätade ut ryggen, bläddrade frenetiskt i sitt block.

– Men hon sa regeringen, jag är säker på det.

– Jag litar på dig, sa Schyman, men inte på Paradiskvinnan.

Hon sjönk ihop i stolen igen, lade ihop blocket.

– Så då har jag lagt ner allt jobb förgäves.

Anders Schyman reste sig.

– Tvärtom, sa han. Det är nu jobbet börjar. Om det är sant att den här verksamheten faktiskt existerar så är det en rejäl grej, oavsett om kvinnan ljuger eller ej. Berätta, vad har hon sagt?

Hon drog en sammanfattning av hur Paradiset fungerade, hur raderingen gick till, Rebeckas underliga hot i det förflutna som hade med jugoslaviska maffian att göra, slutligen sina egna funderingar kring vart pengarna tog vägen.

Schyman gick runt och nickade, satte sig igen.

– Du är en bra bit på väg, sa han, men vi måste ha den där listan. Om det här är en bluff behöver vi hjälp av någon myndighetsperson för att komma åt alla uppgifter kring verksamheten.

– Alternativet, sa Annika, är att vi får fatt i någon av kvinnorna som varit inne i organisationen. Eller någon som jobbar där.

– Om det nu finns några kvinnor, sa Schyman. Eller några anställda.

Listan hade inte kommit. Det var inget fel på faxen. Över två timmar hade passerat sedan hon talat med Rebecka.

Annika satte sig på Berit Hamrins plats och slog numret, det skyddade, hemliga. Signalerna ekade tomma ut i intet, hon ringde igen. Inget svar. Ingen telefonsvarare. Ingen vidarekoppling.

– Kan du säga till om listan dyker upp? ropade hon till Eva-Britt Qvist.

Researchern satt i telefon och låtsades inte höra.

Annika gick bort till modemdatorn och kopplade upp sig mot Dafa/Spar, Statens Person- och Adressregister där samtliga människor med svenska personnummer finns registrerade, slog F8 för namnfråga och skrev in Björkstig Rebecka. Datorn tuggade och tänkte, spottade till slut fram sitt svar.

En träff.

... personuppgiften skyddad

Inget mer. Inte ett kommatecken.

Annika stirrade på skärmen, vad i helvete?

Hon slog in sig själv, Bengtzon Annika Stockholm, gaskondomen på fingret var i vägen, tugg tänk, där var hon. Personnummer, adress, senaste ändring i folkbokföringen för två år sedan. Hon bytte kommando och slog F7 för historisk lista och hittade sin gamla adress på Tattarbacken i Hälleforsnäs. Det var inget fel på tekniken.

Började om och knappade in Björkstig Rebecka kvinna en gång till, med samma resultat.

... personuppgiften skyddad

Hon hade verkligen lyckats radera sig.

Annika stirrade på bilden, länge. En av hennes arbetsuppgifter på natten var att ta fram kort på folk, oftast passbilder, och för att få fram dem behövde hon ett personnummer, och för att få fram personnumret dafade hon personen i fråga. Närmare tusen personsökningar hade hon hunnit med under sina år på natten men aldrig tidigare fått upp den här databilden. Hon tryckte en utskrift, tvekade, slog in Aida Begovic, fick åtta träffar. En av kvinnorna bodde på Fredriksbergsvägen i Vaxholm, det måste vara hennes Aida. Hon tog en utskrift till och gick tillbaka till Berits plats.

– Ingen lista?

Eva-Britt Qvist skakade på huvudet. Hon ringde Paradiset igen, inget svar. Slog ner luren, hårt, jävla skit.

Vad skulle hon göra nu? Det värkte i fingret. Åka tillbaka till sjukhuset? Försöka hitta ett vårdhem i Stockholm? Åka hem och städa?

Hon rev omkring bland sina papper, hittade foldern om stiftelser från Riksskatteverket som hon fått upp från arkivet.

Sedan den 1 januari 1996 finns det en lag om stiftelser, läste hon. I lagen finns bestämmelser om hur en stiftelse bildas, om stiftelsens förvaltning, bokföring och revision, tillsyn, registrering m m.

Hon skummade texten. Det fanns olika sorters stiftelser, tydligen, som betalade olika mycket i skatt. De som hade ett "kvalificerat allmännyttigt ändamål" betalade mindre, läste hon.

Det räckte inte med tjusiga stadgar för att slippa skatt, man skulle följa sina stadgar också, stod det.

Hon lade ner foldern, vad var det här? Det här var ju bara skit, varför höll hon på med det här? Det betydde ju ingenting.

Jo, tänkte hon plötsligt, det betyder att det måste finnas någon form av stadgar även för Paradiset. Det måste finnas bokföring och revisorer inkopplade. Någon form av skatt måste de betala. Så jävla raderade kan de inte vara.

Hon tog upp papprena hon fått av Rebecka, såg på boxadressen uppe i hörnet. Ringde posten i Järfälla och frågade vem som hyrde den aktuella postboxen.

– Det kan jag inte säga, sa en stressad tjänsteman.

– Men det måste ju finnas en gatuadress kopplad till varje postbox, eller hur? sa Annika. Jag vill veta vem som hyr nummer 259.

– Det är sekretessbelagt, sa postkassörskan. Det lämnar vi bara ut till myndighetspersoner.

Annika tänkte hårt några sekunder.

– Men jag kanske är en myndighetsperson, sa hon. Det vet väl inte du, jag har inte presenterat mig och du har inte frågat.

Det blev tyst en stund.

– Jag måste kolla med Disa, sa tjänstemannen.

– Vem? undrade Annika.

– Disa-systemet, vi kan koppla upp oss mot Disa som ger oss våra behörighetsvillkor. Ett ögonblick...

Det tog en evig tid, flera minuter.

Tjänstemannen var ännu kallare i rösten när hon kom tillbaka.

– Sedan posten blev bolagiserad är alla avtal mellan oss och kunderna hemliga. Om polisen misstänker ett brott som ligger över den tvååriga straffskalan kan vi lämna ut dem, men inte annars.

Annika tackade och slängde på luren. Hon gick en orolig runda på redaktionen, folk pratade, hojtade, skrattade, telefoner ringde, dataskärmar flimrade.

Myndighetsperson, hon måste ha tag i en myndighetsperson som visste något om det här. Eftersom hon inte kände till något enda fall så fick hon chansa. Gick tillbaka, slog upp telefonkatalogen och ringde Stockholms stad.

– Vilken stadsdelsförvaltning gäller det?

Hon tog sin egen, Kungsholmen, och blev satt på väntan. Efter tolv minuter med massiv tystnad i luren lade hon på.

Järfälla då?

Individid- och familjeomsorgen hade telefontid mellan 8.30 och 9.30, torsdagar även 17-17.30.

Hon stönade. Det var lönlöst att ringa runt på måfå. Även om hon, mot all förmodan, skulle lyckas stöta på någon som visste något så skulle de inte prata. Alla sådana här ärenden var sekretessbelagda. Hon måste ha en ingång, någonstans där hon visste att kommunen var inblandad.

Hon hämtade en kopp kaffe, blåste på drycken på vägen tillbaka. Passerade en grupp kvinnor som satt och skrattade vid avdelningen för dittådatt, såg i golvet utan att hälsa. Hon inbillade sig att rösterna dog när hon passerade, att samtalet avstannade, att det var henne de pratat om.

Hjärnspöken, tänkte hon, men övertygade ingen.

Hon ställde ner plastkoppen på Berits skrivbord så att kaffet skvimpade över, försökte koncentrera sig på arbetet. Det är ingen idé att gå på socialsekreterarna, tänkte hon. De blir panikslagna innan man ens har ställt några frågor och svarar aldrig på något, inte ens sådant som är offentligt.

Var kunde uppgifterna vara tillgängliga?

Hon brände sig på tungan när hon kom på det.

Fakturorna. Naturligtvis!

På räkningarna från Paradiset måste det finnas massor av information, organisationsnummer och adress, bankkonto eller postgiro. En ekonom på en kommun skulle kanske kunna få ut uppgifter om skatt, stadgar och revisorer.

Hon bläddrade bland kommunerna i telefonkatalogens gröna sidor. Vilken skulle hon välja?

Släppte katalogen och lade fram utskrifterna från dafan i stället. Rebeckas hemkommun framgick inte, men Aida var mantalsskriven i Vaxholm.

Vaxholm.

Annika hade aldrig varit där, visste bara att det låg vid kusten, norrut.

Det är ett långskott, tänkte Annika. Det är inte säkert att Aida tog kontakt med Paradiset. Det är inte säkert att hennes kommun är inblandad. Det kanske har gått för kort tid.

Å andra sidan, chansen fanns. Slog numret, evig väntan. Tankarna flöt iväg, hon borde ringa och höra hur det var med mormor. När växeltelefonisten väl svarade hade hon glömt vart hon ringde. Frågade efter någon ekonomiansvarig på socialförvaltningen, det var upptaget där och samtal som väntade, gick det bra att återkomma?

Hon lade på, drog på sig ytterkläderna, stoppade blocket i bagen och tog sikte på vaktmästeriet och tidningsbilarna.

– Ingen lista?

Eva-Britt Qvist svarade inte.

Eftermiddagarna ut längs E18 mot Roslagen var berömda för sina trafikstockningar. I Bergshamra stod hon stilla i nästan en kvart, sedan rullade det på.

Det var skönt att köra bil. Hon körde för fort, körde om, bilen var ganska snabb. Vaxholms centrum infann sig fortare än hon väntat. Pigga små flaggor över en stenbelagd gata kantad av nätta tornhus. En bank, en blomsterhandel. Konsum. Annika insåg att hon inte hade någon karta.

Kommunhuset, tänkte hon. Rådhuset, vid Torget. Det kan inte vara så jävla komplicerat.

Hon körde gatan tills vattnet tog vid, svängde höger i en liten rondell och hamnade i ett färjeläge. En lång kö med bilar väntade på den smutsgula färjan ut mot Rindö.

Hon tog upp till vänster. Östra Ekuddsgatan. Hon spanade mot pärlbandet av grosshandlarvillor med sjötomter.

Gräddhyllan, tänkte hon. The hot shit people.

Bilen gled långsamt uppför en brant backe med sandig asfalt, grindar och plank eller staket runt varje hus.

– Trist, sa hon högt och upptäckte att hon var tillbaka där hon började. Körde pigga gatan med flaggorna igen och tog vänster i stället för höger. Hamnade till slut vid en polisstation på ett litet torg. Rakt fram låg ett stort, orange hus med en liten rysk lökkupol högst upp. De dubbla portarna var målade i marmoreringsteknik, liksom de bägge lyktstolpar som flankerade dem. På en liten brevlåda läste hon:

Vaxholm stad, Rådhuset.

Vädret blev inte bättre. Gråheten hade borrat sig in i Thomas hjärna, han ville gråta. Den trånga gatan nedanför hans fönster såg ut som ett dike fullt med lera. Högarna av papper och arbetsuppgifter hotade att kväva honom, telefonjäveln ringde hela tiden. Han stirrade på den skrällande apparaten.

Jag struntar i att svara, tänkte han. Det är bara en barnstuga till som inbillar sig att de har pengar kvar på årets budget.

Han slet till sig luren med ett ryck.

– Ja, det är nerifrån receptionen. Det står en reporter här och vill tala med någon som har hand om socialförvaltningens pengar och avtal, så jag tänkte att du kanske…

Åh herregud, tog det aldrig slut?

– Jag är inte politiker. Skicka henne till kommunrådet.

Receptionisten försvann, rösten var lite kortare i tonen när den kom tillbaka.

– Hon vill inte prata med en politiker, hon vill bara ha lite… vad sa du att du ville fråga om?

Han lutade pannan i handflatan och stönade. Giv mig styrka! Mumlet steg i bakgrunden.

– Kan jag inte få prata med honom själv? hörde han någon säga, sedan ett frågande hallå.

– Vad gäller saken? sa han, kort, trött.

– Jo, jag heter Annika Bengtzon och är journalist. Jag undrar om jag skulle kunna få komma upp och ställa några korta frågor om hur avtal och tjänster upphandlas i en kommun?

Varför just min? tänkte han.

– Jag har inte tid, sa han.

– Varför inte? undrade hon snabbt. Är du utbränd?

Han brast plötsligt ut i ett kort skratt, vilken jävla fråga.

– Du har inte bokat tid, sa han, och jag har oerhört mycket att göra just nu.

– Det tar en kvart, sa journalisten. Du behöver inte flytta dig en centimeter, jag kommer upp till ditt rum.

Han suckade tyst.

– Uppriktigt sagt…

– Jag står i receptionen. Det går skitfort. Snälla.

Det sista bedjande.

Han gnuggade sig i ögonen, grusiga. Det skulle ta längre tid att avfärda henne.

– Kom upp då.

Hon var mager och rufsig i håret, hade ett lätt maniskt drag kring munnen och lite för markerade skuggor under ögonen för att vara vacker.

– Jag ber så himla mycket om ursäkt för att jag stövlar in så här, sa hon och knölade in sin stora bag under hans besöksstol. Jackan och halsduken draperade hon slarvigt över stolsryggen, ena ärmen gled ner på golvet, hon sträckte fram handen och log. Thomas tog den, svalde, märkte att hans högernäve var lätt fuktig. Han var inte van vid media.

– Du får säga om jag går för långt, sa kvinnan. Det här med

socialtjänsten är ju känsliga saker, jag inser det.

Hon sjönk ner i stolen, ögonen fastspikade i hans, fullständigt koncentrerad, pennan redo.

Han harklade sig.

– Vad har du gjort med handen?

Hon släppte inte hans blick.

– Klämt mig. Har du någonsin hört talas om en stiftelse som heter Paradiset?

Han reaktion var rent fysisk. Han studsade.

– Vad i helvete vet du om den?

Kvinnan hade noterat hans reaktion, det såg han på hennes belåtna min.

– Jag vet en del, sa hon. Inte tillräckligt mycket. Jag undrar om du kanske vet mer än jag.

– Allt som rör socialtjänsten är sekretessbelagt, sa han kort.

– Inte alls, sa journalisten och nu lät hon nästan road. Det finns massor som är offentligt. Jag vet inte hur allt fungerar, och det var det jag hade tänkt fråga dig om.

Han kände sig alldeles perplex. Hur fan skulle han hantera det här? Han kunde inte nämna något om fallet, kvinnan från Bosnien, han skulle inte känna till henne överhuvudtaget. Han ville absolut inte att pressen skulle skriva att Vaxholms kommun köpte dyra tjänster av konstiga stiftelser.

– Jag kan inte hjälpa dig, sa han kort och reste sig.

– Hon ljuger, sa journalisten lågt. Föreståndaren för stiftelsen Paradiset är en lögnare. Visste ni det?

Han hejdade sig, hon såg upp på honom, mörkögd, lätt framåtlutad, benen i kors. Stora bröst.

Han satte sig igen, stirrade ner i skrivbordet.

– Jag vet inte vad du pratar om. Jag är ledsen, men jag kan inte hjälpa dig. Om du ursäktar så har jag mycket att...

Hon bläddrade i ett stort och otympligt block, gjorde ingen ansats att resa sig.

– Har du något emot om jag ställer några generella frågor kring upphandlingen av den här typen av verksamheter?

– Som jag sa, egentligen har jag inte...

– Hur har all utackordering av offentlig verksamhet påverkat kommunens arbete?

Hon såg honom djupt i ögonen, fokuserad på honom, hans svar. Han svalde, harklade sig igen.

– Efter decentraliseringarna som skedde i och med den förändrade socialtjänstlagstiftningen som kom 1982 så blev det en väldig massa siffror. Alla enskilda barnstugor, servicehus, alla verksamhetsenheter skulle ha sin egen budget. Nu, efter privatiseringen, har detaljerna blivit färre. Varje post finns som en enda kostnad i budgeten.

Hon lyssnade uttryckslöst, hade inte rört pennan.

– Vad betyder det, på svenska?

Han kände blodet skjuta upp i ansiktet, förargad, tillrättavisad. Beslöt sig för att inte visa det.

– På sätt och vis har det blivit lättare, sa han. Kommunen betalar bara en klumpsumma, sedan får entreprenörerna göra vad de vill med pengarna.

Nu skrev hon i blocket, han tystnade.

– Vad gör du för något? undrade hon. Vad kallas du?

– Jag är socialkamrer, ansvarar för socialförvaltningens ekonomi och verksamhetsplan, håller i och planerar budgeten. Leder arbetet internt, ansvarar för de ekonomiska förutsättningarna, ser till behov och önskemål från personalen i de olika verksamheterna, håller i kvartalsuppföljningarna och verksamhetsboksluten... Man skulle kunna säga att jag jobbar med tre år samtidigt; föregående, innevarande och nästkommande...

– Otroligt, sa kvinnan. Pratar du alltid så där?

Thomas kom av sig, förvånad.

– Det tog ett jävla tag att lära sig, sa han.

Hon skrattade till, jämna vita tänder.

– Hur har det här tagits emot inom förvaltningen? undrade hon. Gillar folk den nya tiden?

Hon rörde sig, brösten gungade under tröjan. Han slog ner blicken i skrivbordet.

– Både och, sa han. Cheferna för de olika områdena har tappat makt. Det är inte så populärt. De kan inte gå in och detaljstyra längre, som de kunde när alla dagis och ålderdomshem var kommunala. Å andra sidan slipper de en massa ansvar.

Han förvånades över sin egen uppriktighet. Hon antecknade utan att se upp. Vackra starka händer.

– Folk har rätt att ha åsikter, fortsatte han. Även tjänstemännen har förstås politiska synpunkter på förändringen, olika ideologier.

– Kan du berätta exakt vad du gör och varför? sa hon.

Han nickade, och gjorde det. Vissa saker fick han säga flera gånger, leta nya ord och andra uttryckssätt. Hon verkade inte särskilt högt utbildad men hade lätt för att fatta. Han förklarade sin roll i socialförvaltningens ledningsgrupp, där han ingick tillsammans med förvaltningschefen och verksamhetscheferna, det vill säga barnomsorgschefen, skolchefen, chefen för äldreomsorgen, individ- och familjeomsorgen... De gick igenom socialförvaltningens beslutsgång, att socialnämnden tar beslut, att förvaltningschefen alltid är med, nästan alltid ekonomen och de tjänstemän som föredrar ärendena, och ibland verksamhetscheferna.

– Så vem har makten? frågade hon.

Han studerade henne i ögonvrån, smala lår, trånga byxor.

– Beror på ärendets art, svarade han. Många beslut tas på tjänstemannanivå. Andra dras naturligtvis i nämnden. Vissa ärenden går ända upp i kammarrätt och regeringsrätt innan något kan spikas.

Hon funderade ett ögonblick, knackade sig med pennan i pannan.

– Om ni får en propå från en helt ny verksamhet, sa hon och såg långt på honom, en stiftelse till exempel, som vill hjälpa människor i nöd. Vem skulle ta beslutet att anlita dem?

Plötsligt insåg han vart hon varit på väg med sin lilla utfrågning. Av någon anledning misstyckte han inte.

– Att initialt upphandla den typen av tjänst är ett beslut som förmodligen skulle tas i nämnden, sa han långsamt, men när det väl är gjort kan ytterligare beslut tas av enskilda tjänstemän.

– Får ni många sådana erbjudanden? Från stiftelser och olika privata entreprenörer?

– Inte så många, sa han. Det brukar vara kommunen som tar in anbud när de olika verksamheterna ska konkurrensutsättas.

Hon bläddrade lite i sitt block.

– Om Vaxholms kommun beslutat att använda sig av en sådan stiftelse, skulle du känna till det då?

Thomas suckade djupt.

– Ja, sa han.

– Har man det?

Han suckade igen.

– Ja, sa han. Socialnämnden tog ett beslut att köpa tjänster av en stiftelse vid namn Paradiset på mötet igår kväll. Protokollet är förmodligen inte utskrivet ännu, men godkännandet av avtalet kommer att framgå där, under punkt nummer sjutton, och protokollet är en offentlig handling. Det är därför jag berättar det, sa han.

Den unga kvinnan hade fått lite färg i ansiktet.

– Vad vet du om kvinnan det gällde, Aida Begovic från Bijelina?

Han hajade till igen, plötsligt förbannad.

– Vad vill du egentligen? röt han. Komma hit och fråga en massa snömos och sedan insinuera...

– Ta det lugnt, sa journalisten skarpt. Jag tror att vi kan hjälpa varandra.

Han kom av sig, fann sig stående igen, upprörd, blodet kokande i ansiktet, högernäven höjd och knuten, vad fan höll han på med? Jesus! Behärska dig, människa!

Han satte sig tvärt, håret föll fram i ansiktet, han drog det bakåt med bägge händerna.

– Förlåt, sa han. Gode Gud, ursäkta, det var inte meningen att brusa upp...

Hon satte igång att le, brett.

– Kul, sa hon. Det är fler än jag som är aggressiva.

Han stirrade på henne, hår som inte kunde ligga riktigt stilla på huvudet, ögon som såg rätt igenom honom.

Han slog ner blicken.

– Vad vill du egentligen?

Hon blev allvarlig, lät äntligen uppriktig.

– Jag har kört fast, sa hon. Jag håller på och kollar den här organisationen och det går inte särskilt bra. Enligt Rebecka Björkstigs egna uppgifter borde Paradiset ha dragit in över arton miljoner i intäkter de senaste tre åren, och om jag har gissat rätt borde utgifterna hamnat runt sju miljoner. Jag vet inte vilken typ av stiftelse Paradiset egentligen är, så jag kan inte bedöma vilken skattelagstiftning som gäller, men det känns lite skumt.

– Vet du om själva verksamheten fungerar som de påstår? frågade han.

Hon skakade på huvudet, verkade uppriktigt bekymrad.

– Nix. Jag har träffat Rebecka, och jag har träffat Aida, men jag vet inte om hjälpen fungerar.

– Rebecka, är det hon som styr?

Journalisten nickade.

– Hon påstår det själv, och jag tror henne. Du har inte träffat henne? Hon ger ett trovärdigt intryck, men vi har kommit på henne med en lögn, eller ska man kalla det felaktighet. Hon kan inte så mycket som hon vill ge sken av, och när man ifrågasätter henne glider hon undan. Vad vet du, egentligen?

Han tvekade, men bara en sekund.

– Nästan ingenting. Ingen verkar veta något. Beslutet togs i nämnden igår, trots att informationen var mycket bristfällig. Jag har inte ens ett organisationsnummer.

– Men du kan få reda på det?

Han nickade.

– Håller verksamheten, rent juridiskt?

– Vi ställde frågan till våra jurister i morse.

Annika Bengtzon såg upp på honom, intensivt.

– Vad vet du om stiftelser, rent generellt? Varför tror du Rebecka Björkstig har valt den formen för verksamheten?

Han lutade sig framåt.

– En stiftelse saknar ägare och medlemmar. Reglerna är mycket färre än för aktiebolag eller handelsbolag.

Annika antecknade.

– Mer!

– Såvitt jag vet fungerar stiftelser ibland som slutled för folk som vill stoppa undan pengar efter konkurser. Man kan an-

vända stiftelser för att begå olika typer av bedrägerier, och så utnyttjar man bristen på insyn i stiftelser.

Kvinnan såg upp.

– Varför finns det ingen insyn?

– När en stiftelse registreras behöver personer som företräder den inte uppge sina personnummer. Det har hänt att företrädarna visat sig vara fiktiva personer, rena påhitt.

Hon nickade, kliade sig i huvudet, funderade.

– Å ena sidan, sa hon, så gör detta allting ännu skummare. Rebecka kan ha startat stiftelsen enbart i syfte att blåsa folk på pengar. Å andra sidan, om verksamheten verkligen fungerar som hon säger så är förstås en stiftelse den bästa formen att driva den i.

De satt tysta en stund. Thomas noterade att ljuden i rådhuset dött ut, tittade på klockan.

– Herregud, utbrast han. Är den så mycket?

Hon log.

– Time flies when you're having fun.

Han reste sig hastigt.

– Jag måste gå, sa han.

Hon samlade ihop sina saker, stoppade ner dem i sin stora väska. Drog på sig jacka och halsduk och tog hans hand.

– Tack för att jag fick ta upp din tid.

Rak blick, rak rygg. Inte så lång, och så brösten. Han märkte att han blev fuktig i handen igen.

– Jag kommer att gå vidare med det här, sa hon, skakade hans näve och höll kvar den. Det är en sak jag undrar, sa hon, höll hans hand i sin. Om jag kommer på något, vill du veta det?

Han svalde, torr i halsen, nickade.

Hon log.

– Bra. Om du får reda på något, berättar du det för mig?

Han släppte hennes hand.

– Det får vi se…

– Vi ses.

Ögonblicket senare var hon försvunnen. Han stirrade på den stängda dörren och hörde hennes fotsteg försvinna bortåt korridoren, gick bort till besöksstolen, sjönk ner, sitsen fortfarande ljummen av hennes värme. Av hennes sköte.

Han reste sig hastigt upp, drog ut en pärm och slog upp förvaltningens personalbudget, siffrorna dansade framför honom. Irriterat slog han ihop pärmen och gick bort till fönstret. De pittoreska skyltarna på butikerna nedanför hånflinade åt honom, Bland Kobbar&Skär, Vaxholms Te&Kryddhandel.

Han borde gå hem. Eleonor hade middagen klar.

Trafikströmmen in mot Stockholm var betydligt tunnare än den som gick ut från stan. Annika stirrade ut genom vindrutan, den svenska förortstristessen slöt sig runt bilen. Så snart hon lämnat Vaxholms stadskärna bakom sig försvann det pittoreska, hyreskasernerna tog vid. Det kunde vara Flen, tänkte hon. En skylt upp till vänster visade på Fredriksberg, det var där Aida hade bott. Hon saktade ner, funderade ett ögonblick på att åka upp och titta efter Aidas adress men struntade i det.

På bilradion varnade de för halka på grund av underkylt regn.

Jag lever åtminstone, tänkte hon. Jag får vara med ännu ett tag.

Hon försökte kika upp mot himlen, men molnen var massiva. Inga stjärnor syntes. Ingen kunde se henne utifrån rymden.

Hon körde långsamt tillbaka, blev omkörd i stället för att köra om. Lugnet lade sig i hennes mage, mormor satt som en sten av sorg längst in.

Landskapet in mot Stockholm var sällsynt ordinärt, väg 274 kunde lika gärna vara vägen mellan Hälleforsnäs och Katrineholm. Hon slog på bilradion, hittade en radiostation som körde ett Boney M-maraton. *Brown girl in the ring, tjalalalala. Ma Baker, she taught her four sons, mamamama, Ma Baker, to handle their guns. Run run Rasputin, lover of the Russian queen.*

Det började stänka lite när hon kom till Arninge och svängde ut på E18 igen, men regnet stannade i luften, blev hängande. Hon lyssnade på tysk disko hela vägen in till tidningshuset i Marieberg.

Vaktmästeriet stod tomt, hon lämnade bilnycklarna på disken. Gick sedan hem till Hantverkargatan, genom Rålambshovsparken och längs Norr Mälarstrand. Det var kallt och rått, mörkret uppsplittrat av gatlyktor och neonbelysning men ändå tätt och tungt. Tankarna gick till mormodern, hur skulle de göra?

Krampen i mellangärdet började växa, ångesten bultade.

Hon var genomfrusen när hon kom hem, skallrade tänder. Telefonen ringde, hon sprang in med leriga skor.

Mormor! Åh Gud, det har hänt något med mormor!

Skam över sitt bedrägliga lugn, skuld över att hon inte var där.

– Jag ska gå förbi thaien och köpa med mig en wokad kyckling med cashewnötter, sa Anne. Vill du ha?

Annika sjönk ihop på golvet.

– Ja tack.

Anne Snapphane dök upp en halvtimme senare med två stanniolförpackningar i en påse.

– Satan vad kallt det är, sa hon när hon stampat av sig. Den här råa luften är döden för luftrören. Jag känner hur bronkiten kommer galopperande.

Anne hade ett svårslaget drag av hypokondri.

– Sätt på dig raggsockor. Den som har varmt på fötterna klarar sig alltid, det säger alltid mormor, sa Annika och började gråta.

– Nej men, vad har hänt?

Anne gick fram och satte sig bredvid Annika i soffan, väntade. Annika grät, kände stenen i magen värmas upp, mjukna, sakta lösas upp.

– Det är mormor, sa hon. Hon har fått stroke och ligger på Kullbergska i Katrineholm. Hon blir aldrig bra igen.

– Vilket skit, sa Anne medlidsamt. Vad händer med henne nu?

Annika snöt sig i en servett, torkade sig i ansiktet och pustade ut.

– Ingen vet. Hon ryms ingenstans och ingen har tid att ta hand om henne, och hon behöver massor med stöd och rehabilitering. Det slutar väl med att jag får sluta jobba och ta hem henne hit.

Anne lade huvudet på sned.

– Tre trappor utan hiss, utan toalett eller varmvatten?

Annika formulerade tankarna som legat i hennes mellangärde hela dagen.

– Jag får väl flytta till en lägenhet i Katrineholm. Det är inte hela världen. Tänk efter, vad är det jag gör egentligen? Sitter och skriver om andra reportrars texter i en skittidning med usel cred. Är det viktigare än att ta hand om den enda person man älskar?

Anne svarade inte, lät Annika snörvla färdigt. Gick ut i köket och hämtade glas och bestick. Annika satte på tv:n, sedan såg de på Rapport och åt wokad kyckling direkt ur förpackningen. Börsen hade gått upp igen. Nya oroligheter i Mitrovica. Socialdemokratin inför kongressen.

– Menar du allvar med att sluta? undrade Anne Snapphane sedan hon sjunkit bakåt mot ryggstödet, för mätt för att röra sig.

Annika strök handen över pannan och suckade djupt.

– I sista hand. Jag vill inte sluta jobba, men vad gör man om inget annat går?

– Martyr-VM blir ingen gladare av, sa Anne. Du har ansvar för dig själv också, man får aldrig hänga upp sitt liv på någon annan. Vill du ha vin?

– Doktorn sa åt mig att dricka alkohol, sa Annika. Vitt, helst.

– Vad tror du? Jag får bölder i ansiktet av rödvin. Satan vad kallt det är här inne förresten, har du fönstret öppet?

Anne reste sig och gick ut i köket.

– Det blåste sönder, ropade Annika efter henne.

Anne kom tillbaka med vinet, sedan satt de under var sin pläd och drack Chardonnay från tetra.

– Annars då? undrade hon.

Annika suckade, blundade, lutade huvudet bakåt mot soffryggen.

– Jag har bråkat med min mamma. Hon tycker inte om mig. Jag har alltid vetat om det, men det kändes jävligt trist att höra.

Smärtan steg upp genom kroppen, kärlekslösheten hade sin alldeles egen värk.

Anne Snapphane såg skeptisk ut.

– Jag känner ingen som är sams med sin morsa.

Annika skakade på huvudet, upptäckte att hon kunde le, såg ner på sitt vinglas.

– Jag tror faktiskt inte hon tycker om mig. Uppriktigt sagt så tror jag inte att jag tycker om henne heller. Måste man göra det?

Anne funderade.

– Egentligen inte. Det beror ju på hur morsan beter sig. Om hon förtjänar det så kan man älska henne, om man vill, det kan aldrig finnas något tvång. Däremot, sa Anne och pekade med ett finger i luften, däremot är man alltid skyldig att älska sina barn. Där finns ett ansvar som man aldrig kommer undan.

– Hon tycker att jag inte förtjänar någon kärlek, sa Annika.

Anne Snapphane ryckte på axlarna.

– Hon har fel. Det visar att hon är ett pucko. Nu vill jag höra något kul. Har det inte hänt något skojigt?

Tyngden lättade, Annika andades ut, log.

– Jag har en bra grej på gång på jobbet. En skitskum stiftelse som raderar mordhotade människor.

Anne Snapphane drack och höjde på ögonbrynen, Annika fortsatte.

– Jag har träffat en kommunkille idag som har affärer med stiftelsen. Om jag skötte mig så kan jag ha en ingång där.

– Var han en babe?

Anne Snapphane drog i sig vinet och hällde upp mer.

– En riktig träbock, sa Annika, körde en massa kanslisnack. Jag försökte få honom att slappna av, pratade lite runt sådär, funkade inget vidare. Han kan aldrig ha träffat en journalist förut, så jävla stressad...

– Äh, sa Anne och snurrade glaset. Han satt bombis och hetsade upp sig på dina tuttar.

Annika stirrade på väninnan.

– Du är inte klok, sa hon. En socialkamrer?

– Han har väl också penis? Och vad gjorde han i Frihamnen?

Annika stönade, ställde ner glaset och reste sig.

– Du är ju inte med. Frihamnen var i förrgår. Han sitter i Vaxholm. Vill du ha vatten?

Hon hämtade en tillbringare och två nya glas. Långhårige baben Per var klar med vädret och ett nytt program drog igång, ett gäng medelålders kvinnor med stora kulturpretentioner satte igång att diskutera något fullständigt meningslöst. Annika stängde av.

– Hur är det på Kvinnosoffan?

Nu var det Annes tur att stöna.

– Michelle Carlsson, den nya tjejen, vill bara vara i rutan hela tiden. Hon gör ståuppor i alla sina knäck och vägrar klippa bort dem. Hon har föreslagit att vi ska ha en panel i soffan där kvinnor ska diskutera olika saker, sex och så, och där ska hon vara med.

– Har hon sagt det? sa Annika. Att hon ska vara med?

Anne Snapphane stönade igen.

– Nej, men det fattar man ju, det är ju därför hon föreslår det.

– Det är väl bra att någon vill vara i rutan, sa Annika. Jag skulle tvärvägra, hellre döden.

– För de flesta är det tvärtom, sa Anne Snapphane. Många skulle gå över lik för en plats i etern.

Tv-debatten gällde konstens ställning, en fråga som nästan alltid var aktuell.

– Låt mig fråga panelen, sa programledaren, vad innefattar begreppet konst för dig?

Den första debattören formade en cirkel med högra handen medan hon talade.

– Ett ständigt pågående samtal, sa hon, viftade.

– Bra konst är konst som är angelägen, innefattar nyskapande, substans och en förmåga att beröra många människor, sa den andra och förde vänsterhanden i sidled.

– Seriösa konstnärer speglar sin tid. Personligen tycker jag att det är bra att det blir en diskussion, och debatten har visat att konsten har varit angelägen, sa den tredje med höjda ögonbryn.

– Men betyder det alltid att konsten är angelägen bara för att den skapar debatt? undrade programledaren.

– Det finns gränser, utvecklade den tredje, och man måste bestämma dem från fall till fall. Känner man kreatörerna vet man oftast hur seriösa de är, men man får inte heller låsa sig i sina bedömningar. Den konceptuella konsten, där idéerna bakom utställningen är själva poängen, är…

Thomas reste sig ur soffan.

– Jag ska hämta en öl, vill du ha?

Eleonor svarade inte, visade med sin irriterade rynka i pannan att hon inte ville bli störd. Han gick uppför trappan med de kulturella rösterna ringande i öronen.

– … dagens konst har i alla tider varit lite svår. Kanske knorrade betraktarna också med kalla fingrar krökta om kollekten när Giotto di Bondone moderniserade sin tids religiösa måleri…

Han gick till kylen, inga kalla pilsner, han suckade, gick till skafferiet och öppnade en ljummen. Letade efter kvällstidningarna men hittade dem inte.

– Ska du inte titta? ropade Eleonor.

Han satt några sekunder på köksstolen, drack en stor klunk, fick gas i näsan, suckade, gick ner igen.

– Feminismen har påverkat litteraturdebatten och villkoren för litteraturhistorieskrivningen, sa programledaren. Har den också påverkat litteraturen? Och i så fall på vilket sätt?

Thomas satte sig i soffan. Kvinnan som tog till orda såg ut som ett päron, hon gav ut en litteraturtidskrift och var en sådan ordbajsare att Thomas blev full i skratt.

– …gynnade de kvinnliga författarskapen, sa päronet, genom att uppmärksamma dem på ett särskilt sätt. Jag minns en replik från den danske författaren...

– Snacka om att ta sig själv på allvar! utbrast han.

– Tyst, jag lyssnar faktiskt.

Han reste sig hastigt ur soffan och gick upp till köket igen.

– Thomas, vad är det? ropade Eleonor efter honom.

Han stönade tyst, rotade igenom portföljen efter sina kvällstidningar.

– Ingenting.

Där. Han drog upp dem, skrynkliga, snart begagnade och ointressanta.

– Ska du inte se debatten? Man kommer att diskutera den på kulturföreningen på lördag.

Han svarade inte, började med Kvällspressen. Det var där hon jobbade. Han hade inte känt igen henne, hon brukade nog inte skriva reportagen med de små porträtten under.

– Thomas!

– Vad?

– Du behöver inte skrika åt mig. Har vi några tomma videoband? Jag vill spela in det här!

Han lät tidningen sjunka, blundade hårt.

– Thomas?

– Jag vet inte! Herregud! Låt mig läsa i fred!

Han slog demonstrativt upp tidningen igen. En stor man i mörka kläder stirrade på honom från tidningssidan, ledaren för någon cigarettmaffia. Han hörde Eleonor fumla med videon där nere och visste vad som skulle hända. Snart skulle hon börja skrika och banka på apparaterna, kräva att han skulle fixa dem.

– Thomas!

Han slängde tidningen och tog trappan ner med tre steg.

– Ja, sa han. Nu är jag här. Säg vad fan du vill ha gjort så att jag kan gå upp och läsa min jävla tidning i fred!

Hon stirrade på honom som om han varit ett spöke.

– Vad är det med dig? Du är ju alldeles röd i ansiktet. Jag behöver ju bara lite hjälp med videon, är det för mycket begärt?

– Du kan lära dig att trycka på knappen själv.

– Nu får du skärpa dig, sa hon osäkert. Jag missar ju debatten!

– Några jävla pretentiösa medelklasskärringar som onanerar åt varandra i tv, skulle det vara något att missa?!

Hon stirrade på honom med halvöppen mun.

– Du är ju inte riktigt klok, sa hon. Hela Sverige skulle sjunka ner i en evig kulturskymning om det inte vore för de här kvinnorna! De representerar och formulerar vår kultur åt oss, vår samhällsbild av idag!

Han såg på henne, så formulerad, så representerad.

Vände på klacken, tog sin rock och gick ut.

I samma stund som Aida slog upp ögonen visste hon att febern var borta. Tanken var klar och ren, alla smärtor försvunna. Hon var törstig.

Kvinnan från i morse satt bredvid henne på en pall.

– Vill du dricka?

Hon nickade, kvinnan gav henne ett glas med äppeljuice. Handen darrade när hon tog emot drycken, hon var fortfarande svag.

– Hur känner du dig?

Hon svalde och nickade, såg sig omkring. Ett sjukhusrum, en lätt obehagskänsla i högra armen, ett dropp. Hon var naken.

– Mycket bättre, tack.

Kvinnan reste sig från sin pall och lutade sig över henne.

– Jag heter Mia, sa kvinnan. Jag kommer att hjälpa dig. Vi kommer att åka härifrån redan i natt, så försök vila så mycket du kan. Vill du äta något, är du hungrig?

Hon skakade på huvudet.

– Vad är det här? frågade hon och viftade med högra armen.

– Intravenös antibiotika, sa Mia. Du hade kraftfull, dubbelsidig lunginflammation. Du måste fortsätta att äta antibiotika i tio dagar.

Aida blundade, strök sig med vänstra handen över pannan.

– Var är jag? viskade hon.

– På ett sjukhus långt från Stockholm, sa Mia. Jag och min man körde dig hit.

– Är jag säker här?

– Helt och hållet. Läkarna här är mina gamla vänner. Du är inte registrerad någonstans, din journal får vi med oss när vi åker. Han som jagar dig hittar dig aldrig här.

Hon såg upp.

– Så du vet...?

– Rebecka har berättat, sa Mia och lutade sig över henne. Aida, viskade hon. Lita inte på Rebecka.

Del två

November

Ingen människa är fri från skuld.

Inte heller jag kan svära mig fri från konsekvenserna av mina handlingar.

Känslan av skuld är emellertid inte ansvarsmässigt korrekt fördelad. Det finns ingen gudomlig rättvisa när bördan styckas. Den som borde känna mest kan oftast värja sig, låta det omänskligt tunga bäras av dem med störst förmåga till empati. Jag ställer inte upp på det.

Jag vet vad jag har gjort, och tänker inte finna mig i den roll som pressas på mig. Tvärtom. Jag tänker fortsätta att bruka mitt redskap tills jag uppnått mitt syfte. Våldet har blivit en del av mig, det förstör mig, men jag har accepterat min destruktion.

Min skuld ligger längre in, har fyllt den del av min själ som jag fortfarande förfogar över. Jag kan aldrig gottgöra, aldrig försonas med mitt eget misstag.

Jag kan aldrig få absolution. Mitt svek är stort som döden.

Jag har försökt att lära mig leva med det. Det är inte möjligt, för i själva tanken ligger paradoxen.

Jag lever, däri ligger min skuld.

Det finns bara ett sätt att sona den.

Torsdag 1 november

DET SNÖADE. Flingor kladdade fast på jackan, gjorde Annikas hår och framsida vit. På marken upplöstes de snabbt till en smet av salt och vatten. Annika trampade ner i en vattenpöl och upptäckte att skorna läckte.

Stadsdelsnämndens medborgarkontor låg på hennes gata, längst upp vid Fridhemsplan, i Tegeltraven. Dess skyltfönster reflekterade hennes spegelbild, hon såg ut som en snögubbe. Bakom glaset fanns en liten utställning som meddelade att ett nytt hotell skulle byggas vid Rålambshovsparken, mitt i påfarten till Essingeleden, synpunkter på bygget mottogs.

Hon ringde på och blev insläppt i medborgarkontoret, information överallt. Hon plockade på sig alla broschyrer om äldrevård och äldreboende hon kunde hitta. När hon gick därifrån noterade hon att det låg en begravningsbyrå vägg i vägg.

Mellan snöflingorna var luften klar och ren. Ljuden dämpades, bäddades in i bomull. Hon tog sig tid att lyssna, andas, känna efter. Hon var utsövd, tankarna klara och lugna.

Det fanns en utväg. Allt gick att ordna.

Hon gick långsamt uppför trapporna till sin lägenhet, blicken fäst på trappstegen. Därför såg hon inte kvinnan som väntade utanför hennes dörr.

– Är du Annika Bengtzon?

Hon flämtade till, tog ett snedsteg och höll på att ramla baklänges nedför trappan.

– Vem är du?

Kvinnan gick fram emot henne, sträckte fram handen.

– Jag heter Maria Eriksson. Det var inte meningen att skrämma dig.

Annika fick ett lätt tunnelseende, kroppen ställde sig avvaktande.

– Vad vill du? Och hur hittade du mig?

Kvinnan log lite sorgset.

– Du står i telefonkatalogen, din adress också. Det är något jag skulle vilja prata med dig om.

– Vad då?

Irritation.

– Helst inte i trapphuset.

Annika svalde. Hon ville inte, inte just nu. Hon ville sitta i sin soffa, under en filt, dricka te och studera broschyrerna om äldreboende, hitta utvägen, finna friden. Vad den här kvinnan än hade för ärende så var det inte hennes problem, det kände hon bestämt.

– Jag har inte tid, sa Annika. Min mormor är sjuk, jag måste hitta någon som kan rehabilitera henne efter en stroke.

– Det är väldigt viktigt, sa kvinnan allvarligt.

Hon gjorde ingen ansats att flytta sig från dörren.

Irritationen övergick i ilska för att blixtsnabbt bli rädsla. Kvinnan framför henne tänkte inte ge sig, och hon ingav respekt.

Aida, tänkte Annika och backade.

– Vem har skickat dig?

– Ingen, sa Maria Eriksson. Jag kommer på eget bevåg. Det gäller stiftelsen Paradiset.

Annika stirrade på kvinnan som lugnt såg tillbaka, misstänksamheten malde.

– Jag vet inte vad du pratar om, sa hon.

Kvinnan fick med ens ett desperat drag i ögonen.

– Lita inte på Rebecka! sa hon.

Nyfikenheten slog till, klockren. Annika ville inte längre komma undan. Det här var hennes problem, ett problem hon själv valt.

– Kom in, sa hon, gick fram till dörren och låste upp. Hon hängde sina våta kläder över elementet i sovrummet, stängde till dörren och drog av sig byxor och strumpor. Letade fram torra och rena ur garderoben, torkade håret på en handduk och gick ut i köket för att koka vatten.

– Vill du ha kaffe, Maria? Eller te?

– Kalla mig Mia. Nej tack.

Kvinnan hade satt sig i soffan i vardagsrummet. Annika gjorde i ordning en stor kanna citronte, bar in en bricka i vardagsrummet.

Maria Eriksson var samlad och spänd.

– Du har träffat Rebecka Björkstig, eller hur? sa hon.

Annika nickade och hällde upp te i sin egen kopp.

– Säkert att du inte ska ha?

Kvinnan hörde henne inte.

– Rebecka går omkring och säger att du ska skriva en stor artikel i tidningen Kvällspressen om hur bra verksamheten är. Är det sant?

Annika rörde i teet, en malande känsla av oro i magen någonstans bakom nyfikenheten.

– Jag kan inte avslöja någonting om vad tidningen ska skriva och inte skriva.

Plötsligt började den främmande kvinnan i soffan att gråta. Annika ställde ner koppen på fatet, osäker.

– Snälla, skriv ingenting innan du vet hur det ligger till, bad Maria Eriksson. Vänta med att skriva tills du har alla fakta.

– Det är klart jag gör, sa Annika. Men verksamheten är extremt svår att kontrollera. Den är ju så hemlig att all information måste gå via Rebecka.

– Hon heter inte Rebecka.

Annika släppte ner skeden i koppen, plötsligt mållös.

– Hon hette något annat fram till alldeles nyligen, så mycket vet jag, fortsatte Maria Eriksson, tog upp en pappersnäsduk och torkade ögonen. Jag vet inte exakt vad, Agneta någonting tror jag.

– Hur vet du det? frågade Annika.

Maria snöt sig.

– Rebecka kallar mig raderad, sa hon.

Annika stirrade på den unga kvinnan i soffan, så verklig och konturskarp. Raderad!

– Så det fungerar? frågade hon.

Kvinnan lade ner pappersnäsduken i sin handväska.

– Nej, sa hon. Jag tror inte alls det fungerar. Det är det som är problemet.

– Men du är raderad?

Maria skrattade till.

– Jag har haft kvarskrivning i flera år, sa hon. Jag har inte funnits i några register på evigheter, men det har ingenting med Rebecka eller Paradiset att göra. Jag har själv ordnat skyddet för mig och min familj. Problemet är att det inte räcker, det var därför jag kom till Paradiset.

– Så du är inne i organisationen nu?

– Mitt ärende är inte avgjort ännu, socialtjänsten i min kommun har inte godkänt avtalet, svarade Maria Eriksson. Därför är jag egentligen inte inne, men att stå lite utanför har gett mig mycket större inblick i verksamheten än om jag varit insyltad på riktigt.

Annika sträckte sig efter tekoppen, blåste på drycken och försökte sortera sina intryck; rädsla, skepsis, spänning, häpnad. Kvinnan var så verklig, blond och allvarlig, hennes ögon såg rakt igenom saker. Men talade hon sanning?

Hon kände förvirringen ta över.

– Hur länge har du varit i kontakt med Paradiset?

– Fem veckor.

– Och du har inte blivit antagen?

Maria Eriksson suckade.

– Det beror på socialtjänsten. De utreder om de ska betala för vår utlandsetablering.

– Via Paradiset?

Kvinnan nickade.

– Rebecka vill ha sex miljoner för att hjälpa oss att flytta utomlands. Vårt fall är egentligen solklart. Kammarrätten har slagit fast att vi inte kan leva ett normalt liv i Sverige, du ska få läsa domen.

Annika tog sig för pannan.

– Jag måste anteckna det här. Är det okey?

– Javisst.

Hon gick ut till hallen, bagen var blöt, hällde ut innehållet på golvet, en ask Tenor, bindor, en trasig tågbiljett, block och penna, en kraftig guldkedja.

Guldkedjan. Annika tog upp den, Aidas present. Den hade hon glömt.

Raskt stoppade hon ner allt utom blocket och pennan i väskan igen.

– Varför är du hotad? frågade hon medan hon satte sig tillrätta i soffan igen.

Maria Eriksson log svagt.

– Jag kan ta lite te ändå, det såg så gott ut. Tack. Den gamla vanliga historien, kär i fel karl. Jag trodde du skulle fråga, så jag tog med mig mina egna handlingar.

Hon tog upp en mapp med en packe papper.

– Det här är kopior. Om du vill kan du behålla dem, men jag skulle uppskatta om du förvarade dem på ett säkert ställe.

– Berätta, sa Annika och tog emot mappen.

– Strypförsök, sa Maria Eriksson och hällde socker i teet. Knivhot. Misshandel. Våldtäkt. Kidnappningsförsök på vår dotter. Skadegörelse på huset, allt du någonsin kan tänka dig. Mordbrand. Jag kan hålla på hur länge som helst, och det är just ingen som bryr sig.

Hon drack försiktigt. Annika kände sitt gamla raseri vakna.

– Jag vet hur det kan vara, sa hon. Varför gjorde inte polisen något?

Maria log igen.

– Mina föräldrar bor kvar i min hemstad, sa hon. Han dödar dem om jag pratar.

– Hur vet du att han inte bluffar?

– Han har försökt köra ihjäl min far.

– Jag ska titta igenom dina papper lite senare, sa Annika och lade ner dem på golvet.

Hon fann inget mer att säga. Hon skulle studera handlingarna noggrant, men hon anade att de skulle bekräfta det Maria redan berättat. Hon trodde på den här kvinnan. Det fanns något hos henne som var genuint. Kanske var det rädslan.

De satt tysta en stund, porslinet klirrade.

– Finns det någon verksamhet överhuvudtaget? undrade Annika.

Maria Eriksson nickade.

– Rebecka tar betalt, men det är i stort sett allt hon gör. Det förekommer ingen radering såvitt jag begriper, det enda som händer är att Rebecka ibland begär en spärrmarkering i folkbokföringen för klienten.

– Vad är det? frågade Annika.

Maria satte sig tillrätta.

– Det finns ett par olika typer av skydd för hotade personer, sa hon. Det enklaste är en spärrmarkering, personens personnummer, adress och familjeanknytningar blir sekretesskyddade i alla myndighetsregister. Det står bara personuppgiften skyddad i alla register.

Annika nickade, Rebeckas databild.

– Det är ganska ovanligt, eller hur?

– Färre än tiotusen personer i Sverige, sa Maria Eriksson. Beslut om spärrmarkering tas av chefen på den lokala skattemyndigheten där man är folkbokförd. För att få spärrmarkering krävs en konkret hotbild.

– Har du spärrmarkering?

– Nej, min familj har kvarskrivning, det är ett större och mer komplicerat skydd. I sådana fall känner bara en person till ens mantalsskrivningsort, chefen på det lokala skattekontor där man är kvarskriven. Kravet för att få kvarskrivning är också större än för spärrmarkering, hotbilden ska vara ungefär densamma som vid ett besöksförbud.

– Hur många har kvarskrivning i Sverige?

– Färre än hundra, sa Maria.

Hon var verkligen raderad, på riktigt.

– Finns det fler sätt?

– Man kan förstås byta namn och personnummer. Det får man via Rikspolisstyrelsen som låter Riksskatteverket räkna fram ett nytt personnummer.

Här var en som hade koll, tänkte Annika.

– Har du bytt identitet?

Maria tvekade, sedan nickade hon.

– Jag har haft flera namn och fick nytt personnummer en period, jag som är jungfru blev plötsligt vädur!

De skrattade båda två.

– Vad gör Rebecka mer?

Maria Eriksson blev allvarlig igen.

– Vad har hon sagt att hon gör?

Annika drack ur sin kopp. Hon fick lov att bestämma sig, antingen trodde hon på den här kvinnan eller så kastade hon ut henne. Valde det första.

– Sextio fall på tre år, sa hon. Två utlandsetableringar av två hela familjer, fem heltidsanställda med en lön på fjortontusen kronor i månaden, all kontakt med omvärlden sker via ett system med referensnummer till Paradiset, kontaktpersoner dygnet runt, omkopplade telefoner, fastigheter över hela Sverige, möjlighet att ordna statliga jobb i andra länder, full läkarvård, juridisk hjälp, total omsorg.

Maria suckade och nickade.

– Det där är ungefär samma sak som hon brukar berätta. Jag är förvånad att hon berättade om utlandsetableringen, den brukar hon hålla inne med.

– Det gjorde hon, i det längsta.

– Okey, sa Maria. De fem anställda är hon själv, hennes bror, syster och föräldrar. De uppbär säkert lön, men de jobbar inte. Det utförs inget arbete överhuvudtaget på stiftelsen Paradiset. Hennes mamma svarar i telefonen ibland, det är allt.

Det blev tyst.

– Fastigheterna då?

Maria skrattade till.

– De har ett fallfärdigt hus i Järfälla, det är där vi bor. Det är där telefonen står. Den ringer i perioder när Rebecka fått något nytt fall. Det sitter någon stackare någonstans och är förtvivlad, ringer och ringer, men ingen svarar...

Annika ruskade på huvudet.

– Så det är lögn, vartenda ord?

Maria Eriksson blinkade, tårögd.

– Jag vet inte, sa hon. Jag vet inte vad som händer med de andra.

– De andra?

Kvinnan lutade sig fram, viskade.

– De andra som kommer till Paradiset, jag vet inte vad som blir av dem! De kommer, passerar och försvinner!

– Bor de inte i huset?

Maria Eriksson skrattade till.

– Nej, det är bara vi, vi hyr ett rum av henne, betalar svart. Hon tror hon ska tjäna storkovan på oss eftersom vårt fall är så solklart, det är därför vi få bo där. Men jag har förstått hur hon fungerar. Om vår socialförvaltning betalar ut pengarna så tar hon dem och försvinner. Vi skulle inte få ett öre.

Hon lutade huvudet i sina händer.

– Och jag som trodde henne! Jag hamnade ur askan i elden!

Annika tänkte plötsligt på kommunkillen i Vaxholm igår, Thomas.

– Du måste säga till din kommun, sa hon.

Kvinnan tog upp en ny pappersnäsduk.

– Jag vet. Vi måste hitta någon annanstans att bo, min man har ett torp på gång. Så fort vi får klartecken så rymmer vi från Paradiset, och då berättar jag för min kommun. Jag kan inte säga något så länge vi bor i stiftelsens hus.

– Hur lång tid tror du det tar?

– Ett par dagar, senast till helgen.

Annika funderade.

– Det här hotet mot Rebecka, har du hört talas om det?

Maria suckade.

– Rebecka påstår att hon är jagad av maffian, jag har ingen aning om varför. Det verkar lite långsökt, tycker jag. Vad skulle hon ha gjort dem?

Annika ryckte på axlarna.

– Vet du vad som händer med alla pengar?

Maria skakade på huvudet.

– Jag kommer inte in i kontoret. Hon har sina papper i ett av rummen på nedre våningen, dörren är alltid låst. Men hon tar ut en hög lön, jag hittade ett lönebesked i soporna i slutet av förra veckan.

Annika rätade på ryggen. Lönebeskeden, det innebar kontonummer, personnummer, massor med information.

– Har du det med dig?

– Jo, faktiskt, jag tror det...

Hon rotade lite i sin handväska och hittade ett skrynkligt papper, missfärgat av kaffesump.

– Det är lite ofräscht, sa hon ursäktande när Annika tog det.

Allt stod där. Bankkonto, personnummer, adress, skatt, allt utom organisationsnumret på stiftelsen Paradiset. Bra betalt hade hon, femtiofemtusen kronor i månaden.

– Bankkontot går till Föreningssparbanken, sa Maria, adressen är densamma som för Paradiset, boxen i Järfälla.

– Vilken är gatuadressen? undrade Annika.
Maria berättade.

Elvamötet handlade som vanligt för lite om gårdagen och för mycket om vad som skulle inträffa i framtiden. Nyhetschefernas visioner om morgondagens tidning var ofta rejäla luftpastejer, hårddragna vinklingar som förutsatte att folk skulle tala ut, erkänna eller neka till skandaler, prata om den sorg, smärta, ilska, felbehandling eller orättvisa som drabbat dem. Katastrofer utmålades som värre än de var, dragningar förstärkte uppgifter om kändisars privatliv. Konsekvenser av nya politiska förslag förenklades och allmänheten framställdes alltid som antingen ”vinnare” eller ”förlorare”.

Anders Schyman suckade, sådan var nu en gång branschen. Överentusiastiska nyhetschefer var inget särskilt signifikativt för Kvällspressen. Fenomenet var detsamma på stats-tv där han jobbat så länge, fast med något andra förtecken. Den som planerade verksamheten skulle alltid utgå från bästa möjligt utfall. För Kvällspressens räkning kunde det vara en tv-kändis som bröt fötterna i Fångarna på fortet, för ett samhällsprogram i tv var det en makthavare som stammade och gjorde bort sig. Just nu höll Ingvar Johansson på att redovisa hur han tänkt sig uppföljningen av den lyckade kampanjen med den handikappade pojken som fått rätt mot kommunen. Tårta och blommor, ingen champagne, en stor bild med ungen i mitten och hela familjen som kramade honom. En mitt hade man tänkt sig, vinjetten När Kvällspressen griper in! var redan inlagd på sidan.

– Vet vi att familjen ställer upp? undrade Schyman.

– Nej, sa Ingvar Johansson, men det ordnar reportern. Det är Calle Wennergren, så där kan vi känna oss hemma.

Alla nickade uppskattande.

– Historien om frihamnsmorden växer, sa Sjölander. En gammal farbror, en orienterare i klassen äldre oldboys, hittade långtradaren som innehöll den försvunna cigarettlasten igår. Den var totalt utbränd, stod i någon sorts ravin på gränsen mellan Östergötland, Södermanland och Närke.

– Kanske någon som var röksugen, sa Bild-Pelle, spridda skratt.

– Det satt två lik i förarhytten, sa Sjölander utan att dra på munnen. Rättsmedicinska undersökningen är inte klar, men polisen är jävligt skärrad. Det verkar som om offren torterades innan de dog. Alla leder i deras kroppar är sönderslagna. Den kommissarie som jag snackade med har aldrig sett något jävligare.

Det blev tyst i rummet. Luftkonditioneringen susade.

– Vad kan polisen gå ut med? frågade Schyman.

Sjölander bläddrade i sina anteckningar.

– Den exakta fyndplatsen ligger i ett otillgängligt skogsområde norr om Hävla i Finspångs kommun. Det finns en urusel skogsväg som löper intill förkastningen där långtradaren hittades. Man har gjort intressanta fynd. Det finns en del hjulspår, förutom trailerns, som är jävligt speciella. En typ av vinterdäck som inte behöver vara dubbade. Breda, amerikanska, används bara på ett fåtal bilmärken, vi snackar personvagnar som samtidigt är riktigt tunga terrängfordon, typ Range Rover eller de största modellerna av Toyota Land Cruiser. Polisen har hunnit transportera bort vraket nu, det var tydligen inte så enkelt, och vill gärna att vi uppmanar folk att höra av sig om de har sett något.

– Hur fick de ner långtradaren i ravinen? undrade Ingvar Johansson.

Sjölander suckade.

– Man har kört den dit, förstås, prickade en dag när marken

var frusen. Markägaren är visst inte så lycklig, man har mosat ett hundratal små träd längs vägen.

– Vilka ligger bakom? undrade Schyman.

– Juggemaffian, sa Sjölander. Kristallklart. Och vi har inte sett slutet på det här. Killarna i bilen kan inte ha snackat, om de gjort det skulle de ha haft åtminstone några leder hela. Snubbarna som äger ciggen kommer att fortsätta att ha ihjäl folk tills de hittar lasten. De som vet något om den ligger jävligt risigt till allihop.

– Vad vet vi mer om den jugoslaviska maffian? frågade Schyman. Sådant som vi inte kan publicera, menar jag.

– Man tror det är serbiska regeringen som ligger bakom, sa Sjölander, men det är ingen som någonsin lyckats bevisa det. Eftersom det finns sådana enorma resurser bakom alla operationer så tror man att staten sanktionerat dem. Därför finns det inte heller några tjallare som har någon form av översikt, en helhetssyn. Alla som vet allt sitter i eller strax intill regeringen i Belgrad, polischeferna, de högsta militärerna.

– Är det farligt att rota i det här? frågade Schyman.

Sjölander tvekade.

– Inte direkt, sa han. Att skriva om själva morden är ganska harmlöst. Det är de beredda på. Man får komma ihåg att det här är business, för operatörerna är det bara ännu en dag på kontoret. Man ska inte lura dem, bara. Man ska inte sno deras smuggelgods, och man ska inte veta vem som har gjort det.

Mötet gled över på andra ämnen, men Anders Schyman var inte riktigt närvarande. En diskussion som denna hade de sällan haft. Lättnaden och tillfredsställelsen fyllde hela magen. Han hade varit orolig efter gårdagens sammandrabbning, men nu visste han.

Han hade vunnit.

Månadsskiftet oktober-november var alltid intensivt. Kommunstyrelsen tog budgeten i oktober och fullmäktige tog den i november. Nåja, skulle han vara uppriktig så brukade de alltid slira några dagar in i december. Varenda barnstuga i kommunen hade ringt och frågat om det stämde att de hade tretusen kvar på kontot, samtidigt satt han med den sista kvartalsuppföljningen.

Ändå kunde han inte koncentrera sig. Han var uppriktigt orolig över sina egna utbrott. Journalisten igår hade frågat om han var utbränd, han hade tänkt på det flera gånger sedan dess. Men det fanns inget skäl till att han skulle vara sönderstressad, han gjorde samma sak som han gjort de senaste sju åren, bodde i samma hus med samma fru och gick till samma jobb.

Det var något annat. Han ville inte formulera det för sig själv, eftersom det skulle få sådana avgörande konsekvenser.

Sanningen var att han ville ha ut något mer av livet. Så var det, där kom det. Han ville vidare, han kunde det här jobbet nu. Han ville in till stan, han ville gå på bio och teater utan att behöva planera ihjäl sig, promenera hem längs gator med höga hus och indiska restauranger och människor han inte kände.

Igår kväll hade han promenerat runt i Vaxholm i timmar, gata upp och gata ner. Han kände varenda gråsten till både för- och efternamn. Ett tag hade han suttit på en sunkig restaurang och druckit öl, men gått därifrån när ett gäng sistaringare dundrat in och levt om. Klockan var över midnatt när han kom hem. Han hoppades att Eleonor skulle vara vaken så att de kunde prata, men hon sov med senaste numret av Moderna Tider bredvid sig på nattygsbordet.

Telefonen ringde igen. Han motstod en impuls att rycka sönder sladden och kasta den i väggen.

– Ja?! röt han.

– Thomas Samuelsson? Det här är Annika Bengtzon, journalisten från igår. Jag har fått reda på en del saker om stiftelsen Paradiset. Har du skaffat fram organisationsnumret?

Han stönade.

– Jag har faktiskt haft annat att göra, sa han.

– Så bra då, sa hon, att du gör ditt jobb. Då har du kanske tagit reda på att Rebecka Björkstig tidigare hette något helt annat, att stiftelsen har sitt högkvarter i en fallfärdig kåk i Järfälla, att den inte har några anställda och inte bedriver någon verksamhet överhuvudtaget, förutom att ta betalt?

Han letade efter något att säga.

– Är det sant?

Journalisten suckade i andra änden.

– Det verkar så. Jag är inte hundra ännu, men jag har fått tag i Rebeckas personnummer och tänkte kolla henne hos kronofogden i Sollentuna. Jag tar pendeln om en kvart. Om du är intresserad av vad jag vet så kan du komma dit.

Han tittade på klockan, han skulle vara tvungen att avboka tre möten.

– Jag vet inte om jag hinner, sa han.

– Du väljer själv, sa journalisten. Om du kommer, ta med dig organisationsnumret på Paradiset.

Hon lade på. Han slog ihop pärmen framför sig och gick in till tjänstemannen som skötte fallet med kvinnan från Bosnien, Aida Begovic. Socialsekreteraren hade besök av en klient, en ung man med rakad skalle som satt och fingrade på sina finnar. Thomas gick in ändå.

– Jag behöver numret på Paradiset, avbröt han.

Kvinnan bakom skrivbordet försökte behärska sig.

– Jag sitter upptagen, sa hon med betoning på varje ord. Vill du vara snäll och gå ut.

– Nej, sa Thomas. Jag behöver numret. Nu.

Tjänstemannen blev röd i ansiktet.

– Nu får du faktiskt...

– Genast! röt Thomas.

Hon reste sig förskräckt upp, tog fram en pärm som hon räckte honom, uppslagen.

– Högst upp till höger, sa hon kort.

– Säg till mig så fort du får en faktura, sa Thomas. Förlåt att jag trängde mig på.

Tog pärmen och gick. Skrev upp numret på en postit-lapp, lade den i sin plånbok, tog på sig rocken och gick ut. Han hade inte bilen med sig, måste gå hem och hämta den.

– Jag är borta resten av dagen, ropade han till kvinnan i receptionen på vägen ut.

Uppför backen på Östra Ekuddsgatan slog det honom att han inte visste var kronofogdemyndigheten i Sollentuna höll till. Han var tvungen att gå in i villan och slå upp det i telefonkatalogen, Tingsvägen 7, var fan låg det då? Han rev ut sidan 20 från Gula Sidornas kartor och sprang ut till bilen.

Trafiken tjocknade så snart han kom upp på E18, väg 262 stod helt stilla vid Edsberg, en olycka av något slag, han slog på ratten i frustration. Kom till sist in till centrum via Sollentunavägen, fogden låg strax bakom Mässan, i ett gulaktigt höghus som delades med polisen och andra rättsinstanser. Han parkerade på en reserverad plats och tog hissen upp till sjätte våningen.

Hon var redan där, satt vid ett bord i ett besöksrum med massor av datautskrifter framför sig, håret i vågor som om det torkat utan att kammas. Pekade på stolen bredvid sig med en snabb gest.

– Här ska du se, sa hon. Om personnumret stämmer så har

vår kompis inte betalat en enda räkning de senaste fem åren. Förmodligen inte tidigare heller, men de skulderna finns inte längre på data. De är mikrofysade.

Han stirrade på drivorna av utskrifter.

– Vad är det här?

Annika Bengtzon reste sig upp.

– Rebecka Björkstigs akter i kronofogdens utsökningsregister, sa hon. Etthundrasju stycken. Ska du ha kaffe?

Han nickade och tog av sig rocken och halsduken.

– Mjölk tack.

Satte sig ner och började planlöst bläddra bland utskrifterna. Det framgick inte vem som dragit på sig dem, det stod bara Personuppgiften spärrad. Men skulderna var inte skyddade, de var katalogiserade i långa rader, allmänna och enskilda, från myndigheter, enskilda företag, privatpersoner. Obetalda restskatter. Parkeringsböter. Böter för olovlig körning. Obetalda IKEA-möbler, hyrbil, semesterresa, banklån, skulder på Konsumkort, Visa-kort, Ellos-konto, Eurocard...

Jesus! Han fortsatte bläddra.

... obetalda studielån, obetald tv-licens, lån från en privatperson vid namn Andersson, skulder på en hyr-tv från Thorn...

– Det fanns ingen mjölk, sa hon och ställde en brun plastmugg på den utskrift han just läste. Hon hade tagit bort det vita bandaget från fingret och ersatt det med ett plåster.

– Herregud, sa han. När fick du reda på det här?

Hon satte sig ner bredvid honom och suckade.

– I morse. En källa gav mig ett personnummer som förmodligen är Rebeckas. Jag kan inte ta gift på att det stämmer eftersom Rebecka har spärrmarkering i folkbokföringen, men för ögonblicket utgår jag från att det är korrekt. Hon är bara trettio år gammal, men hon har jobbat hårt med att skuldsätta sig. Ändå är det här bara början. Receptionisten håller på och kollar PRV och eventuella konkurser. Har du organisationsnumret?

Han tog upp plånboken och gav henne postit-lappen.

– Jag är snart tillbaka, sa hon.

Han drack av kaffet, ganska svagt, gick ner utan mjölk. Försökte sortera tankarna.

Vad innebar det här egentligen?

Att damen var usel på att betala räkningar hade egentligen inte med saken att göra. Hon kunde förstås vara bra på att radera människor ändå. Men mängden, massan, den konsekvent genomförda strategin att aldrig någonsin betala någonting gav en hint om vad som komma skulle.

Han drack ur kaffet, slängde muggen i papperskorgen, bläddrade vidare.

... skulder hos American Express, Finax telefonlån, obetalda fortkörningsböter, skulder hos Folksam, obetalda elräkningar, telefonräkningar, vägtrafikskatt...

De flesta skulderna var avregistrerade, alltså hade de reglerats på ett eller annat sätt, antingen genom utmätning på lön eller tillgångar eller konkurs.

Var höll Annika Bengtzon hus?

Han gick ut ur rummet. När han rundade hörnet bort mot receptionen gick han rätt in i henne. Han kände brösten.

– Shit, sa hon, snubblade, tappade en bunt papper på golvet.

Han fångade upp henne, ställde henne på fötter igen. Rodnade.

– Förlåt, sa han. Det var inte meningen.

Hon böjde sig ner och rafsade ihop pappren.

– Nu ska du se, sa hon. Tjejen har gjort alla former av konkurser som finns, personlig konkurs två gånger på fyra år, aktiebolagskonkurs, handelsbolagskonkurs, kommanditbolagskonkurs. Stiftelsen Paradiset har jättestora skulder, bilar, tv-apparater, två fastigheter på avbetalning som man aldrig pyntat en spänn för…

Hon gick före honom in i rummet igen.

– Frågan är vad det här betyder, sa hon och satte sig. Det behöver ju inte innebära att Rebecka Björkstig är en skurk, men det ger inga bra vibbar.

Han stirrade på henne, exakt samma tanke han själv haft för några minuter sedan. Slog sig ner bredvid henne och tog upp utdragen från Patent- och registreringsverket, noterade datum för skulder och konkurser, när de nya företagen registrerades och när de upphörde.

– Jag tycker det finns ett mönster, sa han. Se här. Hon startar ett företag, handlar en massa prylar, tar stora lån och går i konkurs. Igen och igen. Gör personlig konkurs, igen. Till slut går det inte längre. Ingen lånar henne ett öre. I stället startar hon en stiftelse. Den kan inte alls kopplas till henne. Grundarna är några helt andra, kanske finns de inte.

Annika följde hans finger som pekade från en post till en annan.

– Sedan var det bara att shoppa loss igen, sa hon och höll upp Paradisets skulder. Se här, hon började hoppa lånen för fyra månader sedan.

– Förmodligen är inte stiftelsen äldre än så, sa Thomas.

– Där rök de tre åren och de sextio fallen, sa Annika.

De satt tysta bredvid varandra, läste och bläddrade. Så reste sig journalisten upp och samlade ihop utskrifterna.

– Jag måste prata med kronoinspektören igen innan han går hem för dagen, sa hon. Har du tid att hänga på?

Han tittade på klockan. Just nu började hans tredje missade möte.

– Ja, det är inga problem.

De gick ut i en lång ämbetsverkskorridor, mörkblå matta på golvet som sög upp ljud och damm. Annika Bengtzon gick före honom till dörren näst längst bort.

– Hej, sa hon och klev in, nu är jag här igen. Det här är Thomas Samuelsson, socialkamrer från Vaxholm.

Kronoinspektören satt med sina pärmar framför sig.

– Hittade du det du letade efter? frågade han.

Annika suckade.

– Och mer därtill. Du kommer inte ihåg om du stött på namnet, Rebecka Björkstig?

Han skakade på huvudet.

– Jag har tänkt, sa han, men det ringer ingen klocka.

– Det här då? undrade hon och sköt fram utskrifterna kring skulderna på stiftelsen Paradiset.

Mannen satte på sig glasögonen och lät blicken glida över sidan.

– Jo, sa han och pekade en bit ner på sidan, det här känner jag igen. Jag talade med bilfirman som äger de här fordonen i förra veckan, de var ganska förtvivlade. De får inte tag i personen som leasat bilarna, och de har inte fått ett öre ens i handpenning.

– Hur kan de släppa bilarna utan handpenning? frågade Thomas.

Kronoinspektören såg på honom över glasögonkanten.

– De sa att kvinnan verkade så trovärdig. Vet du var den här människan bakom Paradiset håller hus?

Det sista vänd mot Annika.

– Nej, svarade hon sanningsenligt. Jag vet adressen till en av stiftelsens fastigheter, men det är inte där hon bor. De uppgifterna borde ju finnas hos hypoteken som lånat henne pengar till husen.

Annika Bengtzon lade fram utskrifterna.

– Vad kan du dra för slutsatser av alla de här skulderna?

Inspektören suckade.

– Folk har fått det sämre, sa han, vi får hela tiden mer att göra på allt färre anställda. Men den här damen är ingen nyfattig, en Svensson som kommit efter med avbetalningarna, hon är en notorisk, patologisk skuldsmitare.

– Du känner igen typen? frågade Annika.

Mannen suckade igen. De tackade för sig och gick ut i korridoren.

– Nu skiter jag i det här för idag, sa journalisten på väg mot receptionen, gäspade och sträckte armarna över huvudet. Jag måste hem och ringa till min mormor.

Thomas tittade ner på henne, mjuka lockar, klar panna.

– Redan?

Hon log.

– Time flies, sa hon. Ska vi dra kopior åt dig?

Hon gick bort till receptionen. Han stod kvar, tom i hjärnan och med hård balle.

– Ska jag köra dig någonstans? ropade han efter henne.

Hon såg på honom över axeln.

– Gärna.

Han gick på muggen, tvättade sig om händer och ansikte, försökte slappna av.

Hon väntade på honom vid entrén, hans kopior i en plastmapp.

– Minsann, sa han. Vad du är effektiv!

– Det är inte jag, sa hon. Det är min nya kompis.

Han hängde inte med.

– Vem?

– Receptionisten! Var har du bilen?

Det var en ganska ny Toyota Corolla, grön, välvaxad, med larm och centrallås, blip, blip. Han hade parkerat på någon annans plats och fått en irriterad lapp på rutan, slet tag i den, knycklade ihop den och slängde den i en papperskorg tre meter bort, prickade. Håret åkte fram i ansiktet på honom, han strök det bakåt med en gest han inte själv var medveten om. Mörkgrå överrock, dyr kostym, slips.

Annika iakttog honom i ögonvrån, axelbred, rörde sig snabbt och smidigt. Hon hade inte varit medveten om hans rörelser, bara sett honom bakom skrivbord och sittande i stolar, inte sett att han var så klar och tydlig.

Gammal idrottsman, tänkte hon. Gott om pengar. Van att ta plats.

Han kastade sin portfölj i baksätet.

– Det är öppet, sa han.

Hon satte sig i passagerarsätet och slängde en blick bakåt, inga barnstolar trots vigselringen. Knölade ner bagen vid fötterna där fram. Han startade bilen, fläkten snurrade igång.

– Var bor du?

– Mitt i stan. Hantverkargatan.

Han lade armen bakom hennes huvud när han backade ut från parkeringen. Annika blev lite torr i munnen.

– Klarastrandsleden brukar vara fullkomligt förjävlig den här tiden på eftermiddagen, sa hon. Enda chansen brukar vara att köra över Hornsberg…

De satt tysta bredvid varandra, hon upptäckte en ny känsla, en annan sorts tystnad. Han hade smala starka händer, växlade ofta, körde ganska fort. Håret ville inte ligga bakåt, det ramlade fram, ljust och blankt.

– Har du bott länge på Kungsholmen? undrade han, sneglade på henne, det fanns något i blicken, hon såg det, kände det.

– Två år, sa hon, tittade framåt, blev plötsligt varm om kinderna. En trea högst upp i ett gårdshus.

– Var den dyr? frågade han.

Hon började skratta, i hans värld köpte man sina bostäder.

– Rivningskontrakt, sa hon. Varken centralvärme, varmvatten, hiss eller toalett.

Han tittade hastigt på henne.

– Allvar?

Hon skrattade igen, varm inuti.

– Men tv har du?

– Klart, sa hon. Fast inte kabel.

– Såg du kulturdebatten i tvåan igår?

Hon såg noggrant på honom, varför hade han plötsligt fått skärpa i rösten?

– Några minuter, sa hon dröjande. Uppriktigt sagt stängde jag av. Jag vet att det är viktigt, det som de där kvinnorna gör, men jag tycker att de är så förbannat kategoriska. Allt som inte är megapretto eller kulturelitism är skit. Jag blir så trött på den inställningen, att de är förmer än alla oss andra.

Han nickade entusiastiskt.

– Såg du hon med litteraturtidskriften? Ordbajsaren?

– Päronface? Framför allt hörde jag henne.

De skrattade lite.

– Så du är inte medlem i någon kulturförening? frågade han, sneglade på henne, håret i ögonen igen.

– Jag går på Djurgårdens hockeymatcher, sa hon, om det nu kan räknas till kultur.

Han släppte vägbanan med blicken och stirrade på henne.

– Gillar du ishockey?

Hon tittade ner på sina händer.

– Jag såg bandy varje vecka under en massa år, det var kul men det blir så jävla kallt. Hockey är bättre, då fryser man inte. Det är lätt att få biljetter medan serien är igång, det är bara under slutspelet som det brukar vara fullspikat i Globen.

– Såg du finalerna i våras? undrade han.

– Stod i klacken, sa hon, höjde vänsternäven, skanderade mot biltaket: Hardy Nilssons järnkaminer! Hardy Nilssons järnkaminer!

Han skrattade, ett skratt som dog i ett dröjande vemod. Hon såg på honom, förvånades över saknaden.

– Är du Djurgårdare?

Han körde om en flygbuss.

– Jag spelade hockey tills jag var arton, i Österskär, sa han. Slutade för att jag blev osams med tränaren, och så ville jag koncentrera mig på studierna.

Hans profil avtecknade sig skarpt mot bilens sidoruta, Annika svalde, vände huvudet och såg ut åt andra hållet. Kände kinderna bränna, en kittling mellan benen. Karolinska flöt förbi uppe till höger, hon fick en lätt känsla av panik, snart var de framme, snart var han borta, kanske skulle hon aldrig prata med honom igen.

– Hur länge har du bott i Vaxholm? frågade hon, lite för andlöst.

Han suckade tungt, av någon anledning gjorde det henne glad.

– Jämt, sa han.

Hon såg på honom från sidan, fick han inte ett bistert drag kring munnen?

– Less? frågade hon.

Han kastade en blick på henne, dröjande.

– Hurså?

Hon såg rakt fram.

– Byn verkar inte sjuda av rock'n'roll direkt, sa hon. Det påminner om stället jag kommer ifrån, Hälleforsnäs.

– Dåligt med rock där?

Hon tog en liten sats.

– Är du gift?

– Sedan tolv år.

Hon granskade hans profil igen.

– Måste ha varit barnarov, sa hon.

Han skrattade.

– Misstanken framfördes. Är det här du ska av?

Hon svalde. Shit.

– Ja, det blir bra här.

Han stannade bilen med en kraftig inbromsning, kastade en blick i backspegeln, Annika förstod att han kollade bussen bakom dem. Hon steg ur bilen, tog bagen, lutade sig in igen.

– Tack för skjutsen.

Men han såg henne inte längre, hans tankar var någon annanstans.

– Ingen orsak.

Det klickade och knastrade när sköterskan rullade in telefonen i mormoderns rum.

– Hallå? sa Annika.

Telefonsus.

– Mormor?

– Nej, det är Barbro.

Inte mamma. Barbro.

– Hur mår hon?

– Inte så bra. Hon sover nu.

Tystnad. Avstånd. Intensiv vilja att bygga en bro.

– Jag har hämtat information om vårdhem i Stockholm, sa Annika. Det finns flera stycken på Kungsholmen...

– Det blir inte aktuellt, sa modern bestämt, hård röst, ville inte ta emot några broar. Det måste lösas inom kommunen. Jag har pratat med en... en person idag, han sa det.

Nya känslor i en flodvåg. Oförrätt. Irritation. Uppgivenhet.

– Har du pratat med en biståndshandläggare? Mamma! Jag sa ju att jag ville vara med!

– Du är ju bara uppe i Stockholm. Det här måste ju lösas nu.

– Jag kommer ner i morgon. Jag ska ordna en grej på förmiddagen bara, sedan kommer jag.

– Nej, det behöver du inte. Birgitta har varit här idag. Vi klarar nog det här ska du se.

Hon blundade, handen för pannan, kämpade mot utanförskapet, det orättfärdiga, höll tillbaka vreden, rösten kvävd.

– Vi ses i morgon.

Fredag 2 november

THOMAS REV SÖNDER PLASTEN runt kostymen i ett enda drag, stack sig på hängarens vassa krok och svor, jävla kemtvätt. Eleonor suckade samtidigt över ett par trasiga nylonstrumpor.

– Sjuttionio kronor, sa hon och kastade dem i sin papperskorg intill sängen.

– Finns det inga billigare? undrade Thomas och sög på fingret för att inte bloda ner sig.

– Inte med shape up, sa hustrun och bröt en ny förpackning. Du vet att Nisse och Ulrica kommer över ikväll?

Han vände sig bort, gick ut i badrummet för att hämta ett plåster. Stirrade några sekunder på sig själv i spegeln, det bakåtstrukna håret, skjortan, slipsen, manschettknapparna. Tryckte fast ett litet plåster på fingertoppen och gick tillbaka till sovrummet. Eleonor höll precis på att åla sig i sina nya strumpor, de gick nästan inte upp över höfterna, han svalde.

– Måste vi ha gäster ikväll? sa han. Jag skulle vilja att vi pratade med varandra i stället. Vi har en del att reda ut.

– Inte nu, Thomas, sa hustrun och drog upp strumporna, mage och höfter i ett skruvstäd.

Han gick runt kvinnan, kramade om henne bakifrån, ett behåbröst med inlägg i varje hand, blåste henne i nacken.

– Vi kan vara tillsammans, mumlade han, bara vi två. Dricka lite vin, se på film, prata med varandra.

Hon tog bort hans händer, gick till garderoben, satte på sig en vit blus, lyfte ner en galge med en svart kjol.

– Vi har planerat den här middagen hela veckan. Jag och Nisse ska gå över några saker i det nya projektet. Du vet att vi inte kan prata om det på banken.

Han såg på henne, så väl han kände henne, så självklart att hon skulle protestera.

– Eleonor, sa han, jag vill verkligen inte. Jag är trött och ganska less på allting just nu och känner att vi behöver prata med varandra.

Hon låtsades fortfarande inte om hans argument, kom fram mot honom utan att se honom i ögonen.

– Kan du knäppa det här? Tack.

Han tog tag i halsbandets lås, fästade ihop det. Lät sedan händerna smeka hennes axlar och hålla henne fast.

– Jag menar allvar, sa han. Om du ska ha middag för dina arbetskamrater ikväll igen, då kommer jag inte hem. Då åker jag in till Stockholm och äter.

Hon slet sig lös och gick med tvära steg fram till garderoben, rev fram ett par svarta pumps och stoppade ner dem i en väska. När hon såg upp på honom hade håret råkat i olag, ansiktet brann med små fläckar uppe på kindbenen.

– Nu får du skärpa dig, sa hon. Du kan inte komma och gå hur du vill här i huset, begriper du inte det? Vi är två stycken här, vi har ett gemensamt ansvar.

– Exakt, sa Thomas med hetta. Vi är två, men hur kommer det sig att det är du som har makten och jag ansvaret?

Eleonor drog på sig kavajen och gick ut i hallen.

– Det där var ohyggligt orättvist, sa hon kort.

Thomas stod kvar i sovrummet, deras sovrum, hennes föräldrars sovrum.

I helvete, den här striden tänkte han inte ge upp.

– Sluta vara så jävla överlägsen, skrek han och rusade efter henne, hann upp henne i hallen, slet tag i hennes arm.

– Släpp mig, skrek hon och ryckte loss sin arm ur hans grepp. Är du inte riktigt klok?

Han andades hastigt, håret i ögonen.

– Jag vill att vi flyttar, sa han. Jag vill inte bo i det här huset mer.

Hon såg på honom, mer rädd än arg.

– Du vet inte vad du vill, sa hon, försökte dra sig undan.

– Jo, sa han ivrigt. Jag vet precis vad jag vill! Jag vill att vi köper en lägenhet i Stockholm, eller en villa i Äppelviken eller Stocksund. Det skulle du gilla!

Han gick fram till henne, kramade om henne, andades in parfymen genom hennes hår.

– Jag vill ha ett nytt jobb, kanske åt landstinget eller kommunförbundet, något konsultföretag, ett departement. Jag förstår att du vill bo kvar men jag kvävs, Eleonor, jag dör här ute...

Hon sköt honom ifrån sig, sårad, gråtfärdig.

– Du ser ner på mig för att jag trivs här. Du tycker att jag är oambitiös och lat.

Han strök håret bakåt med bägge händerna.

– Nej, sa han, tvärtom, jag avundas dig! Jag önskar att jag hade samma ro som du, jag önskar att jag var nöjd med det vi har!

Hon torkade sig i ögonvrårna, rösten kvävd.

– Du är så otroligt barnslig och bortskämd att du måste slänga bort allt vi har tillsammans, allt vi har jobbat för i alla år.

Hon vände sig om, gick mot ytterdörren, han ropade efter hennes ryggtavla, svart Armani.

– Nej! Jag vill inte slänga bort någonting, jag vill gå vidare! Vi kan bo inne i Stockholm, jag får ett nytt jobb. Du kan börja pendla, och senare vill du kanske också byta jobb...

Hon drog på sig kappan, han såg att hennes händer darrade när hon knäppte knapparna.

– Mitt liv är härute. Jag älskar den här stan. Ta ett annat jobb och pendla själv, om du nu måste göra något annat.

Han stannade upp, häpen över att tanken aldrig slagit honom. Det var klart han kunde ta ett annat jobb, någon annanstans. Han behövde inte flytta. Han kunde pendla, kanske skaffa en övernattningslägenhet i Stockholm.

Dörren gick igen efter henne med ett välsmort litet klick. Ensamheten föll över honom som ett dammigt täcke, tungt och kvävande.

Herregud, vad höll han på med?

Signalen skar genom Annikas hjärna, ögonen fulla av grus. Hon svarade utan att lyfta huvudet från kudden.

– Det har hänt något fruktansvärt!

Rösten ett skri i luren.

Annika satte sig tvärt upp, hjärtat genast hamrande i halsgropen.

– Mormor? Är det något med mormor?

– Det är Mia, Mia Eriksson. En kvinna är försvunnen. Hon sa att hon skulle berätta allt för kommunen och Rebecka blev galen!

Annika strök sig med handen över pannan, sjönk tillbaka mot kuddarna, paniken lättade, det var inget, allt ordnar sig.

– Vad är det som har hänt?

– Det var ett stort bråk här igår, jag ville ringa och berätta det för dig, det är viktigt att du får veta.

Annika kände irritationen landa i pannloben.

– Hur rör det mig?

– Kvinnan sa att hon kände dig, att det var du som rekommenderat Paradiset. Hon heter Aida Begovic, kommer från Bijelina i Bosnien.

Annika blundade, kände en våg av värme skjuta upp i ansiktet, det här händer inte, det här händer inte.

– Vad har hänt med Aida? fick hon fram, ansiktet bultande av rodnad.

– Hon sa att hon skulle berätta för sin kommun vilket lurendrejeri Rebecka håller på med, och då skrek Rebecka att hon skulle passa sig jävligt noga, för Rebecka visste exakt vem som förföljde henne. Det var igår kväll, och nu är Aida borta!

Kvinnan i luren började gråta, Annika skakade på huvudet för att få tankarna på rätt plats.

– Vänta nu, sa hon, ta det lite lugnt. Det var väl inte så farligt. Aida är kanske bara ute och handlar eller något.

– Du känner inte Rebecka, andades Maria Eriksson. Hon har sagt det förr, i förtroende. Den som förråder henne, dödar hon.

Annika blev kall i magen.

– Inte då, sa hon. Sådant är bara snack. Rebecka är full av skitprat, men hon är ingen mördare. Akta dig för att bli paranoid.

– Hon har ett vapen, sa Mia. Jag har sett det. En pistol.

Ilskan slog rot, fick henne att sätta sig upp i sängen igen.

– Hon skrämmer dig bara, fattar du inte det? Hon vill bara försäkra sig om att ingen skvallrar om hennes verksamhet.

Maria Eriksson var inte alls övertygad.

– Vi åker härifrån, idag. Jag tänker aldrig sätta min fot här igen.

– Vart åker ni?

Kvinnan i luren tvekade.

– Bort, vi åker bort. Vi har fått tag i ett torp ute i skogen.

Annika förstod, hon hade läst igenom Maria Erikssons papper igår kväll och visste varför de aldrig berättade var de befann sig.

De satt tysta en stund, i var sin ände av telefonlinjen.

– Jag ska fortsätta att kolla Paradiset, lovade Annika.

– Lita aldrig på Rebecka, svarade Mia.

Annika suckade.

– Lycka till.

– Skriv bara det som du verkligen kan belägga, sa Maria Eriksson.

Tystnaden kröp inpå henne sedan hon lagt ner luren, gardinerna vajade, skuggorna dansade. Paradiset ville inte släppa taget.

Posten damp ner på hallgolvet med en duns. Hon reste sig tacksamt ur sängen, tog med sig kuverten och öppnade dem nere på muggen. En gasräkning. Ett reklamerbjudande från en bokklubb. En inbjudan till träff med hennes gamla högstadieklass.

– Hellre döden, mumlade hon och slängde allt utom räkningen i lådan för sanitetsbindor.

Hon måste upp till tidningen.

Eva-Britt Qvist satt på sin plats, sorterade sina pappershögar.

– Har det kommit någon lista?

Redaktionssekreteraren såg upp på Annika.

– Dina källor verkar inte vara särskilt pålitliga, sa hon.

Annika svalde ett elakt svar, log i stället.

– Du kanske kunde lägga den i mitt postfack, om den skulle dyka upp?

Hon vände sig bort utan att vänta på något svar. Sitt där och ruva på din jävla faxapparat, din gamla hönshjärna. Slog sig ner vid modemdatorn och loggade in sig på Dafa/Spar.

– Du vet att varje sökning kostar pengar, sa Eva-Britt Qvist bortifrån sin plats.

Annika reste sig och gick tillbaka till redaktionssekreteraren, satte händerna på pappershögarna och lutade sig fram mot kvinnan.

– Tror du jag är här för att jävlas med dig? frågade hon. Eller tror du möjligtvis att jag försöker göra mitt jobb, precis som du?

Eva-Britt lutade sig bakåt, blinkade oförstående, förorättad.

– Dafan är mitt ansvar, jag bara påminde dig.

– Du har väl inget budgetansvar, det har väl Sjölander?

Två röda fläckar började lysa i kvinnans runda ansikte.

– Jag är lite upptagen, sa hon. Jag måste ringa nu.

Annika gick tillbaka till datorn, knöt händerna hårt för att de skulle sluta skaka. Varför skulle hon alltid ha sista ordet? Varför kunde hon aldrig vara lite smidig?

Hon satte sig ner, ryggen mot redaktionssekreteraren, tog upp sina anteckningar, blundade och koncentrerade sig. Var skulle hon börja?

Hon slog in kommando F8, namnfråga, testade Rebecka igen, personuppgiften skyddad.

Tung suck. Varför höll hon på?

Bytte sedan sökväg och gick på F2, fråga om personnummer, slog in Rebeckas sifferkombination, tugg tänk:

Samma sak, personuppgiften skyddad.

Gav kommandot F7, historisk lista, knappade in personnumret igen, tugg tänk:

Nordin, Ingrid Agneta.

Annika stirrade på uppgifterna, vad i...?

Kollade personnumret, gjorde om sökningen.

Samma resultat.

Ingrid Agneta Nordin, skriven på Kungsvägen i Sollentuna. Ändring gjord för ett halvår sedan. Gick tillbaka till databilden för namnfråga och slog in de nya uppgifterna, tugg tänk, ja jävlar!

Annika stirrade.

Det funkade. Uppgifterna kom fram, och det fanns ytterligare en historisk hänvisning bakåt i registret, tre år tillbaka.

Raskt loggade hon ur, tog telefonen och slog direktnumret till kronoinspektören från gårdagen.

– Jag undrar, sa hon, om namnet Ingrid Agneta Nordin säger dig något?

Mannen funderade, Annika höll andan.

– Joo, sa han, här i Sollentuna, kan det stämma? Jag hade mycket att göra med en kvinna med det namnet under ett par års tid.

Snabb utandning, yes!

– Hon har bytt namn och heter Rebecka Björkstig nu, men det finns ytterligare en historisk hänvisning om henne i dafan som inte jag kommer åt. Skulle du kunna kolla om uppgifterna finns lagrade hos er?

Kronoinspektören prasslade med några papper.

– Vad tror du att det är för uppgift?

– Kanske bara en gammal adress, sa Annika, men det kan också vara ytterligare en annan identitet.

Mannen antecknade Rebeckas personnummer.

– När skulle det här ha skett?

– Tre och ett halvt år sedan.

Han gick iväg någonstans, var borta fem minuter.

– Jodu, sa han och harklade sig, hon hade ett annat namn tidigare. Hon hette Eva Ingrid Charlotta Andersson, skriven i Märsta.

Annika blundade, vilken femetta.

Skyndade sig att tacka och lägga på.

Anders Schyman stängde dörren efter sig, såg sig omkring i sitt dammiga krypin. Han satte sig ner bakom skrivbordet, såg ut över redaktionen genom glasväggarna. Annika Bengtzon hoppade förbi hans akvarium, full av energi, försvann bort mot kafeterian. Han skulle ropa in henne på vägen tillbaka, kolla om hon kommit någon vart.

Dagens ledningsmöte hade gjort horisonten betydligt klarare. Chefredaktör Torstensson hade beslutat sig för att tala ur skägget och berätta om erbjudandet från EU. Partiet ville att han skulle ta hand om offentlighetsfrågor för deras räkning på plats nere i Bryssel. Han var återhållsamt stolt när han berättade det, Schyman anade varför. Torstensson hade egentligen ingen relation till Kvällspressen. Han tillsattes på politiska meriter, Schyman tvivlade på att Torstensson överhuvudtaget läst tidningen regelbundet innan han blev chefredaktör.

Trots den fina titeln hade Torstensson inte varit särskilt tillfredsställd på sin post. Han fattade aldrig vad tidningen höll på med. Han kunde sitta i tv-debatter och avslöja sin okunskap varje gång han öppnade munnen, i meningar byggda av politiskt korrekta floskler.

Anders Schyman hade funderat över varför det politiska erbjudandet blivit aktuellt just nu. Såvitt han begrep fanns inget skriande behov av ytterligare en lobbyist i offentlighetsfrågor för något parti i Bryssel just nu. Hans gissning var att styrelsen tröttnat på de röda siffrorna i boksluten och letade ett sätt att slippa mediadebatten efter en offentlig avrättning av chefredaktören. Vissa påtryckningar hade troligen utförts gentemot Partiets ledning och resulterat i en tjusig tjänst vid en annan horisont.

Frågan var bara vad som skulle hända härnäst. Om Torstensson verkligen fick uppdraget, om han skulle acceptera det, om han hann genomdriva sin omorganisering innan han försvann, vem som skulle bli hans efterträdare. En borr av nervositet skar genom magen, en känsla han snabbt tryckte tillbaka.

Annika Bengtzon kom glidande på andra sidan glaset med en kaffemugg i handen, Schyman reste sig upp, drog dörren åt sidan och ropade in henne till sin bunker.

– Hur går det med Paradiset?

Den unga kvinnan slog sig ner i hans besöksstol.

– Du borde be någon dammsuga härinne. Det går bra. Jag har fått fram en massa uppgifter om vår vän Evita Perón.

Redaktionschefen blinkade, Annika Bengtzon viftade uppfordrande med händerna.

– Rebecka Björkstig, sa hon. Eller Ingrid Agneta Nordin, eller Eva Ingrid Charlotta Andersson som hon också kallat sig. Hon har haft hundrasju personliga skulder hos kronofogden och ett tjugotal enbart på Paradiset. Hon har gjort alla konkurser du kan tänka dig minst en gång. Jag har en källa som säger att Paradiset inte gör något annat än att ta betalt, men det har jag inte kunnat belägga än.

Schyman antecknade, han var inte förvånad.

– Om det här stämmer låter hon som urtypen av en ekonomisk brottsling.

Kvinnan nickade entusiastiskt.

– Japp. Jag har ringt runt till polisen i de kommuner där hon, vad hon nu heter, har varit skriven tidigare. Jag fick tag i en krimare som letat efter henne ett halvår. Evita är misstänkt för brott i alla sina konkurser.

Schyman såg eftertänksamt på den unga journalisten. Hon var en jävel på att ta reda på grejer. Det här tyckte hon var kul, det märktes.

– Vad gör vi med det här? När kan du börja skriva?

Annika Bengtzon bläddrade i sitt block.

– Jag har skelettet klart för mig, det är kött och blod som saknas. Jag har pratat med en kvinna som varit inne i verksamheten, och så känner jag till ytterligare en. Jag har hittat en socialgubbe i Vaxholm som snackar, jag har tänkt åka ut till huset i Järfälla och kolla, jag måste få bättre grepp om själva verksamheten, eller bristen på den. Så måste jag förstås prata med Rebecka en gång till, be henne förklara varför hon ljugit.

Han nickade, det lät rimligt.

– Vi kan nog räkna med något av en kedjereaktion, sa hon. När vi väl börjar trycka uppgifterna kan det kräla fram fler monster, folk som hör av sig och berättar mer.

– Det är inget vi kan planera för, sa han.

– Nej, sa Annika, men vi måste vara beredda att ta emot uppgifterna, om de kommer.

– Sedan har vi de kommuner som betalat ut pengar till henne, sa han, de kan vara intresserade av att göra en polisanmälan.

– Förhör, åtal, rättegång, fängelse, sa Annika.

Han log lite mot den unga kvinnan.

– Så bra, sa han, att du har allting strukturerat och klart.

– Jag tänker skriva ut mina anteckningar, sa hon, sedan gör jag helg och åker ner till min mormor. Hon har fått en stroke.

Annika Bengtzon reste sig, hängde upp bagen på axeln.

– Du måste dammsuga härinne, annars får du astma.

Sörjan längs trottoaren hade frusit till is, det var svårt att gå. Solen sken, ett kallt vitt novemberljus som fick konturer att glimma.

Annika lät de sneda strålarna träffa ansiktet. Det hade tagit längre tid än hon trott att skriva ut alla uppgifter, solen stod redan lågt.

Hon suckade. Hon hade inte berättat allt för Anders Schyman. Hon hade inte sagt att hon själv lurat in en kvinna i Paradiset, att den kvinnan var försvunnen, att Rebecka hotat henne till livet.

Om det nu var sant.

Hon skakade obehaget av sig och hoppade på 62:an. Åkte med ner till Tegelbacken och gick bort till Centralstationen. Nästa tåg till Katrineholm gick om trettiofem minuter, hon köpte en macka och satte sig med ryggen mot hallen. Sorlet låg som en dimma bakom henne, tankarna vandrade.

Rebecka Agneta Charlotta, farlig och undanglidande.

Thomas Samuelsson, rik och snygg.

Hon borde berätta för honom vad hon kommit fram till, de andra identiteterna, brottsmisstankarna. Åt upp mackan, tog grejerna och gick mot telefonautomaterna.

Socialkamreren hade gått för dagen, kunde hon ta ett meddelande?

Gått för dagen, hem till sin fru.

Nej tack, inga meddelanden.

Mormodern hade fått byta rum. Den elektroniska apparaturen var inte lika framträdande, annars såg det likadant ut. Hon var vaken när Annika kom.

– Förlåt att jag inte kommit tidigare, sa Annika och drog av sig ytterkläderna, lät dem landa i hörnet bakom dörren och gick fram till den gamla.

Sofia Katarina såg upp på henne, lätt förvirrad.

– Barbro?

– Nej, det är Annika, Barbros flicka.

Den gamla försökte le.

– Mitt ljus, sa hon, rösten bruten och flämtande som viskningar, orden otydliga, ögonen grumliga.

Annikas bröstkorg snördes samman, gråten som ett draperi strax innanför ögonen.

– Har du och mamma kommit fram till var du ska bo? frågade hon.

Mormoderns ögon irrade över rummet, oseende, såg syner från andra tider.

– Bo? Vi bodde i Hästskon, sa hon, vi fick ett rum med spisen mitt på väggen...

Annika tog den förlamade handen mellan sina friska, strök sakta över de gamla fingrarna, modet sjönk.

– Har ni träffat någon biståndsbedömare? Vet du om man hittat något hem åt dig?

– Ett enda rum hade vi, flämtade den gamla. Mor hade femton matkarlar, hon lagade all maten på spisen vid väggen, och så tvättade hon, tio öre för en näsduk, femtio öre för ett blåställ...

Annika slickade sig om läpparna, osäker på hur hon skulle reagera, vad hon skulle svara, smekte stilla kvinnans arm. Så tystnade mormodern, bröstkorgen höjdes och sänktes, snabbt, lätt, ögonen letade i minnet.

– Vi vaknade av brandsignalen, mor och jag, viskade hon. Det var fortfarande mörkt ute, det tjöt och tjöt, hela gjuteriet brann. Vi sprang ut, det var varmt ute, jag hade bara nattsärken på mig. Det brann så högt, lågorna stod upp i himlen, det brann och brann...

Annika visste vad mormodern pratade om, den stora branden på bruket, natten mot den 21 augusti 1934. Sofia Katarina hade varit femton år.

– Vi hjälpte till, mor och jag, vi bar papper från kontoret, viktiga papper för bruket. Far stod i kedjan och langade vatten från ån, brandbilen från Flen kom, sedan började det regna...

– Jag vet, sa Annika lågt. Ni var med och räddade Hälleforsnäs.

Mormodern nickade.

– När det blev ljust kom motorsprutan från Eskilstuna, Arvid var också med och släckte. Han fick jobb på bruket direkt efter skolan. Tjugoett öre i timmen, tio kronor och tio öre i veckan, det första han köpte var en cykel.

Hon försökte le, ena sidan av munnen kunde inte.

– Han skjutsade mig på cykeln, hela vägen förbi Fjellskäfte och bort till storkyrkan i Floda. Där ska vi gifta oss, sa han, men så blev det ju inte, det blev ju kyrkan i Mellösa...

Annika böjde huvudet, klappade den kalla handen, lät tårarna komma. Hon hade aldrig träffat sin morfar. Han dog hösten innan hon föddes, förstörd i lungorna. Hela hennes uppväxt hade han funnits i bakgrunden som ett sotigt spöke, alltid smutsig efter arbetet, alltid full av historier och upptåg. Hon växte upp med morfar Arvids berättelser, de levde kvar efter hans död, formade en bild av honom som hon aldrig skulle få tillfälle att revidera. Annika såg in i sin mormors förvirrade ansikte, såg henne se Arvid på nytt, som ung, på cykeln.

– Längtar du efter Arvid? viskade Annika.

Mormodern klarnade till och mötte hennes blick.

– Jag saknar den unge mannen, sa hon, den starke och friske, inte den gnällige och försupne.

Annika hajade till, hon hade aldrig hört att morfar söp.

– Sina egna pengar fick han väl supa upp, men mina kom han aldrig åt, min lön försörjde både mig och flickan och satte mat på bordet åt karln…

Plötsligt började mormodern gråta. Tårarna rann från hennes ögon och ner i öronen, Annika torkade bort dem med en pappersnäsduk.

– Det var synd om Barbro, mumlade Sofia Katarina. Hon fick vara ensam för mycket som barn. Jag kunde inte ta med henne på arbetet jämt, där var ju ministrar och presidenter och riksdagsmän, man kunde inte ha en flickunge springande där. Det var inte bra, det blev en sorg i hennes bröst som aldrig dör.

Mormodern lade sin friska hand över Annikas, såg in i hennes ögon.

– Var inte för hård mot Barbro, viskade hon. Du är mycket starkare än hon.

Annika blinkade bort tårarna, försökte le.

– Nejdå, sa hon. Vi ska vara sams, och du ska bli alldeles bra.

Mormodern blundade någon minut, vilade. Sedan öppnade hon ögonen igen.

– Annika, mumlade hon. Jag älskade dig mest. Det var nog fel av mig, att älska någon mer än de andra.

– Det var därför jag blev så stark, viskade Annika.

I tystnaden som följde till svar förstod hon att mormodern somnat igen.

Granarnas snötyngda grenar byggde en tunnel genom vinternatten. Bilen med Maria Eriksson, hennes man och barn rullade långsamt framåt på de isiga vägarna. Nordanvinden väste mot vindrutan, kastade upp kaskader av yrsnö runt dem, över dem.

– Vi måste tanka, sa Anders.

Kvinnan i framsätet svarade inte, stirrade bara ut på skogen, oändlig, ogenomtränglig. Hon visste vad som väntade. Ytterligare en utkyld, dragig timmerstuga med osande vedspis och råttor under golvet. Ännu ett kök utan rinnande vatten, med udda kantstött porslin och vidbrända karotter. Dass på gården. Hon trodde hon lämnat det bakom sig, att Paradiset varit lösningen.

– Jag vet vad du tänker, sa mannen och lade sin hand över hennes. Snart är det över.

De kom in i ett samhälle, en stängd tobaksaffär som var ombud för Svenska Spel, en pizzeria, en bensinpump med sedeltank.

– Har du pengar? undrade hon.

Han nickade och gick ut. Hon tvekade ett ögonblick men beslutade sig för att sträcka på benen. De hade kört i evigheter, barnen hade somnat i baksätet för länge sedan. Steg ut i den iskalla luften, detta var verkligen Norrland. Gick en sväng runt den lilla macken, övervägde att kissa i skuggorna bakom byggnaden men struntade i det, körde ner händerna i fickorna, kände den kalla metallen, stelnade till.

Hon drog upp föremålen, två nycklar till sjutillhållarlås, en Assa-nyckel och en plastbricka med Musse Pigg. Rebecka skulle bli rasande.

Nåja, strunt samma. Henne skulle de aldrig se igen. Hon gick bort mot soptunnan bredvid pumpen för att kasta bort nycklarna.

– Mia, kommer du? undrade mannen. Barnen har vaknat.

Hon hejdade sig. Varför skulle hon kasta bort dem? Tänkte några sekunder, *jag ska fortsätta att kolla Paradiset.* Vände sig mot sin man.

– Har vi ett kuvert någonstans?

Han var på väg att dra igen dörren, stannade mitt i rörelsen.

– Här? Varför det?

– Besiktningshandlingarna, de ligger väl i handskfacket? Ge mig kuvertet, och så ungarnas tuggummi.

Mannen suckade och gav henne det hon frågat efter. Raskt stoppade hon ner nyckelknippan i det sönderspättade kuvertet, stoppade bugget i munnen och tuggade frenetiskt en halv minut. Sedan kletade hon ihop brevet med tuggummit och fiskade upp en penna ur innerfickan.

– Min plånbok också, sa hon.

Hon klistrade fast fyra frimärken uppe i högra hörnet, sedan skrev hon namnet och adressen, Hantverkargatan 32 ö.g. 3 tr, och så längst ner till vänster:

Nycklarna till Paradiset, hälsn. Mia.

– Är du klar? undrade han.

– Ska bara posta det här, sa hon och gick bort mot den gula postlådan.

Lördag 3 november

HAN HÖRDE DEMONSTRATIONSTÅGET innan han såg det, ett brus av röster som skanderade något, rytmiskt, taktfast. Bilar stannade till, förvirring uppstod, ett visst kaos infann sig. Hans sinnen skärptes, snart var det dags. Såg sig omkring, lät blicken svepa över fasaderna, glas och plåt, tegel och puts, landade på mönstret av trekanter framför honom. Hon skulle komma. Förr eller senare skulle hon dyka upp. Det gällde att vara först, ha övertaget. Han rös i kylan, jävla land att vara kallt.

Nu såg han tåget, sex kvinnor i täten med en banderoll och ett porträtt av en fängslad ledare. Efter dem skymtade ett hav av människor, mest män men även kvinnor och barn, tusentals människor som samlats för att protestera mot något. Han stampade fötterna i marken, frös i sin tunna jacka. Några ungdomar tände eld på en turkisk flagga nedanför honom, den brann snabbt upp och sedan verkade tonåringarna förlora intresset för aktionen.

Människorna invaderade Sergels torg, fyllde upp det trekantiga rutmönstret. Nu hörde han vad de ropade. Turkiet terrorist, Turkiet terrorist. Flaggor, banderoller och porträtt vajade i vinden. En sorts improviserad talarstol ställdes upp, en högtalaranläggning trollades fram. En svensk man, förmodligen politiker, började tala.

– PKK har fört den militära kampen, ropade han. Det har lett till demokratiska övertramp och terroraktioner som inte kan försvaras. Men det har skett i en krigssituation under ett turkiskt anfallskrig...

Nu gällde det.

Han började röra sig snabbt och diskret genom folkhopen, stoppade handen innanför jackan och smekte vapnet, en Beretta 92, nio millimeters ammunition, femton patroner i magasinet och en i loppet. Ljuddämpare.

Höll sig längs väggen, under körbanan, lätt ihopsjunken.

– Öh, polarn, har du speed?

Han viftade bort knarkaren framför sig, funderade ett ögonblick på att ta fram kikaren men ändrade sig. Han hade bättre överblick utan.

Så såg han henne plötsligt. Tjugo meter bort, ryggen mot honom. Hon maldes sakta framåt av demonstranterna, bort från honom. Perfekt.

Han ökade takten, slank mellan barnvagnar och banderoller, såg henne tveka och se sig omkring. Adrenalinet sjöng i hans ådror, en sång han kände igen.

När han var en meter bakom henne drog han fram vapnet, tog det sista steget, slet upp armen på hennes rygg, satte pipan i hennes nacke, under hennes hår.

– Nog nu, viskade han. Du har förlorat.

Alla ljud hade försvunnit, människorna runt omkring skanderade tysta slagord, tiden hade upphört. Kvinnan stod blickstilla, fastfrusen, andades inte.

– Jag vet att det var du, väste han, orden ekade i hans huvud.

Han tog ytterligare ett steg närmare, stirrade in i hennes hår, glänsande skiftningar i blått, han önskade att han kunnat se hennes ansikte. Vapnet vilade perfekt i övergången mellan nacke och bakhuvud.

– Bijelina, viskade han, minns du Bijelina?

Plötsligt försvann trycket mot vapnets mynning. Kvinnan ryckte loss armen och rörde sig snabbt framåt i folkhavet, det tog ett ögonblick innan han kastade sig efter, höll på att ramla över en barnvagn, hann upp henne, adrenalinet rasade, fick upp armen igen, hon kämpade emot, beredd nu, hade en pistol i handen, folk knuffade dem, de föstes bakåt, han slog sönder hennes fingrar med kolven, hon tappade vapnet, en kvinna stirrade förskräckt mot dem, han försökte le, så fick han pistolen på plats i hennes nacke igen, såg att hon rörde på munnen, lutade sig fram.

– Vad sa du?

– Du kan aldrig vinna, viskade hon. Jag har förstört ditt liv.

Han såg på henne från sidan, mötte hennes blick.

Hon log.

Något släppte i hans huvud och i hans byxor. Han tryckte av och hon landade mjukt i hans armar, ögonen uppspärrade. Han lade ner henne på marken, stoppade tillbaka sitt vapen innanför tröjan, ögonvrån registrerade förvånade ögonkast, ljuden kom tillbaka, Turkiet terrorist, han gick snabbt mot tunnelbanan, slet av sig jackan och handskarna så fort han kommit innanför dörrarna, tryckte ner dem i en papperskorg, gick mot nästa uppgång.

Bilen gled fram i samma sekund som han kom upp vid Åhléns. Han satte sig ner i baksätet, stängde dörren, skakade i hela kroppen. Chauffören körde iväg på gult, svängde höger på

Klara Norra Kyrkogata, de hade inte lång tid på sig innan avspärrningarna skulle vara på plats. Framme vid Olof Palmes gata tog de vänster, sedan snabbt höger upp på Dalagatan, gasade hårt ända upp till Vanadisvägen. Där körde de in på bakgården, ner i garaget, parkerade. Inga människor syntes till.

– Gick det bra? undrade chauffören.

Han öppnade dörren och klev ut, tände en cigarett, smällde igen dörren.

– Gör dig av med bilen, sa han, gick bort mot hissarna.

Måste byta kläder innan han storknade av stanken.

Natten hade varit lugn. Annika hade sovit på en brits bredvid sin mormor, djupt och hårt, inte vaknat en enda gång. På morgonen sov den gamla fortfarande, de fick väcka henne för att hon skulle äta frukost. Efter maten somnade hon igen.

Annika duschade och vände trosorna ut och in. Satt sedan länge och såg på sin mormor, det fridfulla ansiktet, rynkorna som vågor, de ljusa hårstråna som anades på hennes kinder. Munnen hängde, Annika torkade lite saliv ur mungipan ibland.

Gick sedan oroliga vandringar i korridoren. Ringde till sin mamma, inget svar, till sin syster, inte där heller. Drack kaffe. Drack varm nyponsoppa i plastmugg från en automat.

Man måste ta hand om dem man älskar.

Vid lunchen försökte Annika mata sin mormor igen, den gamla sa att hon inte var hungrig.

Eftermiddagen släpade sig fram. Hon lyckades hitta några tidningar, för okoncentrerad för att läsa. Kvällspressen toppade med en grej av Calle Wennergren, han hade hittat ett kvitto som visade att en kvinnlig minister köpt en chokladbit på regeringskortet.

Herregud, tänkte Annika, snacka om plantering. Någon tyckte att ministern var på väg att få för mycket makt, att hon var för ung, för snygg, för smart. En nätt liten skandal tog bort fokuseringen kring huvudfrågan på sossekongressen, vem som skulle bli ny partisekreterare och därmed nästa framtidsnamn i rörelsen.

Hon lade tidningen ifrån sig, gick ut och satte sig i det gemensamma allrummet, slog på tv:n, ett program på turkiska. Man behöver inte bo i Stockholm, tänkte hon. Man kan bo i Istanbul också, jobba hos Nese på hotellet. Man kan bo i Katrineholm och ta hand om mormor.

Hon stannade i den tanken, lät den bygga bo.

Varför inte? Vilka skäl fanns som talade mot att hon lät den viktigaste människan i sitt liv också ta den platsen?

Hennes arbete. Hennes karriär, allt hon trott på och kämpat för inom journalistiken. Hennes vänner, fast de fanns ju kvar även om hon flyttade. Hennes bostad, hennes lägenhet, men uppriktigt sagt var den inte särskilt mycket att mista.

Plötsligt började hon gråta. Hon fylldes av längtan, en saknad efter känslan hon haft när hon först flyttat in, mindes hur ljuset flödat genom rummen, fått väggar och tak att leva och andas, stillheten, friden, lusten att fortsätta. Hon hade egentligen fått allt, och vart hade det lett henne?

En farbror på rullator och två högljudda kvinnor kom in i tv-rummet, Annika torkade hastigt sina tårar.

– Ser du på det här? sa den ena kvinnan skeptiskt.

Annika skakade på huvudet, reste sig och gick. Kvinnorna tog rummet i besittning.

– Det börjar en eftermiddagskonsert klockan fem, den vill du se, eller hur pappa?

Korridoren utanför låg i halvmörker, lysrören i taket släckta, dagern smög sig in genom öppna dörrar, blänkte i golvets bonvax. Hon gick långsamt bort till mormors rum, bandet runt bröstet igen. Längtan dröjde sig kvar, minnet av stunder då andningen var lätt och flyktig, de heta dagarna på Neses hotell, de varma stunderna med Sven. Hon lutade pannan mot mormoderns dörrpost, hon längtade efter kärlek, efter sammanhang. Hon svalde, kände efter i bakfickan, hade småpengar. Gick bort till det trånga telefonrummet utanför avdelningen och slog upp numret i katalogen, hemnumret. Östra Ekuddsgatan. Slog sju siffror, tvekade med den åttonde, tryckte den till sist. Signaler, en, två, tre.

– Samuelsson.

En kvinna. De hade samma efternamn.

– Hallå?

Tog hon hans, eller han hennes?

– Är det någon där? Hallå?

Hon lade på utan att säga något, misstaget som en tyngd i magen. Gick tillbaka och tittade till mormor, hon sov, återvände till tv-rummet, tomt. Försökte andas, försökte läsa.

Det ordnar sig. Allt kommer att bli bra.

– Vem var det? frågade Thomas.

Han stod med ryggen mot henne, när hon inte svarade såg han sig om över axeln. Eleonors blick var forskande, avvaktande.

– Det var ingen där. Väntar du något samtal?

Han vände sig om igen, uppmärksamheten mot kniven.

– Nej, inte alls, skulle jag det?

– Det är så konstigt när ingen säger något.

– Var väl en felringning, sa Thomas och hackade upp det sista av löken. Kan du skicka oljan?

Hon sträckte honom flaskan, majsolja, tålde högre temperaturer. Thomas hällde vätskan i pannan, en tunn, snirklande stråle.

– Vi skulle ha haft gasspis, sa Eleonor. Det är mycket bättre när man wokar. Vi kanske kan sätta in en gasspis när vi gör om köket, vad tycker du?

– Det här går fint, sa Thomas och rörde frenetiskt i löken.

Eleonor ställde sig bredvid honom, kysste honom på kinden.

– Du är duktig på att laga mat, sa hon.

Han svarade inte, vräkte ner den finskurna kycklingfilén och fortsatte att röra om. Hällde på fisksåsen, slogs som vanligt av könslukten, klickade i chilipasta, inlagd koriander och den färska basilikan.

– Kan du öppna kokosmjölken?

Eleonor räckte honom burken, redan uppskuren.

– Sådär, sa Thomas när allt börjat koka ihop.

– Riset är klart, sa Eleonor.

Han vände sig mot henne, sin hustru, såg ner i hennes släta, osminkade ansikte. Hon var vackrast så här. Han lade ifrån sig wokspaden, tog ett steg fram emot henne och lade armarna om hennes rygg. Hon svarade med att stryka hans axlar, kyssa hans hals.

– Förlåt, mumlade hon.

– Det är jag som varit dum.

Svaret en viskning i hennes hår.

– Du har varit ledsen länge, sa hon lågt, kysste hans mun.

Han mötte hennes läppar, salta, lite torra, upphetsningen kom, den välbekanta resningen.

– Vi går och lägger oss, sa hon.

Han gick efter henne mot sovrummet, hon stannade till i badrumsdörren.

– Gå du, sa hon.

Han visste vad hon skulle göra, köra upp lite glidmedel i slidan för glattare friktion. Långsamt gick han fram till sängen, lyfte undan överkastet, gled ur sina kläder. Hon kom in och ställde sig bakom honom, tog tag i hans höfter, gned hans skinkor mot sitt kön. Han sjönk ner på knä bredvid sängen, hon gick runt honom, satte sig framför honom med ett ben på var sida, lutade sig bakåt. Han stirrade ner i hennes sköte som blänkte av Klick, smekte den välansade busken med fingrarna, hittade klitoris. Masserade den oändligt försiktigt och långsamt tills hon kved. Hans kuk stod som ett spjut, han drog ner henne mot den, satte ollonet i öppningen. Hon flämtade. Han tryckte till, mycket lätt, det varma djupet slöt sig kring honom, drog honom till sig, fick honom att stöna. Skötet började leva under honom, runt honom, andas och rotera. Han drog ut den, långsamt, lekte med den i slidmynningen, masserade klitoris, hon kastade huvudet bakåt och skrek. Då körde han in den, hårt och djupt, dunkande och rytmiskt tills han kände hennes kramp. Då lät han det gå, mötte hennes efterdyning.

– Åh älskling, sa hon, vad skönt det var.

Han ramlade ihop över henne, huvudet mellan hennes bröst.

– Du, kycklingen, den är klar för länge sedan, sa hon. Har du pappret?

Känslan av att sjunka ner genom sängen gjorde att han inte kunde svara. Hon lirkade sig loss under honom, han såg henne ta pappersnäsduken från nattygsbordslådan och torka sig mellan benen.

– Jag går och tar av grytan, sa hon.

Han kravlade upp på sängen, slumrade till ett ögonblick. Vaknade upp efter någon minut, kall om fötterna och med skrapmärken på knäna. Stapplade upp, drog på sig morgonrocken och gick ut i köket.

– Jag har dukat där nere, sa hon.

Han gick och pinkade, torkade av snoppen, glidmedel, sperma, gick ner till gillestugan. På tv-bordet stod vin, sallad, dukat för två. Han satte sig ner, hon kom efter honom med kokosgrytan och ett underlägg. Kröp upp bredvid honom i soffan, kysste honom i pannan.

– Jag blir så hungrig av sex, sa hon.

De åt, tysta, drack.

– Jag har betett mig som en idiot, sa han till slut.

Hon såg ner i sitt vinglas, en kraftfull australiensisk Chardonnay.

– Du har haft en svacka, sa hon. Det har alla ibland.

– Jag förstår inte vad som tog åt mig, sa han. Ingenting kändes roligt längre.

– Det blir så ibland, när man jobbar så mycket som vi. Vi får akta oss för att inte bli utbrända.

Han blinkade till, hörde journalistens röst, är du utbränd? Harklade sig, lade ena armen om henne, tog fjärrkontrollen med den andra, lutade sig bakåt. Aktuellt hade börjat. Ett bråk hade blossat upp inom socialdemokratin inför partikongressen, han uppfattade vagt att det handlade om privata inköp på regeringens kontokort. En brand på Filippinerna hotade en hel stad. En kurdisk kvinna hade mördats under en demonstration på Sergels torg.

– Vill du lyssna på musik? undrade hon och reste sig ur soffan.

Han mumlade något samtidigt som han försökte höra vad som hänt. Skjuten i huvudet, mitt bland alla människor, hur var det möjligt?

– Bach eller Mozart?

Han tryckte tillbaka sucken inom sig.

– Det är vilket som, svarade han. Välj du.

Söndag 4 november

ANNIKA HATADE SÖNDAGAR. De tog aldrig slut. Alla ägnade sig åt skitsaker, engagerade sig i meningslösheter för att få tiden att gå. Hela samhället var uppbyggt kring en poänglös idyll, ha picknick, gå på museum, klappa barnen, ha grillfest. Vardagen, den normala ångestdämpande, var avstängd, urkopplad. Det enda laga förfallet från gemenskapen var att jobba, då hade hon något att skylla på, att hon måste vila, sova, dröna för att orka jobba hela natten.

Tack Gud att hon gick på sitt skift ikväll igen.

Modern och Birgitta kom upp på avdelningen efter lunch. De satt tillsammans alla tre och pratade med mormor, Annika började redan känna igen mönstret, Arvid, bruket, föräldrarna, främst modern, lillasystern som dog. Efter en dryg timme var den gamla trött, somnade. De gick ner i fiket, det var stängt så klart, söndag, vilodag, köpte Delikato-bollar och kaffe ur automaten.

– Det här är ingen bra miljö för henne, sa Annika. Mormor behöver en ordentlig rehabilitering, ju snabbare desto bättre.

– Vad ska vi göra då, sa Birgitta, när det inte finns några platser? Har du tänkt på det?

Annika såg förvånat på sin yngre systers ansikte, avståndstagande och aggressivt.

Hon står på mammas sida, for det genom Annikas huvud. Hon tycker inte heller om mig.

– Jo, sa Annika, jag har funderat. Jag kanske kan ta hand om henne.

– Du, sa modern föraktfullt. Det skulle just se ut, i den där hemska, omoderna lägenheten. Jag begriper inte hur du står ut där.

Plötsligt blev hon gråtfärdig, orkade inte mer. Annika reste sig, satte på sig jackan, hängde bagen över axeln och såg på sin mamma.

– Ta inga beslut utan att prata med mig först, sa hon.

Vände sig till systern.

– Vi ses.

Vände och gick ut ur lasarettet, ut på parkeringen, solen sken, disigt ljus, snö på marken, knarrande skor. Kallt. Hon lindade halsduken runt huvudet, andades med öppen mun, tårarna trängde på men rann inte över.

Stationen. Hon måste hem. Bort.

Sjölander satt på Janssons skrivbord och drack kaffe när hon kom upp på redaktionen. Det var redan mörkt, verkligheten hanterbar, redaktionen fortfarande stilla, flytande, nästan öde. Hon började inte förrän om ett par timmar, orkade inte vara ensam länge. Tåget hade blivit stående utanför Södertälje på grund av ett signalfel, hon trodde sådana bara fanns på tunnelbanans gröna linje, hade sedan åkt direkt upp till tidningen från Centralen.

– Så vad har vi? sa Jansson och klapprade på tangentbordet, skrev in minnesanteckningarna direkt i datorn.

– En hel del, sa Sjölander och lade upp sina anteckningar på skrivbordet.

– Hur mycket kan vi gå ut med? undrade Jansson utan att släppa skärmen med blicken.

– Nästan allt, sa Sjölander.

– Vad handlar det om? frågade Annika, satte sig ner, plockade upp block och penna, slog igång datorn. Kurdiska tjejen på plattan?

– Yes, sa Jansson. En jävla historia. Femtusen vittnen och inte en jävel som sett något.

– Polisen har hittat mördarens kläder, sa Sjölander, bruna handskar, mörkgrön poplinjacka. Handskarna var köpta på Åhléns strax intill och överfulla med fingeravtryck, hittills är arton avtryck identifierade, de flesta från olika personer. Jackan var kliniskt ren, förutom spåren efter baksuget, krutrester på ärmen.

– Så de har lokaliserat hans tvättkorg eller vad? sa Jansson.

– Papperskorg. Kläderna låg bland skräpet i en papperskorg inne på T-centralen.

Annika lutade sig tillbaka, rutinen började spinna i hennes bröst, välkommen och välkänd.

– Och ingen har sett något? undrade hon.

– Jodå, sa Sjölander, hundra pers har beskrivit en man i mörka kläder som kanske var svensk eller kanske turk, kanske arab eller kanske finne. Han pratade tydligen med offret först, sköt henne och lade ner henne på marken, sprang sedan in till tunnelbanan, grejerna låg nertryckta strax innanför dörrarna. Det finns vittnen därinne som såg honom klä av sig, bland annat en Abab-vakt. Killen hade ljusa kläder under. Sedan råder det delade meningar om var han försvann. Ut, enligt Ababvakten. Ner i tunnelbanan, säger ett ungdomsgäng. Tillbaka ut på torget, säger en kvinna med barnvagn. Hon höll på att bli nersprungen av honom. Hur som helst så försvann han.

– Så satans fräckt, sa Jansson, bland alla människor.

– Förmodligen hjälpte det honom, folkmassan blev hans skydd. Otroligt iskallt.

Sjölander lät nästan imponerad.

– Vad vet vi mer? Vapen?

Sjölander bläddrade bland sina anteckningar.

– Ljuddämpare, förstås. Alltså snackar vi pistol eller revolver. Kulan har jag fått info om, den kan vi gå ut med. Ammunitionen var halvmantlad. Bruden är skjuten i nacken, en helmantlad skulle ha gått rätt igenom huvudet och hela ansiktet försvunnit, det hade blivit jävligt sörjigt. Den här stannade bakom näsan, men då hade den redan grötat sönder hela hjärnan. Bruden var hel fram, folk trodde tydligen att hon ramlat först.

Annika rös, så jävla ruggigt. Gäspade, första natten på passet brukade kännas lite extra lång.

– Vet vi vad hon hette?

– Jo, de har gått ut med namnet. Hon hade inga släktingar här, hon var flykting, från Kosovo tror jag, inga släktingar i livet där heller tydligen, nej, här har jag det. Hon var från Bosnien, från Bije... vafan står det, Bijelina? Aida hette hon. Aida Begovic.

Redaktionen krympte till ett hål runt Annika, hennes synfält formades till en tunnel, färgerna försvann, allt ljud hamnade i en burk. Hon reste sig.

– Hur fan är det? sa Jansson, hörde hans röst långt borta, såg hans ansikte framför sig, golvet kantrade, röster på avstånd,

Annika vad i helvete, är du sjuk eller, sätt dig för fan, du är alldeles vit i ansiktet...

Någon satte ner henne på en kontorsstol, tryckte ner hennes huvud mellan knäna, sa åt henne att andas.

Hon stirrade in i sitsens underrede, den höj- och sänkbara mekanismen, blundade, hårdare, höll andan.

Aida, Aida från Bijelina var död, det var hon som dödat henne.

Jag har gjort det igen, tänkte hon. Jag har mördat igen.

– Annika för satan, lever du?

Hon satte sig upp, lät håret falla fram i ansiktet, hela huset gungade.

– Jag mår illa, sa hon, rösten någon annans. Jag måste åka hem.

– Jag ringer efter en taxi, sa Jansson.

Mörker. Hon orkade inte tända. Satt i sin soffa och stirrade på gardinen, den svajade lätt, en dansande skugga.

Aida var död. En man hade dödat henne. Mannen i de svarta kläderna hade hittat henne. Hur?

Rebecka förstås. Aida hade hotat att avslöja bluffen med stiftelsen Paradiset, Rebecka hade hämnats genom att förråda Aida, berätta för hennes förföljare var hon gömde sig.

Vilket satans svin. Vilken jävla mördare.

Och det var hon som lurat in Aida i fällan.

Vållande till annans död.

Trycket över bröstet ökade, hårdnade, snart, snart gick hon sönder.

Sträckte sig efter telefonen, måste ringa, måste prata. Anne Snapphane var hemma.

– Vad har hänt? sa Anne. Är du sjuk?

– Tjejen som blev skjuten på Sergels torg, sa Annika, jag kände henne. Det är mitt fel att hon dog.

– Vad snackar du om?

Annika drog upp knäna, lade armen om underbenen, vaggade fram och tillbaka på sin stickiga soffa och grät ner i luren.

– Jag lurade in henne i Paradiset, de förrådde henne. Nu är hon död.

– Vänta nu, sa Anne Snapphane. Bruden blev mördad, eller hur? Skjuten i huvudet? Vad skulle du ha med det att göra?

Annika andades, gråten stillades.

– Paradiset är en bluff. Föreståndaren är en bedragare. Aida, tjejen, sa att hon skulle avslöja hela skiten. Därför dog hon.

– Nu tar vi det från början, sa Anne. Berätta alltihop.

Annika tog sats, drog hela historien, hur Rebecka ringt och velat marknadsföra sin verksamhet, deras träff på det konstiga hotellet, den snillrika verksamhetens uppbyggnad, sina egna funderingar, det andra mötet, hur hon inte fick Rebeckas uppgifter om pengarna att stämma, hotet från den jugoslaviska maffian, Rebeckas fantasifulla utlandsetablering, hur hon hittat Rebeckas skulder och olika identiteter, konkurserna, brottsmisstankarna. Sedan Aida, hotet som hängde över henne, mannen som försökte ta sig in på hotellrummet, hur hon givit Aida telefonnumret till Paradiset och uppmanat henne att söka hjälp där, Mias uppdykande i trappuppgången, hennes historia, sedan det förtvivlade samtalet där Mia berättat att Aida försvunnit, att Rebecka hotat henne.

– Och du tycker att alltsammans är ditt fel, sa Anne Snapphane.

Annika svalde.

– Det är det ju.

Anne suckade.

– Snälla du, sa hon, ta inte på dig alla problem på hela jorden. Jag vet att du är en världsförbättrare, men det måste finnas gränser. Nu har du gått över dem. Du låter helt jävla slut. Din mormor är sjuk, fattar du inte vilken kraft det har tagit dig att engagera dig i henne? Du är så himla omtänksam mot alla andra, var lite snäll med dig själv nu.

Annika svarade inte, satt i sin mörka lägenhet och sög i sig orden.

– Det kan omöjligt vara ditt fel att den där bruden fick en kula i skallen, fortsatte Anne. Hon hade satt sig i pisset alldeles på egen hand, eller hur? Du försökte hjälpa henne, och det gick kanske inte särskilt bra. Nu snackar vi uppsåt. Vilket var ditt syfte med att ge Aida numret till Paradiset? Att hjälpa henne, just det. Kom igen nu Annika. Du har ingen skuld i det här. Inte den ringaste. Förstår du det?

Annika började gråta igen, en tunn och lättad gråt.

– Men hon är död. Jag tyckte om henne.

– Det är klart att du får sörja. Du försökte hjälpa henne och hon dog ändå. Det är ett jävla trist läge, men det är inte ditt fel.

– Nej, viskade Annika, det är inte mitt fel.

– Är du okey? frågade Anne. Ska jag komma över? Jag har ett kilo lösgodis som jag kan ta med.

Annika log ner i luren.

– Nej, sa hon. Det behövs inte.

– Okey, sa Anne. Skit i mig. Tänk hur jag kommer att se ut sedan jag tryckt i mig hela påsen själv. Förresten, jag kanske blir programledare.

– Du? Varför det?

– Låt inte så jävla förvånad. Programledaren för Kvinnosoffan är överköpt till en annan kanal, årets felrekrytering if you ask me. Nu måste vi snabbt som fan ha en ny programledare, det står mellan mig och bimbobakslaget, Michelle Carlsson du vet. Gud, jag får ångest bara jag tänker på det, nu måste jag trycka i mig godis…

Mörkret var vänligare när hon lagt på, gardinens andning abstrakt oregelbunden.

Inte hennes fel. Trist läge, hemsk historia, inget hon kunde göra något åt. För sent. För sent för Aida från Bijelina.

Hon klädde av sig i mörkret, lät kläderna ligga kvar i en hög i soffan.

Sov drömlöst.

Måndag 5 november

ANNIKA VAKNADE AV EN IHÅLLANDE SIGNAL på dörrklockan. Tog sig förvirrat upp, trasslade in sig i påslakanet, lindade det runt sig och gick ut för att öppna.

– Så här kan vi inte ha det, sa brevbäraren.

Han höll upp en plastpåse med en massa skräp.

Annika blinkade yrvaket mot honom, kliade sig i ena ögat.

– Vad? sa hon.

– Säg till dina kompisar att använda riktiga grejer hädanefter. Vi kan inte hålla på och knyta ihop brev som går sönder på det här viset.

– Är det till mig? frågade hon skeptiskt.

– Är du Annika Bengtzon? Då så.

Han räckte henne påsen och en packe fönsterkuvert, alla räkningar. Vilken höjdarmorgon.

– Tack, mumlade Annika och drog igen dörren.

Släppte ner täcket på golvet innanför dörren och betraktade påsen, vad fan var det här? Hon höll upp den i ljuset för att se bättre. Ett trasigt kuvert, använt tuggummi och en nyckelknippa? Hon rev upp plastpåsen, gick naken in i vardagsrummet och hällde ut sakerna på soffbordet. Petade försiktigt på kuvertet, jodå, det var adresserat till henne, handstilen jämn men hastig, underlaget tydligen ojämnt. Det stod något nere i hörnet: Nycklarna till Paradiset.

Från Mia.

Hon satte sig i soffan. Nycklarna till Paradiset. Tog upp kuvertet, det måste ha varit begagnat, brevet var alltså skickat i största hast. Hon tittade på stämpeln, en ort i Norrland.

Naturligtvis. Mia behövde dem inte längre. Detta måste vara nycklarna till fastigheten i Järfälla. Hon hade ju adressen dit. Mia hade berättat, hon hade skrivit upp den. Gick ut till sin bag, hällde ut innehållet, samma bindor och Tenorask, block penna guldkedja...

Hon stannade upp. Guldkedjan. Satte sig på golvet, tog upp den i sina händer. Aidas guldkedja, de bägge berlockerna, en lilja, ett hjärta. Aidas tack för att hon räddat hennes liv.

Och så dog hon ändå, tänkte Annika, men det var inte mitt fel. Jag gjorde vad jag kunde.

Hon drog kedjan över huvudet, placerade den runt halsen. Metallen var kall och tung. Lade tillbaka de andra sakerna i väskan, allt utom blocket. Tog med det in till vardagsrummet, bläddrade upp adressen. Ett hörn på pappret var avrivet, hade skrivit upp adressen en gång till och givit den till kommunkillen, Thomas Samuelsson. Thomas som var gammal hockeyspelare och som var gift med sin fru, fru Samuelsson.

Hon hämtade Gula Sidorna och slog upp kartan över Järfälla.

Telefonen ringde, hon hoppade högt.

– Hur mår du? Jansson sa att du blev sjuk igår och fick åka hem.

Det var Anders Schyman.

Hon svalde.

– Bättre, sa hon, tveksamt.

– Vad hände? Svimmade du?

– Typ, sa hon.

– Du har sett trött ut på sistone, sa redaktionschefen. Du kanske har jobbat lite för mycket med den där stiftelsen.

– Men jag har inte... började hon.

– Hör på mig nu, bröt Schyman av. Nu sjukskriver du dig resten av det här passet, sedan ser vi hur du mår. Tänk inte på Paradiset, ta hand om dig själv i stället. Hur var det, din mamma var sjuk också?

– Mormor.

– Ta hand om henne, så ses vi nästa pass. Ska vi säga så?

Värmen spred sig i magen när de lagt på. Folk brydde sig. Hon suckade, lutade sig bakåt i soffan. Den oväntade ledigheten kändes inte ödesmättad och hotfull, snarare lätt och angenäm.

Hon gick in i sovrummet, drog på sig joggingoverallen. Visste vad hon skulle göra idag. Bara duscha först.

Han fick passa sig. Han fick inte ställa till det så att de människor som han satsade på och litade till gick in i väggen. Som utbrända kollin var de värdelösa. Annika Bengtzon måste hålla ihop ett tag till.

Anders Schyman drog ett djupt andetag, det luktade skurmedel. Att slänga ut soffan och kräva en storstädning av akvariet under helgen hade varit ett genidrag.

Med en känsla av kontroll och välbehag lutade han sig tillbaka och slog upp tidningen. Känslan avtog gradvis medan han läste igenom den. Första nyhetsuppslaget behandlade det spektakulära mordet på Sergels torg, den unga kvinnan som skjutits i huvudet under en demonstration. Artikeln illustrerades av en stor, suddig bild på kvinnan. Hon var ung och vacker. Att köra namn och bild på offret var inte kontroversiellt, däremot var de makabra detaljerna kring hennes död alldeles för noggrant beskrivna. Man behövde inte veta att den halvmantlade kulan slitit sönder hennes hjärna och stannat bakom näsan. Schyman suckade, nåja, sådant var petitesser.

Nästa uppslag behandlade den stundande regeringskrisen, sossarnas kongress skulle börja på torsdag och pågå en vecka, maktkampen var i full gång. Calle Wennergren fortsatte att rota bland den kvinnliga ministerns försenade dagisräkningar och närmade sig snabbt gränsen för det publicistiskt och etiskt försvarbara. Fortfarande hade tidningen inte angripit kärnfrågan, varför diskussionen om ministern kom just nu. Det var känt att hon var valberedningens förslag till ny partisekreterare och därmed kronprinsessa till statsministerposten, vilket fått de förbisedda medelålders betonghäckarna att vässa sina knivar. Detta ville han ha utrett i tidningen, en beskrivning av hur maktens män fungerade, vad de var villiga att göra för att behålla sin makt. Resten av nomineringarna hade inte läckt ut, trots att man visste att tre ledamöter skulle lämna verkställande utskottet, partiets maktelit. Han hade på känn att namnen kunde vara kontroversiella, det skulle bli en spännande kongress. Det tisslades om att Christer Lundgren, den förre utrikeshandelsministern som avgick efter skandalen kring Studio sex, var på väg tillbaka. Personligen tvivlade han på det, skandalen var för stor, för outredd, det som låg under ytan för explosivt. Däremot kunde kulturminister Karina Björnlund vara på väg in i VU, en skandal i sig, om nu någon skulle fråga honom. Människan hade på fullt allvar föreslagit att staten skulle tillsätta och avsätta chefredaktörer och ansvariga utgivare på Sveriges samtliga mediaföretag. Ändå fick hon sitta kvar, och han visste varför. Det hade Annika Bengtzon berättat för honom drygt två år tidigare.

Resten av tidningen var ganska tunn. Nya aktietips, så blir du en vinnare, han suckade. På mitten låg en intervju med en tv-kändis som var på väg att byta kanal. Det verkade inte finnas någon konflikt bakom avhoppet, bara mer pengar på andra sidan. Schyman suckade lite. Man hade inte lyckats ro iland något dokument av dignitet under veckan som gått, något som kunnat staga upp måndagstidningen i väntan på att verkligheten och arbetsveckan skulle rulla igång.

Nåja, vad fan, tryckeriet hade fungerat, de var ute i tid. Man fick vara glad åt det lilla.

Pizzan låg som en tegelsten av ostmassa i Thomas mellangärde, gjorde honom lätt illamående. Efter lunchen tog han kvällstidningarna med sig och smet in på sitt rum, hoppade kaffet.

Mitt på skrivbordet låg fakturan från stiftelsen Paradiset, skyddat boende för klient under november, december och januari. Trehundratjugotvåtusen kronor. Han visste att dessa pengar inte fanns i budgeten. Man skulle bli tvungen att skjuta upp renoveringen av ett mögelskadat daghem för att i stället ge pengarna till den där jävla betalningssmitaren.

Tjänstemannen hade givit honom fakturan när han var på väg ut på lunch med sina kollegor.

– Den här kom precis på faxen, hade hon sagt med kyla i röst och ögon. Hon hade inte förlåtit att han skämt ut henne inför en klient.

Han hade tackat, mer generad än han ville tillstå.

Nu stirrade han på fakturan och började i huvudet gå igenom vilka poster man kunde stryka för att få budgeten att gå ihop.

I helvete, tänkte han sedan och sköt tanken ifrån sig. Det är inte mitt problem. Det är nämnden som sagt ja till skiten, det är ledamöterna själva som får städa upp.

Han suckade, lutade sig tillbaka och plockade till sig Kvällspressen. Slog upp mitten och hamnade i en stor intervju med en kvinnlig programledare som skulle sluta på sitt tv-jobb. Så otroligt ointressant, tänkte han och bläddrade tillbaka till nyhetssidorna. Där fanns en bild på offret från Sergels torg i lördags, den kurdiska kvinnan som mördats mitt under demonstrationen. Så ung hon var. Han lät blicken glida ner till bildtexten.

Aida Begovic från Bosnien.

Hans hjärna stod stilla flera sekunder. Sedan slängde han tidningen åt sidan och tog upp fakturan från stiftelsen Paradiset. Den var daterad med dagens datum, 5 november.

Det kan inte vara möjligt, tänkte han. Slet upp lådan längst ner och grävde fram alla anteckningar och kopior som rörde fallet, bläddrade bland papprena, han mindes rätt.

Aida Begovic från Bijelina i Bosnien.

Ilskan fick honom att tappa andan, synfältet färgades rött, uppifrån och ned. Den satans jävla... Hon hade mage att ta betalt för skydd av en kvinna som blivit mördad.

Han hällde ut papprena på bordet, hade en liten lapp med adressen någonstans. Den singlade ner när han skakade kopiorna från Kronofogdemyndigheten i Sollentuna, ett litet hörn från Annika Bengtzons stora anteckningsblock. Han stoppade fakturan och adressen i kavajens innerficka, drog på sig rocken och gick ut.

Annika steg av tåget i Jakobsberg, Gula Sidornas karta sidan 18 i näven. Det blåste snålt och kallt, en fuktig vind som skar i skinnet. Bruna sextitalslådor överallt, Medborgarskolan, en frisersalong, Jakobsbergskyrkan. Kollade kartan, hon skulle uppåt, åt nordväst. Hittade en tunnel under Viksjöleden, stannade till på Emils Fast Food och pressade ner en hamburgare.

När hon kom ut från korvmacken slog nervositeten till med full kraft. Smaken av vägkrog låg som en film i munnen, hamburgaren vred sig i magen, hon fick halsbränna. Förmodligen var hon på väg att göra sig skyldig till egenmäktigt förfarande.

Hon stirrade upp mot husen, färglösa och suddiga i diset.

Jag måste inte, tänkte hon. Jag är sjukskriven. Paradiset kan vänta.

Tvekade, stirrade upp bland husen.

Jag kan alltid gå och titta, tänkte hon. Jag behöver inte gå in bara för att jag kollar på huset utifrån gatan.

Lättad över att ha skjutit upp beslutet gick hon iväg mot bostadsområdet som tydligen hette Olovslund. Det verkade inte stadsplanerat, inte homogent. Alla hus var olika, byggda i olika stilar och epoker, sekelskifteshus, en gammal mangårdsbyggnad, folkhemslådor från trettitalet, moderna blaffor med mexitegel och brunlaserat trä. Området hade vuxit fram på sidorna av en rejäl ås, många gator hade namn som beskrev deras läge, Höjdvägen, Släntvägen, Brantvägen. Andra var döpta efter årstider och månader, hon passerade Höstvägen och Novembervägen.

Jag undrar hur mycket koll man har på varandra i sådana här områden, tänkte hon. Inte särskilt, var hennes gissning.

Så kom hon till rätt gata, gick långsamt uppåt, grusig asfalt, skräpiga diken, nyckelknippan skramlade och brände i fickan.

Huset låg nästan högst uppe på åsen, på norrsidan. Hon

ställde sig vid sidan av infarten och studerade det försiktigt. Tomten var vildvuxen och kuperad, sommarens löv låg bruna och multnande mellan snöfläckarna. Stora stenblock blockerade delar av sikten. Själva huset var fyrtital, möjligen tidigt femtital, två plan, ljust gråbrun puts som troligtvis varit vit men som nu var på väg att rasa. Inga gardiner, inga lampor, inget ljus någonstans. Fönstren såg ut som gluggar i en rad av dåliga tänder.

Hjärtat bultade, andedräkten blev kompakt i kylan. Hon såg sig omkring, det lyste inte någonstans i husen runt omkring henne, inga människor syntes till.

Svenska förorter på vardagseftermiddagarna är som efter bomben, tänkte hon, vägde nycklarna i handen.

Mia Eriksson hyrde ett rum i det här huset, hon hade betalat månaden ut. Mia hade givit henne adressen och nyckelknippan. Det gjorde henne faktiskt nästan inbjuden.

Hon tog ett djupt andetag och gick in på tomten. Gången upp till huset var isig och ojämn av fötter och för dålig skottning. Kastade en snabb blick över axeln, ingen såg henne, ingen undrade vad hon gjorde där. Steg snabbt uppför trappan, knippan redo i fickan, svettig i handen. Lyssnade vid dörren, ingenting hördes. Ringde på, det skrällde och levde om därinne. Om någon öppnade fick hon hitta på något, fråga om vägen eller om de ville köpa Situation Stockholm. Hon ringde på igen. Ingen reaktion. Studerade ytterdörren, stadigt fyrtital, två sjutillhållarlås, lät nycklarna komma fram, vägde dem i handen, provade ena nyckeln i övre låset, funkade inte, blev svettig på överläppen, tänk om det var en fälla? Bytte nyckel med darrande fingrar, klick. Andades ut, bytte nyckel, nedre låset, klicketiklick, så Assa-låset, rassel. Dörren gled upp, gnisslande. Hon klev in, pulsen dånande i öronen, drog igen dörren bakom sig. Anade en mörk hall, blinkade för att vänja ögonen, tordes inte tända.

Hon stod kvar innanför dörren, länge, väntade tills mörkret gav vika och hjärtat lugnat ner sig. Det luktade lite illa, unket och fuktigt, var ganska kallt. Hon skrapade av fötterna på en sladdrig liten matta, ville inte lämna spår i form av skoavtryck.

Hallen var tom, hade inga möbler. Det gick dörrar åt flera håll. Hon öppnade den första till vänster. En trappa som ledde upp till övervåningen, matt dagsljus föll in från ett fönster någonstans högre upp. Hon stängde den ljudlöst, öppnade nästa. Ett skräpförråd som utgjorde utrymmet under trappan.

En bil brummade till på vägen utanför, hela kroppen stelnade till, hjärtat dog.

Låsen, tänkte hon. Jag måste låsa dörrarna igen, annars märker de direkt att det är någon här.

Hon sprang på tårna tillbaka till dörren, händerna fumliga, låste Assa-låset med vred och de andra med nyckel. Pustade ut, svettig under armarna. Lyssnade ett tag utåt vägen, ingenting hördes. Smög sedan tillbaka till skräpförrådet. När hon öppnade dörren igen trillade en nyckel ur låset och föll skramlande ner på golvet, skrällen ekade i det tomma huset, shit shit. Snabbt stoppade hon tillbaka nyckeln, lyssnade, ingenting, gick till nästa dörr, rakt fram. Köket, inte renoverat sedan huset var nytt, låga bänkar och rostig diskbänk. Två fönster, ett åt norr, ett åt väster. Ett gammalt bord med perstorpsskiva och fyra udda stolar. En kaffebryggare. Hon gick fram och drog ut översta lådan, några bestick, en förskärare. Drog ut nästa, tom, nästa, tom. Kollade igenom köksskåpen, några kastruller, en gjutjärnspanna, ett durkslag. I skafferiet stod ett paket Idealmakaroner och två burkar krossade tomater. Hon stannade till, såg sig omkring. Köket var ganska välstädat, förmodligen Mias förtjänst.

Åt öster fanns en dörr till, en skjutdörr, igendragen. Annika gick fram, drog i det blanka grophandtaget. Låst. Hon slet igen, bägge händerna, lönlöst. Petade i låset, hit gick en mycket liten nyckel, ingen av dem hon hade skulle passa. Gick tillbaka till hallen och provade den sista dörren, kom in i ett ljust rum med en soffa och ett lågt litet bord, en öppen spis i ena hörnet. Brunt linoleumgolv med parkettmönster. Till vänster en dörr till, den borde gå till rummet bakom köket. Hon gick fram och kände på den. Låst. Provade sina nycklar, de passade inte.

Kontoret, tänkte Annika. Det var här Mia inte kunde komma in.

Hon var på väg tillbaka till köket för att leta efter en nyckel till det låsta rummet när det rasslade i det övre sjutillhållarlåset.

Allt blod lämnade hennes huvud och sjönk ner i hennes fötter, hon kunde inte röra sig, stod fastspikad i hallgolvet när det första låset gick runt. När det andra började klicketiklicka fick hon plötsligt luft under fotsulorna, flög fram till dörren som dolde trappan till övervåningen, fick upp den, gled in, stängde efter sig, svävade blixtsnabbt ljudlöst uppför trappstegen, hamnade i en övre hall, samma linoleumgolv med parkettmönster, fyra dörrar, slet upp en av dem, hamnade i ett sovrum, kastade sig in under sängen längst bort, åh Gud, hjälp mig, förlåt allt dumt jag gjort…

Golvet under sängen var oerhört dammigt, hon satte handen för näsa och mun för att filtrera inandningsluften något och undvika att nysa. Någon rörde sig i rummet under henne, det spolade i en kran, måste vara köket. Hennes andning blev tung, snabb och djup.

Nej, tänkte hon. Inte panikångest, inte nu.

Andningen lydde inte, hon började hyperventilera, hon

krånglade sig över på rygg, letade i sina fickor efter något att andas i, hittade sina handskar, satte den ena över näsa och mun, andades, andades, andades tills anfallet var över och hon låg alldeles stilla, utmattad. Stirrade upp i en sextio år gammal sängbotten, brunbeige remtyg höll upp dammiga stålfjädrar.

Så vred hon huvudet in mot väggen, örat mot golvet. Upprörda röster, en man och en kvinna. Mannen aggressiv, kvinnan lätt hysterisk. Hon kände igen den ena. Rebecka Agneta Charlotta Evita.

– Det var mitt fall! sa kvinnan. Mitt fall! Svikare! Socialen är på väg att betala och så smiter hon, den jäveln!

Hon pratar om Mia, tänkte Annika. Någonting gick sönder där nere, hon gissade på kaffebryggaren. Mannen mumlade något, hon hörde inte vad, och sedan började något skrälla rakt in i hennes öra. Hon flög upp och slog huvudet i stålfjädrarna, helvetes jävlar. Skrällandet upphörde, hon lade sig ner, kände med fingrarna i pannan, hon blödde lite. Så började det om igen, dörrklockan. Den var monterad i köket, strax under taket.

I tystnaden som följde hörde hon rösterna mumla, mer förvånade än upprörda, mer rädda än aggressiva.

– ...nej, jag väntar ingen...

– ...kanske kommer tillbaka...

Steg gick över golvet där nere, det rann lite blod ner i ögonbrynet, hon koncentrerade hörseln.

En man, det var en man som kom. Man diskuterade någonting, röster höjdes. Ytterdörren stängdes, de gick tillbaka in i köket.

– Om ni tror att jag tänker betala den här fakturan är ni dumma i huvudet, sa en av männen och Annika flämtade till.

Thomas Samuelsson.

Kvinnans röst sipprade genom taket, ljummen och föraktfull.

– Vi har ett avtal, och det ska följas.

– Kvinnan är ju död, för helvete!

Socialkamreren var otroligt arg.

– Hon rymde härifrån, sa Rebecka Evita. Det var hennes eget val. Det fråntar er inte ert ansvar och er betalningsplikt.

Thomas Samuelsson sänkte rösten, Annika hade svårt att uppfatta resten.

– Jag tänker polisanmäla dig, din förbannade skojare, tyckte hon att han sa. Jag vet allt om dina skulder och dina konkurser, och några pengar från Vaxholms kommun kan du se dig om i månen efter.

Därefter uppstod kaos. Den andre mannen skrek någonting, Thomas Samuelsson svarade, kvinnan gapade, dunsar följde, trä gick sönder, vrål och skrik, huset skakade till.

– Lås in honom, skrek Rebecka.

En duns längre bort, dova skrik, rytmiskt dunkande knytnävar.

– Vad fan gör vi nu? sa mannen.

– Få tyst på honom, gapade kvinnan.

Knytnävarna dunk dunk dunk, ursinniga rop: släpp ut mig era förbannade bedragare, så steg över golvet, en liten duns, sedan tystnad.

– Är han död?

Det var kvinnan som frågade.

Annika slutade andas.

– Nej, sa mannen. Han klarar sig.

Blundade, andades ut.

– Varför slog du så hårt? Idiot! Här kan han inte ligga!

– Vi måste hämta bilen, sa mannen.

– Jag tänker inte bära ut honom!

– Men sluta gnälla för helvete, jag säger ju att...

Ytterdörren gick igen med en smäll, rösterna dog.

Annika låg kvar i tystnaden, dammig och het. Ett dun kom cirklande ner mellan stålfjädrarna, landade under hennes näsa. Tiden stod stilla, hon andades lätt och ljudlöst.

De kommer tillbaka. Snart är de här igen, och då har de en bil med sig. Då kör de bort Thomas Samuelsson, och då är det för sent.

Den sista tanken ekade i hennes huvud, för sent, för sent. För sent för Aida från Bijelina, för sent för Thomas från Vaxholm.

Hon blåste bort dunet och kröp fram, nös, dammig från topp till tå, gick på knä fram till fönstret och tittade ut. Rebecka och mannen var på väg nedför backen, passerade just en bil som Annika insåg var Thomas Samuelssons gröna Toyota Corolla.

Hon satte sig på golvet, hjärnan stod stilla, vad skulle hon göra? Hon hade ingen aning om hur länge Rebecka och mannen skulle vara borta. Det bästa vore kanske att bara ligga kvar här och vänta, låta dem hämta socialkamreren och sedan smyga härifrån när det blev mörkt.

Hon tittade ut igen, det började skymma. Ingen Rebecka. Om hon skulle göra något annat än att vänta så fick hon lov att göra det snabbt.

Hon satte sig ner igen, blundade, tvekade.

Om hon inte vore så feg. Om hon inte vore så svag. Om hon inte hade haft så ont om tid.

Jävla ynkrygg, tänkte hon. Du vet ju inte hur ont om tid du har. Du kanske hinner få ut honom härifrån om du sätter igång nu.

Hon reste sig upp, smög snabbt ut i övre hallen igen och nedför trappan, andfådd av nervositet, såg sig omkring, gjutjärnspannan låg mitt på golvet. Var hade de gjort av honom?

Ett svagt stön i skräpförrådet under trappan fick henne att snurra runt. Nyckeln satt i dörren, hon gick fram och vred om den.

Mannen rasade ut, föll över henne, hon fångade honom och dråsade ner på knä. Hans huvud hamnade i hennes famn, han blödde ur ett stort sår i hårfästet, det ljusa blanka håret brunt av blod. Hon lossade hans slips, han stönade.

Ilskan körde upp tårar i hennes ögon, förbannade mördare! Först Aida, sedan Thomas. Var det aldrig nog?

– Hördu, sa hon och slog honom lätt på kinden. Vi måste härifrån.

Hon försökte resa honom upprätt, i stället tappade hon greppet, mannen gled ner mot golvet.

– Thomas! sa hon. Thomas Samuelsson från Vaxholm, var har du bilnycklarna?

Han stönade till svar, rullade över på rygg, lade huvudet till rätta på den sladdriga lilla hallmattan.

Hon grävde i hans rockfickor, mjukt tyg, fumliga händer, där var de. Hon gick in till rummet med soffan för att kolla om Rebecka var på väg tillbaka, inget syntes.

När hon var på väg ut såg hon att dörren till det låsta rummet stod på glänt. Hon blev stående, tvekade en sekund. Hon borde dra härifrån, nu. Hon borde se efter vad som fanns därinne.

– Jävlar, vad hände?

Rösten ute i hallen var grötig och vimmelkantig. Hon gick dit.

– De slog dig i huvudet med en stekpanna, sa hon. Vi ska åka, jag ska bara kolla en grej först.

Thomas Samuelsson försökte resa sig men ramlade igen.

– Sitt här en minut så kommer jag, sa hon.

Sprang sedan tillbaka till det nu olåsta rummet, slog upp dörren, registrerade bilden.

Besvikelse.

Hon visste inte vad hon väntat sig, men inte detta. Ett skrivbord. En telefon. En fax. En bokhylla med massor av pärmar och en bunt lösa blad. Hon lyssnade, inga ljud, sprang fram och slet upp första pärmen med etiketten Raderingar.

Tom.

Nästa, med etiketten Uppföljningar.

Tom.

Nästa, fakturor till olika kommuner. Ett tjugotal, Österåkers kommun, er ref Helga Axelsson, vår ref Rebecka Björkstig, Nacka kommun, er ref Martin Huselius, alla på stora summor, minst hundratusen kronor. Kände sedan på alla pärmarna på översta hyllan, alla märkta med uppgifter som Klienter på rehabilitering, Skyddade fastigheter, Utlandsetableringar.

Alla tomma.

Bunten med lösa blad innehöll personliga uppgifter, domar, personbevis, blanketter från försäkringskassan. De hotade människornas privata handlingar.

Hon vände ryggen mot bokhyllan och lät blicken glida över rummet, måste åka. Hade hon missat något?

Skrivbordet. Hon rusade fram, slet i lådorna. Alla låsta.

Okey, tänkte hon, skit i det här nu.

Thomas Samuelsson satt upp, lutad mot väggen med huvudet mot knäna.

– Lever du? undrade hon nervöst.

– Nästan död, mumlade han.

Hon låste upp de tre låsen, sjönk sedan på knä framför honom.

– Thomas, sa hon, svalde, de är tillbaka när som helst. Vi måste härifrån. Kan du gå?

Han skakade på huvudet, håret som en gardin, brunfläckig.

– Lägg armen om mina axlar så släpar jag ut dig. Kom igen.

Han gjorde som han blivit tillsagd, var tyngre än hon trott. Hon knäade under hans tyngd. Fick fram honom till dörren, sparkade upp den, det var nästan mörkt, satte ner mannen på trappan, han svajade betänkligt, hennes händer så svettiga och darriga att nycklarna halkade ur hennes hand och ner på gräsmattan. Hon började nästan gråta, satans helvete, skulle hon skita i att låsa? Lyssnade längs gatan, inga bilar, hoppade över den vinglige mannen, hämtade nycklarna, klev över honom igen och upp till dörren, kom plötsligt att tänka på skräpförrådet, sprang in och låste den dörren också, drog igen ytterdörren och vred om sjutillhållarlåsen snabbt som satan, Assalåset, hävde upp karln på axlarna igen och släpade bort honom mot Toyotan. Bilen öppnades med ett glatt blip blip, hon vräkte in honom i passagerarsätet, sprang runt bilen, var tvungen att hålla nyckeln med bägge händerna när hon stack in den i tändningslåset. Tack Gud, den startade direkt. Hon varvade motorn, lade in ettan och körde iväg över backkrönet.

Det sista hon såg i backspegeln var en bil nere i backen, på väg upp mot dem.

Hon körde rakt fram, panikslagen, på väg att börja andas för fort för hårt igen, vägen tog slut, hon svängde tvärt höger. Thomas Samuelsson gled ner mot henne, hon sköt upp honom igen, upprätt.

Herregud, hur skulle hon ta sig härifrån? Åt vilket håll låg Stockholm?

Hon körde neråt, det borde komma en led någonstans, en större väg, vad hette denna? Mälarvägen?

Hon kastade en blick i backspegeln, några lyktor av andra bilar, ingen som verkade följa efter henne. Såg framåt igen, ett stoppljus! En led? Viksjöleden! Hon tog höger, bort från huset, bort från Rebecka, insåg snart att hon körde i cirkel, passerade en ny stor väg, Järfällavägen, och plötsligt kände hon igen sig. Factory Outlet i Barkarby! Hon hörde Anne Snapphanes entusiastiska stämma i sitt huvud: Today is Outlet Day! De brukade göra raider där höst och vår, köpa skinnjackor och gympadojor och provkollektioner av skruvade märkeskläder för rena vrakpriserna. Härifrån hittade hon hem. Hon svängde upp på E18 och dånade in mot Stockholm i ytterfilen.

Mannen bredvid henne började plötsligt kräkas. Han spydde över sin rock och sina byxor, slog pannan i instrumentpanelen.

– Shit, sa Annika. Behöver du hjälp?

Han stönade, spydde igen. Annika körde vidare, spanade förtvivlat efter någon avfart, såg ingen, kände sig fångad, kunde ingenting göra.

Thomas Samuelsson satt kvar med huvudet mot handskfacket, lade upp händerna över huvudet.

– Vad fan var det som hände? frågade han matt.

– Rebecka och hennes polare, sa Annika. De slog ner dig.

Han tittade hastigt upp på henne.

– Du! sa han. Vad gör du här?

Hon stirrade framför sig, trafiken tätnade.

– Jag hörde när de låste in dig under trappan. När de gick för att hämta bilen släppte jag ut dig. Du har fått en hjärnskakning, du måste till doktorn. Jag kör upp dig till Sankt Göran.

– Nej, protesterade han lamt, jag är okey. Lite ont i skallen bara.

– Skitsnack, sa hon. Du kan ha fått en blödning i hjärnan. De är inte att leka med.

Hon virrade bort sig lite bland alla påfarter till E4:an, men kom till slut upp på motorvägen vid Järva krog. Körde sedan över Hornsberg, upp till akutmottagningen och parkerade. Händerna var stadiga när hon drog tändningsnyckeln ur låset, lättnaden att ha sluppit undan fysisk.

Det var helt mörkt, en gul gatlykta gjorde allting brunt.

– Jag kan inte gå in så här, mumlade Thomas och visade på sin nerspydda rock.

– Vi slänger den i skuffen, sa Annika, gick ut ur bilen och runt till hans sida, öppnade dörren.

– Kom igen, sa hon, res dig upp. Jag hjälper dig.

Mannen kom på fötter, han hade verkligen spytt rejält.

– Nu tar vi av dig, sa Annika och drog av honom rocken, han svajade lite.

– Var kom du ifrån? sa han och såg på henne som om hon var ett spöke.

– Vi tar det senare, sa hon. Nu går vi in.

Hon lyfte hans ena arm över sina axlar, tog ett ordentligt tag om hans midja och baxade in honom på akutmottagningen. En likadan tant bakom en likadan glasruta som i Katrineholm.

– Mina byxor, sa han. Det är spya på dem.

– Vi tvättar bort det inne på muggen, sa hon. Hej. Thomas här har fått ett slag i huvudet, var medvetslös några minuter, har ont i huvudet och kräks. Lite glömsk och förvirrad.

– Ni har tur, sa damen. Det är ganska tomt här, ni kan komma in på en gång. Personnummer?

– Mina byxor, viskade Thomas.

– Jättebra, sa Annika. Han måste bara gå på toa…

Hon satt kvar i väntrummet, undersökningen gick fort. Det var ingen större fara med honom. Han hade inga kliniska tecken på hjärnskada och blev snabbt klar i knoppen igen. Läkaren följde med honom ut i väntrummet.

– Ska jag vila länge? undrade Thomas.

Läkaren log.

– Nej, inte alls. Snabb återgång till normal kroppsaktivitet är bara bra, det förhindrar att symptom som huvudvärk och trötthet blir stadigvarande.

De gick ut till bilen igen, båda utmattade, avslappnade.

– Jag kör dig hem, sa Thomas och gick mot förarplatsen.

– Aldrig, sa Annika. Du kör inte mer bil idag. Jag kör dig hem.

Hans svar kom innan han hann stoppa det.

– Jag vill inte hem.

Kvinnan såg på honom, uttryckte ingen förvåning. Betraktade honom med en blick han inte kunde tyda, dividerade med sig själv.

– Då så, sa hon till slut. Då kör vi hem till mig. Du måste åtminstone hämta dig en stund innan du sätter dig bakom ratten.

Han protesterade inte, satte sig bara i passagerarsätet och spände fast bältet. Det slog honom att han aldrig brukade sitta där. Eleonor körde aldrig hans bil, hon hade ju BMW:n.

De rullade ner mot Fridhemsplan, Thomas satt tyst och såg ut genom bilrutan. Så många glimmande ljus, så många namnlösa människor. Det fanns så många olika sorters liv, tillvaron kunde se ut på så oerhört många olika sätt.

– Har du mycket ont i skallen? undrade Annika.

Han såg på henne, log lite.

– Ganska.

Egendomligt nog fanns det gott om parkeringsplatser nära hennes hus.

– Städnatt, sa hon. Efter tolv har du fyrahundra spänn i böter.

Han höll armen om hennes axlar medan hon hjälpte honom uppför trapporna. Hon var stark för att vara så liten. Han kände hennes bröst under sin armhåla.

Lägenheten var helt vit, trägolvet slitet i mjuka vågor.

– Fastigheten är från 1880-talet, sa hon medan hon hängde av sig. Ägaren gick i konken efter fastighetskraschen i början av nittitalet och alla planer på renovering strandade. Vill du ha kaffe?

Han strök sig över sina fuktiga byxor, undrade om de luktade.

– Ja tack. Eller lite vin om du har.

Hon stannade till och funderade, rak i ryggen, klarögd.

– Jag tror jag har en gammal öppnad tetra med något vitt, fast du kanske inte ska dricka alkohol just nu, vad tror du?

Han log lite förvirrat, strök sig över håret, fem stygn hade han fått i hårfästet, kände på slipsen, rätade till kavajen.

– Det är nog ingen fara, sa han. Snabb återgång till normal kroppsaktivitet är bara bra, vet du.

Hon försvann in i köket, han blev stående på golvet i vardagsrummet, svajig, osäker, såg sig försiktigt omkring, vilket underligt rum. Vita matta väggar, vita genomskinliga gardiner, en soffa, ett bord, en tv, en telefon. Resten av det stora rummet var tomt. Ett trasigt fönster hade lagats med en pappers-kasse, draget fick de vita tygmassorna att röra sig. Golvet var grått, matt, silkeslent.

– Sätt dig, om du vill, sa hon, bar på en bricka med glas, muggar, en tetra och en glasbryggare. Hon rörde sig lätt och smidigt, dukade upp med snabba händer. En tjock guldkedja dinglade ner mot hennes bröst.

Han slog sig ner, soffan var inte särskilt bekväm.

– Trivs du här?

Hon satte sig bredvid honom, hällde upp kaffe åt sig och vin åt honom, suckade.

– Sådär, sa hon. Ibland.

Hon tog sin mugg, tystnade, såg ner i drycken.

– Förut gjorde jag det, sa hon lågt. När jag flyttade in tyckte jag det var fantastiskt att bo här. Allt var så ljust, svävade liksom. Sedan... förändrades saker. Ja, inte lägenheten, utan förutsättningarna runt omkring, mitt liv...

Hon tystnade, drack sitt kaffe. Han smuttade på vinet, det var förvånansvärt bra.

– Du då? sa hon och såg upp på honom. Trivs du?

Han tänkte le men struntade i det.

– Inte särskilt, sa han. Jag är skittrött på mitt liv.

Drack en stor klunk vin, förvånades över sin egen uppriktighet. Hon nickade bara, frågade inte varför.

– Vad gjorde du ute i Järfälla? undrade hon.

Han blundade, tänkte efter, huvudet sprängde.

– Fakturan, sa han. Fick jag med mig den?

– Vilken faktura?

– Från Paradiset, jag hade den i handen när jag gick in där. Trehundratjugotvåtusen kronor, skyddat boende för klients räkning i tre månader. Vi fick den på faxen i förmiddags, trots att kvinnan det handlar om redan är död. Förbannade bedragare!

– Jag såg ingen faktura, sa hon, fast jag kollade inte inne i skräpskrubben. Har du kollat fickorna i kavajen?

Han stack snabbt händerna i ytterfickorna, inget där, kände i innerfickan, ett hopvikt pappersark, drog fram den.

– Här är den! Tack och lov.

Han studerade siffrorna ett ögonblick, lät pappret sjunka, såg på Annika.

– Vad hände, egentligen? sa han. Var kom du ifrån?

Hon reste sig, gick mot köket.

– Jag tror att jag också tar lite vin.

Kom tillbaka med ett glas till.

– Jo, sa hon, jag hade tänkt ringa dig. Jag har hittat en del nya uppgifter om vår kompis Rebecka Björkstig. Hon har haft flera olika identiteter och är misstänkt för grovt bedrägeri i alla sina konkurser.

Hällde upp vin ur tetran, först åt sig, sedan åt honom.

– Jag fick en nyckelknippa med posten i morse, har haft kontakt med en kvinna som funnits i utkanten av Paradiset, hon har bott i huset i Olovslund. Hela hennes familj stack därifrån i fredags, hon postade husnycklarna till mig från ett ställe i Norrlands inland. Jag åkte till Järfälla direkt.

Han såg på henne, kände hur han häpnade.

– Så du gick in med nyckel? Var det ingen där?

Hon ruskade på huvudet.

– Nix, men de kom ganska snart. Jag gömde mig på vinden. Sedan kom du, det blev ett jävla liv. De måste ha slagit dig i huvudet med en stekpanna. Rebecka och killen försvann för att hämta en bil, jag släpade ut dig till din Toyota och så körde vi därifrån.

Han strök sig över pannan, försökte samla tankarna.

– Du var alltså där när jag kom.

– Japp.

– Du släpade ut mig ur förrådet och körde mig därifrån?

– Korrekt. Och jag låste både förrådet och huset efter oss, så du kan ju tänka dig deras miner när de kom tillbaka för att hämta dig!

Hon flinade glatt, han glodde på henne några sekunder och brast sedan ut i ett flatskratt.

– Låste du förrådet? Och ytterdörren?

– Alla låsen!

De garvade båda två, mer och mer, han började tjuta av skratt, hon skrattade så att hon skrek.

– Fy fan vad bra! jublade han.

– De måste ha trott att du dematerialiserats.

Han lugnade ner sig, skrattet låg kvar som små pustningar.

– Att jag, vad?

Hon log.

– Dematerialiserats, upplösts, digitaliserats. Framtidens sätt att resa. Man dematerialiserar sig och skickar sig själv över nätet, snabbt och miljövänligt. Tänk när vi ska ut i rymden, det blir ju jättesmidigt.

Han stirrade på henne, vad menade hon?

– Det borde finnas mellan tiotusen och hundratusen civilisationer på vår nivå eller högre, bara i vår Vintergata, sa hon. Forskarna har kommit fram till att liv uppstår mycket lättare än vad man tidigare trott. Det kanske inte är så jävla komplicerat. Om de rätta betingelserna finns så kanske det blir liv överallt, hela tiden. Det måste finnas flytande vatten, bara.

Thomas skrattade förvånat.

– Vilken jävla tankevurpa, hur kom du på den?

– Jag undrar hur de ser ut, sa hon. Tänk den dagen vi får träffa dem! Så himla kul! Tänk alla nya maträtter vi kommer att få prova. Jag är så trött på morötter och potatis. Alla nya grönsaker! Alla kryddor! Det borde finnas så jävla många nya världar därute, och jag är så trött på den här!

Hon tystnade, skrattet hade dött.

– Varför? frågade han.

Hon såg in i hans ögon, allvarlig.

– Varför, själv?

Han suckade ljudlöst, drack ur vinet, kände sig mer berusad än han borde.

– Jag gillar inte mitt liv längre, sa han.

På något sätt var det självklart att berätta det för henne, han visste att hon skulle förstå, att hon inte skulle fördöma. Han såg på henne, trött, lite för mager, de starka händerna i knät.

– Jag älskar min fru, sa han, vi har ett fint hus, gott om pengar, stort umgänge, jag jobbar med arbetsuppgifter jag själv valt och trivs med. Ändå...

Han tystnade, tvekade, suckade, fingrade på slipsen, drog den över huvudet, vek ihop den, lade den bredvid sig i soffan.

– Vi vill olika saker med våra liv, sa han. Hon vill göra karriär på banken, komma upp i bankledningen så småningom. Det börjar bli lite bråttom för henne, hon fyller fyrtio till våren.

De satt tysta en stund.

– Hur träffades ni? frågade Annika.

Han suckade, log, irriterande nog steg tårarna upp i hans ögon.

– Hon var syster till en av killarna i hockeylaget, bra mycket äldre än sin bror. Skjutsade och hämtade oss till matcherna ibland. Snygg. Cool. Körkort.

Han skrattade till för att tvinga undan sin sentimentalitet.

– Din hemliga fantasi? undrade hon, han rodnade lite.

– Kan man säga. Jag tänkte på henne ibland innan jag skulle somna. En gång, när jag var hemma hos Jerker, såg jag henne komma ut ur badrummet i behå och trosor. Hon var fantastisk. Jag onanerade som en dåre den kvällen.

De skrattade tillsammans.

– Hur blev ni ihop?

Han tittade ner i sitt tomma vinglas, borde inte dricka mera nu, hällde upp resten av innehållet i tetran.

– Sommaren när jag fyllt sjutton var vi ett helt gäng grabbar som skulle ut och tågluffa. Alla skulle fixa sommarjobb och tjäna pengar, andra halvan av juli skulle vi åka iväg. Fast det kunde man ju ha begripit hur det skulle gå...

Hon log.

– Ingen jobbade.

– Utom jag förstås, sa Thomas. Mina föräldrar äger Icabutiken i Vaxholm, så jag kom inte undan, hade ansvaret för charken. Jag jobbade dessutom alla lov och helger, i mitten av juli var jag nerlusad med pengar.

– Men ingen att åka med, sa Annika.

– Och fick inte åka själv för mamma, sa Thomas. Jag var desperat, smällde i dörrar och pratade varken med mina kompisar eller föräldrar. Världen var rutten. Men så skedde ett mirakel.

Hon tog upp hans slips, vecklade ut den.

– Eleonors pojkvän, en fruktansvärd överklassfjant, gjorde slut precis före deras gemensamma sommarresa till Grekland. Eleonor rev sönder flygbiljetterna och kastade dem i hans ansikte. Hon bestämde sig för att åka och tågluffa i stället, något killen aldrig nedlåtit sig till att göra, men hon ville inte åka själv.

Annika satte på sig hans slips, gjorde honnör.

– Du blev hennes manliga eskort.

Han drog i slipsen, Annika låtsades bli strypt, de skrattade. Satt tysta ett tag, hon tog av sig snaran.

– Vad hände?

Thomas drack lite vin.

– Eleonor var inte särskilt tillmötesgående till en början. Vi håller ihop ner till Grekland, sedan får vi se, sa hon. I München steg vi på fel tåg och hamnade i Rom, det var fyrtio grader varmt när vi kom fram. Medan jag gick och köpte vatten kom ett gäng småglin och rånade Eleonor. När jag kom tillbaka var hon rosenrasande på mig, på Italien, på allt. Jag skämdes som en hund för att jag inte lyckats beskydda henne. Vi hittade ett skitigt rum intill stationen som jag betalade, sedan söp vi oss dyngfulla. Raglade runt på gatorna med var sin bastflaska Chianti i näven. Eleonor skrek och betedde sig, klängde på mig, klängde på alla andra. Jag försökte klänga tillbaka så gott jag kunde. Det skedde inga större katastrofer förrän vi kom till Piazza Navona. Eleonor fick för sig att hon skulle bada i fontänen, precis som Anita Ekberg.

– Fel fontän, bara, sa Annika.

Thomas nickade.

– Ja, och fel tillfälle. Det fanns sjutusen fulla italienska fotbollsfans på piazzan, och när Eleonor blötte ner sin t-shirt blev den genomskinlig. De försökte bokstavligen slita kläderna av henne, hon höll på att bli våldtagen på botten av bassängen.

Annika log, gjorde honnör igen.

– Men du räddade henne.

– Jag skrek som pastakocken i Lady och Lufsen på julafton, sakramento idioto, jag ska giva dig på moppo, drog upp henne ur fontänen och släpade hem henne till hotellet.

– Och fick ihop det?

– Tyvärr, sa Thomas. Eleonor spydde hela natten. Dagen därpå var hon helt grön i ansiktet. Vi satt hos polisen hela förmiddagen för att anmäla rånet, sedan satt vi hela eftermiddagen på svenska ambassaden för att få ett provisoriskt pass. På kvällen ställde vi oss på motorvägen A1 och liftade norrut, hemåt. Vi stod där i en evighet, fruktansvärt varmt, höll på att dö av koloxidförgiftning. Till slut blev vi upplockade av en kort och tjock man i en röd bil. Han var lika bakfull som Eleonor och kunde inte ett ord av något känt språk. Den första Area Servizio som vi passerade åkte han in på, vinkade att vi skulle följa med och marscherade till baren. Han beställde tre glas av något rött och trögflytande, sa hoa och drog i sig innehållet i ett enda svep. När han smällt glaset i bardisken tittade han uppfordrande på oss, viftade med händerna och sa prego, prego. Vi var livrädda att han skulle kasta ut oss ur bilen, så vi drog i oss smörjan och åkte vidare. Vid varenda Area Servizio skedde samma sak. Tre glas, hoa, småll i bordet. Snart sjöng vi sånger i bilen. Det blev väldigt mörkt. Sent på kvällen kom vi fram till en fullkomligt fantastisk stad, högst uppe på ett högt berg. Perugia, sa mannen och inkvarterade oss hos sin vän bagaren. Vi fick ett rum med snedtak ovanför butiken, rosentapeter. Där älskade vi. Det var första gången för mig.

Han tystnade, minnen flög i rummet som flämtningar. Annika svalde, kände närhet och avstånd samtidigt, drag av smärta och saknad.

– Förra våren åkte vi på vinresa till Toscana, sa han. En dag tog vi en avstickare till Umbrien. Det var oerhört märkligt att komma tillbaka till Perugia, staden har alltid representerat något väldigt speciellt för oss. Det var där vi blev ihop. Vi har varit tillsammans varenda dag sedan dess.

Han tystnade igen.

– Vad hände? undrade Annika.

– Vi kände inte igen oss någonstans. Vårt Perugia var en stilla, medeltida stenby, en tecknad kuliss på en bergstopp. Det verkliga Perugia var en generös, vital och stökig universitetsstad. För mig var det fantastiskt. Perugia var som vårt förhållande, något som börjat som en tonårsdröm och utvecklats till en generös, vital och intellektuell gemenskap. Jag ville att vi skulle stanna där, men Eleonor var förfärad. Hon kände sig sviken och lurad. Hon hittade inte ett vitalt äktenskap i Perugia, hon förlorade sin dröm.

De satt tysta en stund.

– Varför kände ni inte igen er?

Han suckade.

– Förmodligen för att vi aldrig varit där förut. Mannen i den röda bilen var så full att han hade kunnat ta fel på hela staden, eller så missuppfattade vi honom. Vi kan ha varit i vilken umbrisk stad eller by som helst. Assisi, Terni, Spoleto...

Hon såg honom kämpa med sina minnen, framåtlutad, armbågarna på knäna, det vilda blanka håret stelt av blod, fick tvinga tillbaka en impuls att stryka det åt sidan. Vad fin han var.

– Är du hungrig? sa hon.

Han såg på henne, en sekunds förvirring i blicken.

– Ja, faktiskt, sa han.

– Jag är en jävel på bandspagetti med burksås, sa hon, äter du sådant?

Han nickade, tolerant, javisst, det gick bra.

Hon gick ut i köket, kastade en blick ut genom fönstret. Någon satt och sket i representationsvåningen. Tog fram tagliateller och en burk italiensk tomatsås, kokade upp vatten. Han ställde sig i dörröppningen, lutade sig mot dörrposten.

– Lite groggy fortfarande? undrade hon.

– Det är nog vinet, sa han. Vilket häftigt kök, gasspis.

– Original 1935, sa hon.

– Var är toaletten?

– En halvtrappa ner. Ta på dig skor, golvet är jätteskitigt.

Hon dukade, funderade på att lägga fram servetter, stannade upp och analyserade sin egen tanke. Servetter? När fan använde hon servetter senast? Varför skulle hon göra det nu? För att imponera, göra sig till någon annan än den hon var?

Hon slog upp pastan i ett durkslag samtidigt som han kom tillbaka, hörde honom ta av sig skorna, harkla sig. När han kom in i köket hade han fått lite färg i ansiktet.

– Intressant toalettarrangemang, sa han. Hur länge har du bott här, sa du?

– Två år. Drygt. Vill du ha servett?

Han satte sig vid bordet.

– Ja, tack, gärna, sa han.

Hon räckte honom en påskgul pappersservett från Duni. Han vecklade ut den och lade den i knät, den naturligaste saken i världen. Själv lät hon sin ligga hopvikt vid sidan av tallriken.

– God pasta, sa han.

– Du behöver inte, sa hon.

De åt upp, tysta, hungriga. Sneglade på varandra, log. Deras knän stötte ihop under det lilla köksbordet.

– Jag kan diska, sa han.

– Finns inget varmvatten, sa Annika. Jag gör det senare.

De lämnade disken åt sitt öde, gick ut i vardagsrummet igen, en ny tystnad mellan dem, en pirrighet i hennes mellangärde. De blev stående på var sin sida om bordet.

– Du, då? sa han. Har inte du varit gift?

Hon sjönk ner i soffan igen.

– Förlovad, sa hon.

Han satte sig bredvid henne, avståndet elektriskt.

– Varför tog det slut? frågade han, intresserat, vänligt.

Hon drog ett djupt andetag, försökte le. Frågan, så vanlig, så normal. Varför tog det slut? Hon letade efter orden.

– För att…

Harklade sig, fingrade på bordskanten, hur hittar man det normala svaret på en sådan normal fråga?

– Var det så jobbigt? Lämnade han dig?

Rösten så vänlig, medkännande, något brast, gick sönder, hon började gråta, vek sig dubbel, slog händerna runt huvudet, kunde inte hejda sig. Hon kände hans förvåning, osäkerhet, tafatthet, kunde inte göra något åt den.

Nu går han, tänkte hon, nu försvinner han för evigt, lika bra det.

– Men, sa han, vad är det?

– Förlåt, grät hon, förlåt, det är inte meningen…

Han klappade henne försiktigt på ryggen, smekte henne lite över håret.

– Men Annika, vad har hänt, berätta!

Hon försökte lugna ner sig, andas, lät snoret rinna ner på knäna.

– Jag kan inte, sa hon. Det går inte.

Han tog tag i hennes axlar, vred upp henne mot sig, hon vände instinktivt bort sitt gråtsvullna ansikte.

– Jag är så ful, mumlade hon.

– Vad hände med din fästman?

Hon vägrade se upp.

– Jag kan inte berätta det, sa hon. Du skulle hata mig.

– Hata dig? Varför det?

Hon såg upp på honom, kände att näsan var röd och ögonfransarna hopklibbade. Hans ansikte var oroligt, bekymrat, ögonen gnistrande blå. Han brydde sig. Han ville verkligen veta. Hon såg ner igen, andades snabbt med öppen mun, tvekade, tvekade, tog språnget.

– Jag slog ihjäl honom, viskade hon ner i golvet.

Tystnaden blev stor och tung, hon kände honom stelna bredvid sig.

– Varför? sa han lågt.

– Han misshandlade mig. Höll på att strypa mig. Jag var tvungen att lämna honom, annars skulle jag dö. När jag gjorde slut sprättade han upp min katt med en kniv. Han skulle döda mig också. Jag slog honom så han trillade ner i en gammal masugn…

Hon stirrade intensivt ner i golvet, kände avståndet mellan dem.

– Och han dog?

Rösten annorlunda, kvävd.

Hon nickade, kände tårarna rinna över igen.

– Om du bara visste hur jävligt det har varit, sa hon. Om det fanns något jag kunde förändra i mitt liv så är det den dagen, det slaget.

– Blev det rättegång?

Avlägset? Avståndstagande?

Hon nickade igen.

– Vållande till annans död. Skyddstillsyn. Jag var tvungen att gå i terapi i ett år, övervakaren tyckte att jag behövde det. Det var rätt värdelöst. Terapeuten var skitkonstig. Jag har inte mått något vidare sedan dess.

Hon tystnade, blundade, väntade att han skulle resa sig upp och gå. Det gjorde han. Hon gömde ansiktet i händerna, väntade att ytterdörren skulle slå igen, avgrunden öppnade sig, den monumentala förtvivlan, tomheten och ensamheten, åh Gud, hjälp mig…

I stället kände hon hans hand över håret.

– Här, sa han, räckte henne en påskservett. Snyt dig.

Satte sig bredvid henne igen.

– Uppriktigt sagt, sa han, så tror jag inte det är så dumt att slå ihjäl dem ibland.

Hon såg hastigt upp, han log blekt.

– Jag är ju socionom, sa han, har jobbat på socialförvaltning i sju år. Jag har sett det mesta. Du är inget unikum.

Hon blinkade.

– Kvinnorna kan ha ett helvete resten av livet, sa han. Jag tycker inte du ska ha dåligt samvete. Det var ju självförsvar. Trist att du skulle träffa på en sådan idiot. Hur gammal var du när ni blev ihop?

– Sjutton år, viskade hon, fyra månader och sex dagar.

Han strök henne över kinden.

– Stackars Annika, sa han. Du förtjänar bättre.

Så låg hon i hans famn, kinden mot hans skjortbröst, kände hjärtat dunka, hans armar runt sitt huvud. Lade sina armar runt hans midja, höll honom, varm, stor.

– Hur kom du vidare? viskade han, in i hennes hår.

Hon blundade, lyssnade till hans hjärta, levande, bultande.

– Kaos, sa hon mot hans bröst, först var allt kaos. Jag kunde inte prata, inte tänka, inte äta. Egentligen kände jag ingenting, allt var liksom bara… vitt. Sedan kom det, alltihop på en gång, jag trodde jag skulle gå sönder, ingenting fungerade. Jag vågade inte sova, mardrömmarna tog aldrig slut, till slut fick jag ligga på sjukhus några dagar. Det var då övervakaren tvingade mig att börja i terapi…

Han strök henne över håret, smekte hennes rygg.

– Vem tog hand om dig?

Varsamt, vaksamt.

– Min mormor, sa hon. Hela första året bodde jag hos mormor så fort jag var ledig. Gick i skogen mycket, pratade mycket, grät jättemycket. Mormor var alltid där, hon var helt otrolig. Alltihop sjönk undan, men efteråt fanns ingenting kvar. Det blev tomt, kallt. Meningslöst.

Han vaggade henne lite, andades i hennes hår.

– Hur mår du nu?

Hon svalde.

– Mormor har blivit sjuk, det är jättehemskt. Hon har fått en stroke. Jag funderar på att begära tjänstledigt och ta hand om henne. Det är det minsta jag kan göra.

– Men hur mår du? sa han.

Blundade hårt för att tvinga tillbaka tårarna.

– Sådär, viskade hon. Jag har svårt att äta, men det blir bättre. Om det inte vore för mormor så hade det varit rätt okey. Jag tycker om att ha träffat dig.

Hon hörde sina ord samtidigt som hon sa dem, hans smekningar avstannade.

– Gör du? sa han.

Hon nickade mot hans bröst. Han släppte henne, såg på henne, in i hennes ögon, mörka, förstod djupet, såg sorgen. Hon mötte hans blick, blå, smekte honom på kinden, kysste honom. Han tvekade ett ögonblick, men svarade, kysste, slickade, sög på hennes läppar...

Hon drog av sig sin tröja, brösten rullade ut, guldkedjan dansade, ingen behå. Han stirrade på dem, fascinerad, så stora, lade sin hand på det ena, så varmt, så mjukt, hon drog av honom kavajen, knäppte upp hans skjorta, lent bröst, stadigt, lite hår, kysste hans axel, bet tills han stönade. Han kysste hennes hals, lät tungan glida längs haklinjen, hittade örsnibben, bet, sög, slickade, hennes händer gled över hans rygg, naglar i cirklar, lätt, snabbt. Så stannade de, såg in i varandras ögon, såg känslan, den gemensamma viljan, bodde i den, lät den växa tills den steg upp över deras huvuden, de slet av sig kläderna, händer tungor läppar överallt, bröst, magar, kön, armar, fötter...

Han låg ner på soffan, fötterna spretande över kanten, när hon satte sig på honom, gled på honom, omslöt honom. Hon kände hans kön slå i botten, uppfylla henne, ta plats i det rum hon nästan glömt bort. Han kände värmen, trycket, pulsen, ville köra igång, men hon sa:

– Vänta.

De såg in i varandras ögon igen, i varandras totala upphetsning, sögs in i varandra och plötsligt drabbades han av svindel, en fullständig och kompromisslös extas. Han slöt ögonen, böjde huvudet bakåt och skrek. Hon började rida honom, långsamt, han ville skynda på henne men hon höll honom tillbaka, han flämtade, stönade, ropade, trodde han skulle upplösas.

Hon såg på honom, mötte honom i hans oerhörda upphetsning, lät lemmen glida så långsamt att själen hann före, djupt in, längst in, igen, och igen, och igen, och så släppte det, vågen kom, hon kände värmen rinna nedför låren. Hans kropp blev styv, varje muskel knöt sig, säden pumpade. Hon föll ihop ovanpå honom, han omfamnade henne, fortfarande inne i henne, smekte hennes hår. Märkte först nu att de var alldeles svettiga, hala och blanka. Hon låg med sin näsa vid hans nyckelben, andades in hans doft, stark, lite sur.

– Jag tror jag älskar dig, viskade hon, såg upp på honom, han kysste henne, de började röra sig i varandra igen, stilla, försiktigt, sedan allt fortare, hårdare, så vått, så halt.

Han vaknade av att han frös. Ena foten hade domnat, hon låg på den, jämna djupa andetag, han förstod att hon sov.

– Annika, viskade han, strök henne över håret. Annika, jag måste stiga upp.

Hon vaknade med ett ryck, såg förvirrat på honom, log.

– Hej, viskade hon.

– Hej, sa han, kysste hennes panna. Jag måste upp.

Hon låg kvar en sekund.

– Visst, sa hon, reste sig stelt, drog upp honom ur soffan.

Så stod de mitt emot varandra, nakna, svettiga, hon ett halvt huvud kortare, kysste varandra. Hon lade sina armar runt hans hals, ställde sig lite på tå. Han kände brösten mot sina revben, så vidunderligt mjuka.

– Jag måste åka hem, viskade han.

– Visst, sa hon igen, men inte nu. Kom så sover vi en stund.

Hon tog honom i handen, ledde honom till sitt sovrum. Sängen, en bäddmadrass utan gavel, var inte bäddad. Hon sjönk ner, drog honom intill sig.

De älskade igen.

Kolossen var sluten och mörk. Ratko stirrade upp mot tegelfasaden, såg gatlyktorna glimma i fönstrens glas, torr i munnen.

Varför hade de kallat hit honom, mitt i natten? Det var något helvete på gång.

Bilarna rusade förbi bakom honom när han långsamt passerade huvudingången, rundade hörnet och såg beskickningsbilarnas parkering, en plats för konsuln, en för ambassadören. Han gick fram till porten, knackade på, snabbt och lätt.

Den fete öppnade.

– Du är sen, sa han, vände ryggen mot honom och vaggade tillbaka.

Han följde efter den fete uppför de få trappstegen till det stora rummet, väntrummet, befann sig omedelbart i Belgrad igen, öststatsgröna väggar, grå plaststolar. Luckan rakt fram, glasväggen till vänster, han skymtade ljuset inne i konsulns rum.

– Varför är jag här? frågade han.

Den fete pekade mot dörren bredvid glasväggen.

– Sätt dig och vänta, sa han.

Han gick genom rummet, rundade bordet och stolarna, passerade genom den trånga korridoren med den fetes skrivbord, steg in i mottagningsrummet, det var sig likt, stolarna mot väggen, soffan, bokhyllorna, kartan med Jugoslavien före delningen. Han övervägde att sätta sig, förblev stående. De gånger han tidigare varit här hade nästan alltid varit under trevliga omständigheter, eller åtminstone vänskapliga. Den här gången var det annorlunda. Han kunde inte sätta sig, då skulle han vara i underläge när de överordnade kom in i rummet.

På bordet fanns märken efter flaskor, Slivovits, plötsligt märkte han hur jävla törstig han var. En ren vodka, kall, utan is. Han svalde, slickade sig om munnen.

Var fan höll de hus? Vad höll de på med? De hade hans ballar i ett järngrepp, han gillade inte känslan.

Han tog några steg, sneglade utåt korridoren. Flera män, några han aldrig sett, alla med liknande kostymer, bruna, illasittande, vad i helvete? Klev snabbt tillbaka in i rummet, tysta snabba steg, svetten bröt fram i pannan, han förstod vilka de var, RDB-personal från Belgrad, var gjorde de här? För hans skull?

– Du kan gå in till konsuln nu.

Ut i korridoren igen, förbi den fete, in i nästa rum, de okända nonchalerade honom.

– Ratko, sa konsuln, det går ett plan till Skopje via Wien klockan sju i morgon bitti. Du kommer att bli hämtad på flygplatsen av de våra. Du åker genast.

Han stirrade på den skallige lille mannen som plockade med några dokument på sitt skrivbord, vad fan höll på att hända?

– Varför?

– Vi har nåtts av dåliga besked från Haag.

Hotet slog rot, satans helvete, krigstribunalen.

– De efterlyser dig för krigsförbrytelser i morgon klockan tolv.

Han svalde, kände svetten bränna, alla männen, vad hade de med saken att göra?

Konsuln slog ihop papprena till en prydlig bunt mot bordsskivan, reste sig och gick runt bordet.

– Vi har gjort i ordning nya handlingar åt dig, sa han. Våra besökare här har hållit på med dem hela kvällen. Du måste skriva på här och fotograferas, sedan är det klart.

Hans tankeverksamhet rullade sakta igång.

– Men, sa han, alla efterlysningar är ju hemliga fram till de släpps, hur kan ni veta?

Konsuln stannade framför honom, huvudet kortare, blicken stum. Han gjorde inte detta med glädje.

– Vi vet, sa han bara. När du fått ditt nya pass måste du lämna landet, inatt. Du lyfter från Gardermoen.

Han ville sjunka ihop, dricka en vodka, hinna fatta. Han skulle inte vara i säkerhet vid lunch, då var han i luften mellan Wien och Makedonien, sedan låg Skopje många timmar från Belgrad.

– Om du hinner fram kan du naturligtvis inte lämna Serbien inom överskådlig tid, sa konsuln. Jag utgår från att du inte har några ouppklarade affärer här.

Han svalde, stirrade på konsuln.

– Ditt nya pass blir norskt. Du heter Runar Aakre. Vi hoppas att det håller tills du är över gränsen.

Männen i rummet gick fram till honom på given signal. Alla hade sin uppgift att fylla, och det var bråttom.

Tisdag 6 november

HUSET VAR MÖRKT, ruvade hotfullt på kanten till havet. Thomas svalde hårt, visste att hon var vaken. Någonstans inne i mörkret satt Eleonor och väntade. Han hade aldrig tidigare varit borta på det här sättet, aldrig någonsin under sexton år.

Han stängde bildörren försiktigt, centrallåsets blipande ekade mellan husen. Tog tre djupa andetag, blundade, försökte definiera sina känslor.

Den unga kvinnan som han lämnat sovande i sängen fanns fortfarande som en stor och förtärande värme inom honom, herregud, han hade aldrig känt så här förut. Det här var på riktigt. Hon var otrolig, så äkta, så levande.

Annika.

Hennes namn hade dånat inom honom hela vägen från innerstaden ut till Vaxholm. Beslutet hade formats i farten och mörkret, egentligen var det självklart.

Han skulle vara ärlig. Han skulle berätta allt, säga precis som det var. Deras äktenskap var dött, Eleonor måste inse det. Han ville leva med henne, den andra, få ett nytt liv, en annan tillvaro. Han skulle inte skilja sig på grund av Annika, det var bara hon som fick honom att ta steget.

Han gick upp mot huset, lättad över att få omsätta sitt beslut i praktiken. Det frusna gruset knastrade under hans fötter.

Det skulle bli tufft, men Eleonor skulle komma över det. Huset fick hon behålla. Han ville inte ha det. Å andra sidan borde hon faktiskt lösa ut honom från det, värdestegringen var inte bara hennes.

Hon stod innanför dörren, i rosa morgonrock, rödgråten, vit i ansiktet av vrede.

– Var hur du varit?

Han släppte ner portföljen på hallgolvet, hängde av sig rocken och tände lyset. Hon skrek till.

– Vad har du gjort? Vad har hänt?

Hon rusade fram till honom, strök med fingret över stygnen i pannan. Han ryggade tillbaka, fångade hennes hand.

– Det gör ont, sa han.

Hon omfamnade honom, tryckte sig mot honom, började gråta, såg upp på honom, strök honom över håret.

– Åh, jag har varit så orolig, vad är det som har hänt, vad har du gjort?

Han undvek hennes blick, sköt henne ifrån sig, ville inte känna hennes kropp, hennes hårda behåkupor under morgonrocken.

– Jag måste lägga mig, sa han, jag är helt färdig.

Rundade henne och gick bort mot sovrummet, hon grep tag i hans arm, drog honom bakåt.

– Men säg då! skrek hon, tårarna rann. Vad är det som har hänt? Har du varit med om en olycka?

Han såg henne, i upplösningstillstånd, håret rufsigt, ansiktet randigt av gråt. Letade efter ord, hittade inga, blev stående, förlamad.

Hon tog ett steg närmare honom, färglösa läppar.

– Förstår du inte hur rädd jag har varit? viskade hon. Tänk om jag hade förlorat dig, vad hade jag tagit mig till?

Hon blundade och grät, tårarna sprutade. Han stirrade på henne, hade aldrig sett henne så uppriven, hans hustru, kvinnan han lovat älska tills han dog.

– Om det hade hänt dig något så hade jag dött, sa hon och öppnade ögonen, stirrade in i hans.

Samvetet slog till med full kraft, hotade kväva honom, herregud, vad hade han gjort, åh Gud, var han inte riktigt klok?

Han drog henne intill sig, höll henne hårt, strök henne över håret, hon grät mot hans skjorta, grät så som den andra…

– Förlåt, viskade han. Jag har… suttit på akuten hela natten.

Hon drog sig lös och såg upp på honom.

– Varför har du inte ringt?

Han drog henne intill sig igen, kunde inte möta hennes blick.

– Det gick inte, sa han. Jag satt inne i undersökningsrum hela natten, du vet, röntgen och sådant…

– Men vad har hänt?

Plötsligt kände han en pust av kön, en doft från hans egen kropp som absolut inte borde finnas där. Han svalde, strök hennes rygg, morgonrockens sträva plysch.

– Sätt på lite kaffe, sa han, jag måste duscha. Sedan ska jag berätta. Det är en lång historia.

De släppte varandra, såg in i varandras ögon, han gjorde blicken stadig, tvingade sig att le.

– Det är ingen fara, sa han, kysste henne på pannan. Jag älskar dig.

Hon kysste honom på hakan, släppte honom och gick ut i köket. Han gick in i badrummet, tryckte ner alla sina kläder i tvättkorgen, ställde sig under duschen, vattnet hett. Hon fanns på hela hans kropp, i varje por, han kände hennes doft överallt, den steg upp tillsammans med vattenångan och uppfyllde hela badrummet. Han kände den hårda lilla kroppen under sig, de mjuka brösten, det trassliga vilda håret, blundade, såg in i de bottenlösa mörka ögonen, kände penisen resa sig igen. Vred på kallvattnet, skubbade sig i skrevet med Wellas volymschampo.

Förtvivlan steg, vankelmodet slog rot.

Planeringsmöte igen. Han gjorde tamigfan inget annat än satt i möten hela dagarna. Hur fan fick man ut en tidning när alla bara satt och babblade hela jävla tiden?

Anders Schyman tvingade tillbaka sitt dåliga humör. Att ständigt gå omkring som den ansvarstagande, ömsinte, inkännande ledaren gick honom på nerverna.

Å andra sidan, dagisfaktorn var han van vid. Den ständiga publicistiska diskussionen likaså. Det som tog hans kraft var något annat, något nytt.

Maktkampen.

Han var inte van vid sådant. Alla jobb, alla positioner han haft hade han fått därför att folk velat ha honom där. Han hade erbjudits inflytande utan kamp, ätit vid maktens bord utan att behöva nedlägga och slakta något byte.

Han såg ut över redaktionen. Dagens arbete var igång. Reportrar ringde, redigerare hamrade på tangentbord, betraktade, utvärderade, klickade på möss, ändrade. Snart skulle han gå de fyrtiofem metrarna bort till chefredaktörens luftiga hörnrum, en maktens man, när han passerade skulle samtal avstanna, blickar skärpas, ryggar rätas ut.

Vad var maktens män beredda att göra för att behålla sin makt?

Han såg i ögonvrån att männen samlades, de filtklädda ryggarna drog sig bortåt ledaravdelningen, den ombonade korridoren, rummen med utsikt och rymd. Han följde efter dem, när han kom in i rummet satte sig de andra ner, väntade, tystnade.

– Vi börjar direkt, sa han och såg på Sjölander. Krim. Vart är den här historien med juggemaffian på väg? Hade kvinnan från Bosnien som mördades på Sergels torg något med saken att göra?

Alla blickar vändes från honom och mot Sjölander som rätade på ryggen.

– Kanske, sa krimchefen. De två liken från den uppbrända långtradaren är identifierade. De var två unga killar från en flyktingförläggning i Upplands Väsby norr om Stockholm, nitton och tjugo år gamla. De har varit försvunna ett tag, både polisen och ledningen på förläggningen trodde de rymt för att undvika avvisning. Så var det inte. Ena killen kunde identifieras på sina tänder, han hade varit hos tandläkaren sedan han kom hit. Den andra är man inte hundra på ännu, men allt pekar på att det är hans försvunne kompis. Det kan finnas ett samband mellan kvinnan på Plattan och killarna, tror polisen.

– Hur då? undrade Schyman. Kom de också från Bosnien?

– Nej, sa Sjölander, de var Kosovoalbaner. Men Aida, den mördade kvinnan, har bott på samma förläggning. Långt tidigare, visserligen, men personalen säger att hon brukade komma tillbaka och hälsa på. Hon kan ha träffat de bägge männen.

Redaktionschefen lutade sig tillbaka.

– Vad säger det här oss? sa han. Vad är egentligen det här för en historia?

Alla såg på honom, tysta, avvaktande, osäkra, han lät blicken svepa över dem, filtstimmet, ledarskribenten, nöjeschefen, samhällschefen, debattredaktören, Torstensson, sportchefen, bildredaktören.

– Vi har fem mord på en dryg vecka, sa han. Alla har varit extremt spektakulära. Först de två unga männen i Frihamnen, skjutna i huvudet på långt håll med ett kraftigt jaktvapen. Sedan de stackars jävlarna i långtradaren, torterade till döds, ihjälslagna bit för bit. Nu senast har vi kvinnan på Sergels torg, avrättad med ett nackskott mitt bland femtusen vittnen. Vad säger det oss?

Alla stirrade på honom.

– Makt, sa han. Det här är en maktkamp. Över pengar, kanske, eller inflytande, både politiskt och kriminellt, makt över liv och död. Jag tror inte vi sett slutet på det här ännu. Sjölander, jag vill att vi ligger på här.

Alla nickade, alla höll med honom, han noterade det noga.

Makt. Han var på väg att koppla greppet.

Taket svävade ovanför henne, skimrade i dunklet. En sekund låg hon där, undrade var hon befann sig, lät sig fyllas av berusningen, känslan av total salighet, sedan förstod hon vad som var fel.

Annika satte sig käpprak upp i sängen, lade handen på kudden bredvid sig för att förvissa sig om att han inte var där. Tomheten högg till, vass och kall.

Han hade åkt. Åkt hem till sin fru som hette Eleonor, Eleonor Samuelsson.

Hon rusade upp för att se om han skrivit någon lapp, några ord om deras möte eller ett löfte om att ringa. Letade i köket, i hallen, i vardagsrummet, rev upp sängkläderna för att se om han lagt något på kudden, en lapp som ramlat ner någonstans, drog fram sängen, letade under.

Ingenting.

Hon försökte sortera känslorna, lycka, svek, tomhet, förtröstan, jublande berusning.

Lade sig ner bland täcken och påslakan och stirrade upp i taket igen.

Salighet. Hon hade aldrig känt den förr, inte på det här sättet. Med Sven fanns hela tiden det mörka draget i botten av kärleken, prestationstvånget, lyckokravet.

Det här var annorlunda. Varmt, lätt, egendomligt, fantastiskt.

Hon lade sig på sidan, drog upp benen, hans sperma fortfarande kladdig mellan låren. Bredde påslakanet över sig, drog in hans doft.

Thomas Samuelsson, kommunalbyråkrat.

Hon skrattade högt, lät den bubblande känslan glittra.

Thomas Samuelsson, med blankt hår och bred bröstkorg, en mun som kunde kyssa och smeka och suga och bita.

Hon rullade ihop sig till en liten boll, gungade sig själv, nynnade lite.

Hon visste det. Hon var alldeles säker. Hon ville ha honom. Thomas Samuelsson, kommunalbyråkrat.

Hon satte sig upp, tog telefonen.

– Thomas Samuelsson är sjukskriven, sa receptionisten vid Vaxholms kommun. Han har råkat ut för ett överfall. Vi är ganska upprörda här.

Annika log för sig själv, visste att det inte var någon större fara med socialkamreren, tackade och lade på. Satt med luren i handen flera sekunder, tvekade. Sedan slog hon numret, hemnumret, det åttasiffriga. Väntade med bultande hjärta medan signalerna gick fram, snart var han hos henne igen, snart snart snart. Hon log, värmen steg.

– Samuelsson.

Hon var hemma, Eleonor var inte på banken, hon var tillsammans med honom.

– Hallå? Vem är det? Vad håller ni på med?

Annika lade långsamt på luren, torr i munnen, skit skit skit. Det glittriga begärliga sjönk undan, ensamheten bankade på.

Hon såg dem tillsammans, den konturskarpe mannen och den otydliga kvinnan, ungdomsdrömmen. Hon svalde, misslyckandet gnagde, drog på sig joggingkläderna, gick en runda, ner till toaletten, ut i köket och gjorde kaffe, satte sig i vardagsrummet med anteckningarna och telefonen.

Thomas Samuelsson och hans fru, skit skit skit.

Hon ringde Anne Snapphane, inte hemma, sin mamma, inget svar, avdelningen på Kullbergska, mormor sov.

– Jag kommer ikväll, sa hon till avdelningssköterskan.

Slog sedan Berit Hamrins direktnummer, inget svar, provade Anders Schymans. Signalerna gick fram. Hon skulle precis lägga på när han svarade, lätt andfådd.

– Upptagen? undrade hon.

– Kommer precis från ett planeringsmöte, sa han. Hur mår du?

Ett sting av dåligt samvete drabbade henne, hon skulle ju vara sjuk.

– Sådär, sa hon. Jag var ute i Järfälla igår, vid Paradisets fastighet. Det var intressant.

Hon hörde buller, en möbel som skrapade mot en annan, en grund suck.

– Jag sa ju åt dig att koppla bort det där.

– Jag mådde bra, sa hon, så jag tog en promenad. Uppgifterna från min källa verkar stämma. Jag gick igenom kontoret, kunde inte hitta spår av någon verksamhet förutom själva faktureringen. De är bra på att ta betalt. Alla pärmar var tomma...

– Vänta nu, sa redaktionschefen. Släppte Rebecka in dig på sitt kontor?

Hon blundade, bet ihop tänderna ett ögonblick.

– Inte direkt, sa hon. Men jag bröt mig inte in, om man säger så. Jag var inbjuden, hade fått nycklar.

– Av Rebecka?

– Av hennes hyresgäst. Och när jag var där så kom Rebecka dit tillsammans med en man, kanske hennes bror...

– Och du befann dig i deras fastighet?

Annika reste sig upp, plötsligt irriterad.

– Lyssna nu då, sa hon. Jag gömde mig, och medan jag var där kom Thomas Samuelsson dit, kommunkillen från Vaxholm. Han var jätteförbannad på en faktura som Rebecka faxat samma morgon. Klienten som hon skulle ha betalt för var redan död!

Det blev tyst i luren. Annika tyckte namnet Thomas Samuelsson ekade i tystnaden, att hennes röst låtit underlig när hon uttalat hans namn, blivit egendomligt rund och varm.

– Fortsätt, sa Schyman. Vad hände?

Hon harklade sig.

– De slog ner kommunkillen, låste in honom i en skrubb och gick för att hämta en bil. Jag släppte ut honom och körde honom till akuten.

– Herregud, de är ju våldsamma! Annika, du åker inte ut dit mer, hör du det!

Hon kliade sig i pannan, kände på märkena hon fått av spiralfjädrarna under sängen, tvekade. Beslutade sig för att inte berätta om Aida.

– Okey, sa hon.

– Vi måste köra den här storyn snart, sa Schyman. Vad behöver du för att kunna skriva?

Annika funderade.

– Kommentarer av folk, intervjuer med jurister, socialarbetare, verksamheten måste sättas in i ett större sammanhang. Det tar nog lite tid. Rebecka själv måste ju få svara på kritiken också.

– Den här kommunkillen, tror du han pratar?

Hon svalde, rösten mjuk igen.

– Thomas Samuelsson? Det kanske han gör.

– Har du några fler ingångar på myndighetsfolk?

Hon blundade, tänkte efter.

– Jag såg några fakturor, det var nog inte särskilt lagligt, men jag hann se några referenser. Helga, Helga Axelsson tror jag, i... Österåker. Och så en i Nacka, Martin någonting, ...lius något, det kan inte finnas så många. Resten hann jag inte gå igenom, det var lite stressigt.

– Sådant här kallas egenmäktigt förfarande och olaga intrång, sa Schyman. Annika kunde inte bedöma om han var nöjd eller bekymrad.

– Ja, sa Annika, om man torskar. Jag gick in med nyckel och lämnade inga spår.

– Hade du handskar?

Hon svarade inte. Hon hade inte haft handskarna på sig, och hon fanns i kriminalregistret.

– Jag tror inte Rebecka ringer polisen, sa hon.

– Vill du ha hjälp med research? frågade redaktionschefen.

Inte av Eva-Britt Qvist i alla fall, tänkte hon.

– Jag jobbar gärna tillsammans med Berit Hamrin, sa hon.

– Jag ber Berit ringa dig, sa han.

– Okey.

Tystnad, hon anade tankeverksamhet i andra änden.

– Vi gör så här, sa Anders Schyman. Jag kopplar bort dig från nattarbetet nästa pass. Du tar det lugnt resten av veckan och kommer in på måndag, jobbar dagtid tills det här är klart, ska vi säga så?

Annika blundade, andades ut, leendet kom långt inifrån.

– Visst.

Hon nästan flög ner till stationen, dansade utan att vidröra marken, märkte inte den bitande vinden. Var framme, hade kommit dit hon ville, yes yes yes. Nu skulle hon få bli reporter igen, det kände hon på sig. Hon skulle göra intervjuer, skriva artiklar, granska makthavare, avslöja korruption och skandaler, ta fram den lilla människans perspektiv, stå på de utsattas sida.

På tåget hamnade hon så att hon kunde välja mellan att stirra in i en bagagehylla eller ut på de förbirusande, brungröna barrträden. Hon blundade, tåget dunkade.

Tho-mas Tho-mas, Tho-mas Tho-mas, Tho-mas Tho-mas.

Jublet kom av sig, ilskan kom krypande, förorätten. Han hade inte ringt. Han hade inte skrivit något meddelande. Han hade lämnat henne sovande i sängen utan att säga något. Hade han tittat på henne innan han gick? Hade han smekt henne på kinden? Vad hade han tänkt, känt? Skam, ånger? Sällhet, berusande jubel?

Det gjorde fysiskt ont att inte veta, brände i bröstet, gav henne darrningar.

Hon bet ihop tänderna och stirrade ut genom fönstret.

Mor-mor mor-mor, mor-mor mor-mor, mor-mor mor-mor.

Stabilitet och kärlek, var hade hon varit utan den? Den gamla kvinnan var hennes sammanhang, hennes förankring i en verklighet som inte ville sluta gunga. Hon borde ställa upp, det var det minsta någon kunde begära, men hon orkade inte, ville inte. Skämdes över insikten, kröp ihop på sätet, frös.

Hon var ju äntligen där. Studierna, harvandet på lokaltidningen, hundåren på natten, nu var det skördetid. Skulle hon ge upp alltsammans för att göra något som var samhällets ansvar? Eller var det verkligen samhällets? Vad är vi skyldiga varandra?

Tåget dunkade, snö smetade ner rutan. När hon steg av tåget i Katrineholm hade det blåst upp rejält. Ovädret slog henne i ansiktet som en vass kvast. Känslan av orättvisa och ilska växte, varför just här just nu?

Hon stapplade framåt, över Stationsplan och bort mot Trädgårdsgatan. Motvinden låg på, det blev snabbt halt. Lågtrycket fick mörkret att tätna, ljuden suddades ut. Bilar gled förbi med snåla lyktor och knarrande dubbdäck. Kullbergska reste sig till slut uppe till höger, fyrkantigt och grått. Hon stapplade upp i entrén, sopade av sig, lutade sig mot väggen och pustade ut. Två unga kvinnor var på väg ut. Båda var gravida och klädda i färgglada täckkappor.

Annika vände bort blicken, låtsades inte se dem.

Jag skulle hellre dö än att bo i den här stan.

Gick långsamt upp till avdelningen, såg framför sig de långsamma timmarna, mormoderns mumlande tal om det som varit, den hårda britsen där hon skulle sova i natt.

Korridoren låg öde i fladdrande blått lysrörsljus, hon uppfattade ett sipprande samtal från sköterskeexpeditionen, gick förbi utan att anmäla sin ankomst. Några av dörrarna stod på glänt, hon hörde gamlingar rossla och hosta. Mormoderns dörr var stängd, när hon drog upp den möttes hon av ett svalt luftdrag. Rummet var mörkt, den gamla låg i sin säng. Hon gick fram och tände den lilla lampan vid sänggaveln, ljuset föll ner på den gula landstingsfilten.

Hon log, lyfte handen till en smekning på den gamlas kind.

– Mormor?

Den gamla kvinnan låg på rygg. Annika såg hennes insjunkna ansikte och visste direkt, ögonblickligen, omedelbart. För stilla, för vit, för slapp. Lät ändå handen nå huden, kall, grå. Insiktens stöt nådde bröstet, sedan hjärnan, sedan lungorna, sedan skrek hon, skrek och skrek och skrek, sköterskorna kom, läkaren kom, hon skrek och skrek.

– Rädda henne, ni måste rädda henne, hjärtmassage, elchock, respirator, gör något, gör något...

Läkaren med hästsvans gled upp framför henne, allvarlig, i motljus.

– Annika, sa hon, Sofia Katarina är död.

– Nej! skrek Annika. Nej!

Gick bakåt, något välte, hon såg inte, kaos.

– Annika...

– Ni måste återuppliva henne, gör något, operera...

– Hon avled i sömnen, lugnt och stilla, hon var väldigt sjuk, Annika, det kanske var bäst så här...

Annika stannade till, stirrade på läkaren, tunnelseende.

– Bäst? Är du inte klok? Bäst? Ni såg inte till henne, ni lät henne ligga här och dö, vanvårdad till döds, jag ska anmäla er era jävlar...

Hon måste ut, måste bort, gick mot dörren, folk i vägen, vände, krockade med en sköterska, läkaren tog tag i hennes axlar.

– Annika, lugna ner dig, du är hysterisk, vi var inne här hos Sofia Katarina för mindre än en timme sedan, då sov hon lugnt.

Annika slog sig lös.

– Hon kan inte vara död, hon är ju på sjukhus, varför såg ni inte till henne, varför lät ni henne ligga här och dö, era jävlar, era jävlar...

Någon tog tag i henne, hon slog ifrån sig, skrek, de ville ta bort henne från mormor, de ville förstöra ännu mer, de skulle inte få ta henne.

– Låt mig vara, låt mig komma till henne, ni lät henne dö, låt mig ta hand om henne...

Ansikten flöt förbi, hon ville inte se dem, kastade sig bakåt, de skrek åt henne, Annika! Hon vrålade till svar, vägrade höra, vägrade lyssna.

– Satans mördare, skrek hon, ni lämnade henne att dö!

De tryckte ner henne på en brits, höll fast henne, nu skulle de ge sig på henne också, hon vrålade och kämpade emot.

– Något lugnande, sa rösterna, vi måste få i henne Sobril...

Plötsligt orkade hon inte mer, sjönk ihop på britsen, kände sorgen kväva henne, ljuset försvann, hon orkade inte skrika mer, fick ingen värme, ingen luft, kämpade efter syre, andades, andades, någon annan skrek, hon hyperventilerar, kom hit med en påse, töcken, töcken, mörker.

Modern satt bredvid henne. Minkpälsen var slängd på stolen intill. Annika låg på den hårda britsen, hon hade fått piller, rummet hade glidit bort, sjunkit undan, gungande. Hon såg upp mot fönstret, det var alldeles svart därute.

Jag vet inte vad klockan är, tänkte hon.

Mormodern låg i sin säng, stilla och vit. Två stearinljus brann i rummet, ett på var sida om sängen, gjorde två gyllene cirklar i mörkret.

Annika satte sig upp. Hennes mamma grät.

– Jag hann inte fram, snyftade Barbro. De ringde, mamma var redan död när jag kom. Hon dog i sömnen, det var visst väldigt fridfullt.

Annika kände rummet gunga, full sjögång, torr i munnen.

– Vet väl inte personalen, sa hon. Det var jag som hittade henne. Det ska inte vara några ljus här.

Annika reste sig, gick ut på golvet, vacklade, vinglade, ville till mormor, ville ta bort ljusen, döden, skaka liv i henne.

Modern reste sig och tog tag i henne.

– Sätt dig ner. Förstör inte den här stunden nu. Låt oss ta farväl av mamma på ett lugnt och värdigt sätt.

Hon ledde Annika tillbaka till britsen igen.

– Det var bäst så, sa modern och torkade sig i ögonen. Sofia hade aldrig fått ett anständigt liv igen. Hon som tyckte så mycket om att vara ute i skog och mark, tänk dig henne ligga här som ett paket. Det hade hon inte velat.

Annika satt på britsen, hade svårt att hålla balansen, såg modern sjunka neråt, stiga uppåt, gunga.

– De mördade henne, sa Annika.

– Sluta prata strunt, sa modern. Hon fick en blödning till säger läkarna, förmodligen på samma ställe. Det fanns inget de kunde göra.

Annika såg på mormodern, kärleken, styrkan, sammanhanget, så liten, så vit, så tunn. Snart skulle hon vara borta för alltid. Nu var hon ensam.

– Hur ska jag klara mig? viskade hon.

Modern reste sig och gick bort till den döda, ställde sig och såg ner i det gamla ansiktet.

– Hon hade sina sidor, sa Barbro. Hon kunde vara orättvis och fördömande, men nu när hon är borta så får man bortse från sådana saker. Vi ska minnas de goda stunderna.

Annika letade efter något att säga, hittade inte sina tankar, ville inte pressa fram plattityder. Orkade inte delta i moderns spel. Satt tyst, stirrade på sina händer. Mindes känslan av den kalla huden, det döda huvudet. Stoppade upp handen till värmen i armhålan.

– Hon hade sina brister, sa Barbro, men det har vi ju alla. Jag önskade mig en mamma som brydde sig, som tog hand om mig. Det hade alla andra flickor när jag var liten.

Annika svarade inte, försökte att inte höra, modern pratade på, mest för sig själv.

– Fast sin mamma älskar man ju alltid ändå, mamman är ju den som står en allra närmast.

– Mormor stod mig närmast, viskade Annika, kände tårarna svämma över, rinna nedför kinderna. Hon gjorde inget för att hindra dem, lät dem vara, lät smärtan sjunka in.

Modern såg upp på henne, blicken långt borta, svart.

– Var inte det typiskt att det skulle komma från dig just nu, sa hon.

Hon lämnade den döda, gick fram mot Annika, rödögd, munnen som ett streck.

– Mamma höll dig alltid om ryggen, viskade Barbro, men nu kan hon inte göra det längre.

Annika blundade, kände modern komma inpå henne.

– I alla år satte hon dig framför Birgitta, och du bara roffade åt dig. Hur tror du det kändes för din lillasyster? Va?

Annika gömde ansiktet i händerna.

– Birgitta hade ju dig, sa hon.

– Och det hade inte du, menar du? Har du någon gång funderat över vad det berodde på? Det kanske hade att göra med dig som person? Se på mig!

Annika såg upp, blinkade, modern stod framför henne,

ovanför henne. Kvinnans blick var mörk, ansiktet förvridet, smärta, förakt.

– Du har alltid förstört för alla andra, viskade Barbro. Du är en olycksfågel, det är något fel på dig, du har bara skapat elände omkring dig sedan du föddes.

Annika flämtade till, backade upp på britsen.

– Men mamma, sa hon, du vet inte vad du säger.

Modern lutade sig framåt.

– Vi skulle ha varit en lycklig familj, sa hon, om det inte varit för dig.

Dörren öppnades, läkaren kom in, tände lysröret i taket.

– Ursäkta, sa hon, ska vi gå ut igen?

Modern rätade på sig, hennes ögon stirrade in i Annikas.

– Nej då, sa hon, det behövs inte. Jag skulle just gå.

Hon tog sin handväska, sin päls, sträckte fram handen och tackade läkaren, mumlade något, kastade en sista blick på den döda, gick ut ur rummet.

Annika satt kvar, munnen öppen, tårarna som en gardin i ansiktet, tillintetgjord, hade hon hört rätt? Hade hon verkligen sagt orden, de alltid outtalade, de ständigt underliggande, de förbjudna nyckelorden som låste upp och definierade hennes barndom?

– Hur mår du? undrade läkaren och satte sig på britsen bredvid henne.

Annika böjde huvudet, flämtade efter luft.

– Jag sjukskriver dig månaden ut, sa läkaren. Du ska få ett recept med dig också, tjugofem stycken 15 milligrams Sobril. Du kan knappast överdosera dem, men du ska inte blanda dem med sprit, då blir de farliga.

Annika lade händerna för ansiktet, försökte hejda skakningarna i kroppen. Läkaren satt kvar en stund, tyst.

– Stod du din mormor nära? frågade hon.

Annika nickade.

– Du har fått en hemsk chock, sa hon, eller egentligen två. Det var du som hittade mormor i huset också, eller hur?

Nickade igen.

– Det finns stadier som alla anhöriga går igenom, sa läkaren, i större eller mindre utsträckning. Det första är chock, där är du nu, sedan kan det komma en tid av aggressivitet, därpå förnekande och slutligen acceptans. Du måste vara snäll med dig själv nu, du kan hamna i en period med rejäl ångest, få problem med magen eller sömnen. Det är normalt, det går över. Men om det blir för svårt så måste du söka hjälp. Ta pillerna om det blir för jobbigt. Du kan alltid ringa till någon här på sjukhuset om du vill prata. Du kan få en tid hos en kurator, om du vill.

Skakade på huvudet.

– Ingen terapeut, sa Annika.

Läkaren strök henne på ryggen.

– Säg till om det är något. Vi ska flytta Sofia Katarina nu. Behöver du hjälp att ta dig någonstans?

– Sofia Katarina, viskade Annika. Jag är döpt efter henne. Jag heter Annika Sofia.

– Annika Sofia, sa läkaren, nu ska du vara rädd om dig själv.

Annika såg upp på henne, strax intill men så långt borta.

Svarade inte.

Del tre

December

Skammen är det mest förbjudna.

Allt kan vi tala om, men inte det vi skäms mest över. Andra känslor, även de svåra, kan delas och vädras, men aldrig skam. Det ligger i dess natur. Skammen är vår största hemlighet, utgör ett straff i sig själv.

För skammen finns ingen nåd. Allt annat kan förlåtas: våldet, ondskan, orättvisan, skulden, men för det mest skändliga finns inte absolution. Den är inte skammen förunnad.

I mitt fall sammanfaller skulden och skammen. Det är vanligt, men ingen regel. Jag svek. Allt jag gjort de senaste åren har gått ut på att sona min feghet. Därför är känslan av skuld ändå en kreativ kraft, den manar till handling och hämnd.

Min skam kan jag inte hantera. Den förgör mig, tillsammans med våldet. Den växer inte, den krymper inte, den ligger som en cancer längst ner i mitt medvetande.

Bidar sin tid.

Urholkar.

Måndag 3 december

MANNEN I DE SVARTA KLÄDERNA landade ljudlöst på tågperrongen. Hans knän gungade till och hämmade det mesta av ljudet, gummisulorna under hans skor absorberade resten. Han andades ut, såg sig omkring, han var den ende som klev av. Snabbt vände han sig om och tryckte igen dörren, det var inte meningen att någon skulle märka hans sorti.

Luften var frisk och kall, han fylldes av triumf.

Ratko var tillbaka i Sverige. Allt hade gått exakt som han planerat. Det gällde bara att ha drivet i kroppen, den hejdlösa viljan, kompromisslösheten. De trodde de visste var de hade honom, trodde att de hade tummen i hans öga.

I helvete.

Konduktören öppnade en dörr längre fram i tåget, han förflyttade sig tyst och inte överdrivet snabbt bort mot stationsbyggnaden, en nattvandrare på järnvägsstationen i Nässjö, en rastlös själ.

Han kastade en blick på klockan, 03.48, tåget hade nästan hållit tidtabellen.

Samtidigt som han rundade stationsbyggnaden kastade han en blick över axeln, konduktören stod med ryggen till, hade inte noterat honom. Varför skulle han göra det?

Han vände sig mot den sovande staden, allt medan den norske medborgaren Runar Aakre förmodades sova vidare i sin liggvagn upp till Stockholm.

Han gick upp längs Esplanaden, det var länge sedan han varit här. Plötsligt slog en oroskänsla rot, någonting hade kanske gått snett, han fick inte ta ut några segrar i förskott, vad som helst hade kunnat hända med bilen, den kunde vara stulen, ha frusit, batteriet kunde ha laddat ur.

Måla fan på väggen, tänkte han irriterat, är det sista jag behöver göra.

Sneddade över Stortorget, frös redan. Det skulle bli en lång och kall promenad.

Utanför Kulturhuset på Rådhusgatan stod ett gäng cyklar, han sökte raskt igenom högen och fann en olåst damcykel.

Det skulle bli ännu kallare, men under kortare tid. Raskt trampade han norrut mot Jönköpingsvägen.

Det var helvetiskt, motvind, halt, mörkt, han flämtade redan.

Snart, tänkte han, snart är jag där.

Resan hade frestat på. Det falska passet brände i hans ficka. Vid varje gränskontroll hade han varit nervös, på gränsen till spattig. Han visste varför.

Han hade inte greppet längre. Makten hade tagits ifrån honom. De hade låtit honom behålla nattklubben, men resten av privilegierna var borta. Sådant märktes blixtsnabbt i en stad som Belgrad. Respekten försvann, hans fru ville skiljas. Inte ens hans rykte som krigshjälte hjälpte längre, för folket var han en föredetting som inte tagit sitt ansvar i Kosovo, för de överordnade var han den som slarvat bort ett parti värt femtio miljoner. Arbetarna i fabriken som tillverkade piratcigaretterna fick gå utan lön. Hela organisationen tappade fart. Nu var alla tvungna att jobba dubbelt så hårt för att ta igen förlusten efter misstaget, hans misstag. Vad var tio år gamla upprensningar mot det?

Han trampade, jävlar vilka backar det var här, det hade han glömt, backigt och mossigt och jävligt.

De trodde han skulle ge upp, att efterlysningen från Haag skulle få honom att kräla in i någon jävla förortshåla och gå på fotboll en gång i veckan och knulla småbrudar och dricka Slivo resten av livet, i helvete.

Han var sin egen nu, sin egen uppdragsgivare. Han gjorde det han kände för.

Nu kunde hon sitta där, hans satans svekfulla hora till fru och fundera över vem fan som skulle betala hennes kläder och drinkar i fortsättningen.

Resan tillbaka till Belgrad för en månad sedan hade gått som den skulle. Ingen hade ifrågasatt hans pass, mannarna hade väntat i Skopje som planerat. Bilfärden upp till Belgrad hade varit lika vansinnigt långtråkig som alltid, men med Slivo gick den fortare. Alla var ganska fulla när de kom fram, ingen hade kommit ihåg att kräva tillbaka hans pass.

Sedan var han ute i kylan. De överordnade tog inte kontakt med honom längre. Ville han ha vakter fick han hålla dem själv, betala ur egen ficka.

Bitterheten gnagde, han trampade hårt.

De var veklingar, tänkte han, de fattade inte hur det var att operera ute på fältet. De visste inte hur man överlevde i fiendelägret.

Det blev nedför, han pustade ut, i den vassa vinden fylldes han av känslan av triumf igen.

Vad han hade lurat dem! Bara seglat iväg utan att de hade en aning om det. Ingen visste vart han tagit vägen, han hade gått upp i rök.

Röda kors-arbetaren Runar Aakre hade hyrt en bil i Belgrad för att köra en tripp till Ungern, i gränsövergången hade han förklarat på engelska att han behövde åka upp och fixa lite grejer i Szeged, skulle bara vara borta några timmar. Han hade haft alla papper klara, grönt kort, internationell försäkring. Tullarna hade studerat honom, lyst in med ficklampa i bilen. På passagerarsätet bredvid honom låg Verdens Gang, den norska kvällstidningen, tjugofem dagar gammal men det såg ju inte tullaren, han hade sparat den från flygplatsen utanför Oslo, visste att den skulle komma väl till pass.

De hade vinkat förbi honom.

Han stannade naturligtvis inte i Szeged utan fortsatte upp till Budapest. Där sov han några timmar i baksätet innan han övergav bilen på en parkering utanför ett möbelvaruhus.

I en postbox inne i centrum hade biljetterna legat och väntat. Han hade bokat dem från en telefon i en bar, betalat med ett rent kreditkort och uppgivit boxen som avsändare. Han hade använt den förr.

Vinden vred och ökade i styrka, träffade honom från sidan. Hjulen gled i snömodden, han stönade. Nåja, kylan kunde han ha överseende med. Snart skulle han slippa den, för evigt. Hans nya verksamhet skulle inte utövas på platser där det någonsin fallit snö. Det gällde bara att sy ihop alltsammans, finansiering, kunder, medarbetare.

Naturligtvis var det idiotiskt att lämna Serbien med Haag i hälarna. Ingen trodde att han skulle göra det, alla förväntade sig att han skulle ruttna bort i sin förortshåla. Men det gick att resa osedd genom Västeuropa, förutsatt att man åkte lokala expresståg. Mjölktågen från öst var inte att tänka på, men affärsmännens pendeltåg mellan huvudstäderna saktade knappt farten vid gränskontrollerna. Det var en omväg, men den var nödvändig. Han måste upp till Sverige, och han måste träffa sin vän i öst.

Tågresan hade varit nervös men händelselös, Wien, München, Hamburg, Köpenhamn. Han hade gått iland i Limhamn igår kväll tillsammans med fyrahundra hemvändande svenskar, alla med kärror fulla med ölflak. Han hade själv släpat med en back för att smälta in i mängden, hade sjungit tillsammans med en dyngfull trelleborgare genom passkontrollen.

Nattåget mot Stockholm gick 22.07, exakt i tid. Han hade sovit som en sten ända till klockan 03.30.

Han passerade Äng, cyklade snabbt och tyst, ville inte bli sedd. Hela samhället sov.

Så tog han av upp till höger, in bland träden, uppför backarna. Stammarna slöt sig omkring honom, han blev osynlig igen. Vägen var sämre, svårare att cykla på, han föll två gånger. Till sist såg han avtagsvägen till vänster, stannade, märkte hur slut han var. Benen darrade av ansträngningen, händerna visade början till förfrysningsskador, han märkte att det hängde snor från näsan. Han vilade sig ett ögonblick, lutad över cykeln, flämtade. Kastade sedan cykelhelvetet in bland träden, rosta sönder din jävel, klev sedan med stora steg genom den torra skaren upp till garaget.

Där, gaveln, faluröd. Hans puls ökade. Tänk om något gått åt helvete, vad gjorde han då?

Med darrande fingrar trevade han över väggen på baksidan, fick för sig att den var borta, kände paniken komma krypande, men fann den. Nyckeln låg kvar där han lagt den.

Han stapplade runt, låste upp, knuffade upp dörrarna, fick ta i med axeln för att pressa bort det tunna snötäcket. Ställde sig och tittade på bilskrället, den var verkligen inte mycket att skryta med, en tvådörrars Fiat Uno från –87. Han drog upp skattemärket han skrapat bort från en lastbil i Malmö, bilnumret stämde inte men vid ett hastigt påseende skulle ingen tänka på det, tejpade fast det med den dubbelhäftande han haft i fickan.

Nu gällde det.

Han gick runt bilen, fumlade på höger framhjul, hittade bilnycklarna. Låste upp bilen, satte sig i, vred på nyckeln.

Motorn gick runt, hackade, hostade, dog.

Han svalde.

Vred igen, hackade, hostade, gick igång. Han andades ut, märkte plötsligt att han var alldeles svettig i pannan trots kylan. Gasade några gånger, väntade i garaget, lät motorn och oljorna rulla igång.

Medan bilen sakta tinade upp böjde han sig fram, öppnade handskfacket, trevade efter den lilla mässingsnyckeln. Den låg också kvar.

Blundade, vilade, kände lugnet sprida sig.

Pengarna var säkra. De låg i bankfacket i källaren på SE-Bankens kontor i Gamla stan i Stockholm. Han hade aldrig haft för avsikt att använda dem för egen räkning, de skulle användas för oförutsedda utgifter i cigaretthanteringen, men beslutet hade varit deras. De hade skickat ut honom i kylan, nu fick de betala.

Han förstod inte varför de lämnat honom i sticket. Den försvunna satans lasten var visserligen värd en hel del pengar, men den förklarade inte de överordnades fullständiga avståndstagande. Inte ens efterlysningen från krigstribunalen borde ha fått sådana här konsekvenser. Det kryllade av misstänka krigsförbrytare i Serbien som åtnjöt stort anseende.

Det var något annat. Han kunde inte sätta fingret på vad. Kanske hade någon medvetet försökt få bort honom, någon riktig höjdare, någon som ville åt hans makt och befogenheter.

De kan aldrig ta min plats, tänkte han. Ingen annan har min erfarenhet, mina kontakter.

Han gasade, rusade motorn, värmen började sprida sig i kupén.

Förutom pengarna hade han en del oavslutade affärer i Stockholm. Lasten må vara väck, men han hade inte för vana att lämna lösa trådar.

Långsamt lät han bilen rulla ut i natten.

Adventsstjärnorna hängde på sned i representationsvåningens fönster. En kvinna från byggföretaget hade klättrat omkring därinne i fredags, pysslat och pyntat. Annika stirrade på dem, halmstjärnor, de vajade lite av den uppåtstigande värmen från elradiatorerna. Hon förundrades över människans förmåga att ägna sig åt meningslösheter, att avsätta tid och kraft åt juldekorationer.

Hon gick och lade sig igen, stirrade in i väggen, koncentrerad på mönstret bakom den tunna grundfärgen, lila medaljonger. Gårdshuset låg öde, det var bara den arbetslösa hårdrockaren längst ner som var hemma. Hon blundade, lät basgången vibrera.

Det här går inte längre, tänkte hon. Jag kan inte ha det så här.

Hon rullade över på rygg, stirrade upp i taket, såg spindelväven sväva i draget från den trasiga rutan i vardagsrummet. Följde sprickorna med blicken, hittade fjärilen i mönstret, bilen, döskallen. Ensamhetstonen i vänster öra, hon kastade sig på sidan igen, lade kudden över huvudet, slapp inte undan, aldrig någonsin, kunde aldrig gömma sig. Förtvivlan överföll henne, kroppen drog ihop sig, blev en hård boll, huvudet föll bakåt, hon hörde ljudet komma, sitt eget läte, den okontrollerbara gråten. Hon kände igen den och blev inte rädd, lät den slita, visste att den skulle ta slut, kroppen orkade inte hur länge som helst.

Efteråt var hon matt och törstig, öm av ansträngningen. Värken i ryggen var värst, den släppte aldrig helt, den molande spänningen i magen. Låg kvar ett tag, flämtande, tung, lät tårarna torka in på kinderna.

Jag undrar vad grannarna tänker. De kanske tror att jag håller på att bli galen.

Hon gick upp, yr, höll sig längs väggen på väg in i köket. Halmstjärnorna vajade. Kranen droppade. Kylen var tom.

Hon satte sig vid köksbordet, sjönk ner med armarna mot den kalla bordsskivan, huvudet på händerna, stirrade på mormors mässingsstake. Den var en bröllopspresent som Sofia Katarina och Arvid fått när de gifte sig, hade stått på skänken i Lyckebo i alla år.

Annika blundade. Mormor var borta. Hon hade nästan inget minne av begravningen, bara förtvivlan, gråten, hjälplösheten. Det hade varit ganska mycket folk där, stirrande blickar, viskningar, förebrående ögonkast.

Av jord är du kommen…

Hon reste sig, gick ut till soffan i vardagsrummet. Dammet steg upp med en pust när hon satte sig. Hon såg på telefonen. Birgitta hade ringt efter begravningen, frågat varför hon varit så elak mot mamma.

Ska ni aldrig ge er, hade Annika skrikit, när är det nog? Hur mycket ska jag straffas för att någon älskade mig? När är ni nöjda? När jag är död?

Du är ju inte klok, sa Birgitta. Folk har rätt. Stackars dig.

Mormor hade nästan inte ägt någonting, men det lilla som fanns skulle det naturligtvis bråkas om. Annika hade bett att få ljusstaken, resten fick vara.

Hon drog upp benen på soffan, gungade gungade, fönstret med Ica-kassen steg sjönk, steg sjönk.

Thomas hade inte ringt. Inte en enda gång. Natten hade aldrig funnits, den berusande känslan ett minne av en dröm. Hon grät, stilla, över den kärlek som aldrig blev, gungade gungade. Måndagen den femte november, det var deras dag, deras natt, den som försvunnit, tjugoåtta dagar sedan, hon hade blivit en månad äldre, tjugosju dagar sedan mormor dog, hon hade blivit tjugosju år ensammare. Hon undrade hur länge hon skulle räkna, ett år sedan mormor dog, två år, sju år sedan hon blev ensam.

Värken i magen ville inte gå över, molandet i ryggen gnagde. Hon stannade sin gungning, stirrade på bordet. Lägenheten hade svalt henne, hon hade suttit här i fyra veckor, ensam mest hela tiden. Läkaren i Katrineholm hade sjukskrivit henne året ut. Anne Snapphane hade kommit upp ett par gånger i veckan, haft med sig mat, en video och en bergsprängare.

– Det är produktionsbolagets, hade hon förklarat. Jag har lånat dem så länge.

Tystnaden och tomheten hade fått konkurrens av filmer på hyrvideo, Jim Steinman och Andrew Lloyd-Webber på stereon.

Hon hade velat ha honom. Hon hade haft honom en natt för tjugoåtta dagar sedan, snart mindes hon den inte längre.

Det vred om i magen, en välbekant känsla, hon hade fått

mens. Hon stönade, gick ut i sovrummet för att leta rätt på en binda.

Förpackningen var slut. Hon stod med den trasiga plastpåsen i handen och tänkte efter. Hade hon bindor någon annanstans?

Hon gick ut i hallen, rotade fram bagen, de lösa bindorna hade gått sönder i sina engångsförpackningar och var fulla av skräp och grus. Hon satte sig på golvet, plötsligt yr, illamående, kollade i trosorna.

Ingenting. Ingen mens.

Tjugoåtta dagar sedan.

Hon flämtade till, en hisnande tanke slog rot. Tog upp sin lilla fickalmanacka, Oskar Ossian hade namnsdag, månen var på väg i nedan, julafton var en måndag i år.

Räknade, funderade, när? Helgen 20, 21 oktober? Hon mindes inte.

Tänk om...?

Tanken blev stilla. Hon stirrade på sin almanacka, ofrivilligt gick handen till magen, lade sig nedanför naveln.

Det kunde inte vara sant.

– Har du tid?

Anders Schyman såg upp, Sjölander och Berit Hamrin stod och trampade i dörren. Han visade på sina besöksstolar.

– Vi är klara att köra grejen om stiftelsen Paradiset, sa krimchefen. Berit har gått igenom Annika Bengtzons underlag och kompletterat det sista. Det är en riktig jävla rövarhistoria.

Anders Schyman lutade sig tillbaka, Berit Hamrin lade upp en packe papper på skrivbordet.

– Här är utkast till artiklar, sa hon. Du kan titta igenom dem senare. Jag har hållit föreståndaren, Rebecka Björkstig, anonym. Sjölander vill att vi ska köra namn och bild på henne, men den diskussionen tänkte jag att vi kanske kunde ta efter att jag dragit det här.

Redaktionschefen väntade medan hon radade upp artiklarna i olika högar.

– Först har vi själva historien, sa hon. Uppgifterna som Annika fått fram verkar stämma hela vägen. Det var lite krångel med myndighetspersonerna i Nacka och Österåker, men sedan killen i Vaxholm berättat hela sin historia så gick de med på att prata.

Hon tog upp den första artikeln, ögnade den.

– Första publiceringsdagen, sa hon. Avslöjandet om stiftelsen Paradiset, Rebeckas version, beläggandet av alla lögner.

– Vilka citerar vi? undrade Schyman.

– Framför allt killen i Vaxholm, en himla trevlig socialkamrer, Thomas Samuelsson. Det är han som framstår som hjälten, kan man säga. Han blev misshandlad och nerslagen när han försökte diskutera en faktura med Rebecka.

– Ja, sa redaktionschefen, det berättade Annika. Har han polisanmält överfallet?

– Japp. Sedan har vi de andra myndighetsnissarna, de ville vara anonyma men bekräftar att Paradisets verksamhet inte fungerat.

– Hur mycket har de betalat?

– Den ena 955 500, den andra 1 274 000, uppdelat på ett par olika fakturor. Vaxholm vägrade, deras klient var redan död när fakturan kom.

Redaktionschefen visslade till.

– Du känner den här delen av historien rätt bra, sa Berit. Det är resten vi är tveksamma om.

Berit tog upp en ny artikel.

– Rebecka Björkstig kan ha gjort sig skyldig till stämpling till mord, sa Berit.

Schymans haka föll ner.

– Nämen vad fan, sa han.

Berit räckte honom artikeln.

– Kvinnan som blev mördad på Sergels torg för någon månad sedan, henne minns du? Hon var en av Paradisets klienter.

– Lägg av, sa Schyman.

Reportern suckade.

– Kvinnan, Aida Begovic, hotade att avslöja hela bluffen för sin kommun. Rebecka hotade Aida till livet. Det var, i och för sig, inget ovanligt. Hon gjorde det flera gånger. Alla kvinnor som kom till stiftelsen insåg ju direkt att de inte skulle få någon som helst hjälp. Många blev förstås arga och upprörda, både personerna i fallet från Österåker och det i Nacka sa att de skulle berätta alltsammans för sina socialsekreterare.

– Hur hamnade de i Paradiset? undrade Schyman.

– I båda fallen började alltsammans med att de hotade människorna fick träffa Rebecka tillsammans med någon tjänsteman från socialförvaltningen. Alla fick samma fantastiska historia serverad, det märkliga är att alla gick på den. När den första fakturan var betald fick klienterna åka ut till Paradisets fastighet i Järfälla. Där tog Rebecka hand om alla handlingar, läste igenom dem, kontrollerade att alla uppgifter var med och sedan körde hon ut dem.

– Klienterna?

Berit nickade, läpparna hopknipna.

– Det ena fallet består av en ensam mamma och hennes två barn, det andra en kvinna med tre barn. Rebecka hotade henne: Jag vet vem som jagar dig, om du andas ett ord till kommunen så berättar jag för din förföljare var du finns.

– Herregud, sa Schyman.

– Och Aida dog, sa Sjölander. Det finns ett vittne på att Rebecka hotade henne, dagen därpå var hon död.

– Vad säger polisen?

Berit tog upp en tredje artikel.

– Jag har precis pratat med dem. Dels har ju ekoroteln letat efter Rebecka ett bra tag, men i och med de här uppgifterna är misstankarna både fler och allvarligare. Polisen vill gripa henne genast, så vi måste köra de här artiklarna så snart som möjligt.

– Okey, sa Schyman. Första dagen har vi själva verksamheten, bluffen, hoten. Vad kör vi dag två?

Berit bläddrade bland utskrifterna.

– De hotade kvinnornas berättelser. Annika skrev ut huvudgrejen innan hon blev sjuk, en kvinna som heter Maria Eriksson. Jag har de bägge andra fallen och deras historier. Sedan måste vi ha beredskap för att ta emot fler berättelser efter första dagens publicering.

Schyman antecknade.

– Bra, det ska vi se till. Dag tre?

– Reaktioner, sa Berit. Jag har några som ligger klara, en professor i straffrätt, en docent i socialpsykologi, ordföranden i Kvinnojourernas Riksorganisation. Vid det laget tror jag polisen är på gång också, kanske socialministern, justitieministern. Vi kan kanske räkna med polisanmälningar från flera andra kommuner.

– Hur förklarar hon sig? frågade Anders Schyman.

– Rebecka Björkstig säger att alla våra uppgifter är grovt och elakt förtal. Hon förstår inte vem som vill henne så här illa. Hennes verksamhet är fortfarande i uppbyggnadsstadiet, men att hon skulle ha lurat eller hotat någon är rena lögner.

– Vilket vi kan bevisa att de inte är, sa Schyman. Hotar hon oss med stämning om vi publicerar uppgifterna?

Reportern suckade.

– O ja. Hon nämnde skadeståndets belopp också, trettio miljoner.

Anders Schyman log.

– Hon kan inte stämma oss om vi inte kör namn och bild på henne. Om hon inte är definierbar så har ingen publicistisk skada skett.

– Jag tycker vi kör namn och bild ändå, sa Sjölander. Hon borde få känna hur det är att hamna i skiten.

Schyman såg på krimchefen med neutral blick.

– När blev den här tidningen ett straffande organ? undrade han. Rebecka Björkstig är ingen känd eller offentlig person. Vi ska naturligtvis beskriva hennes verksamhet och hur hon bytt identiteter, förklara hennes skumraskaffärer och märkliga hot. Men historien blir inte bättre av att vi vet exakt vad hon heter just nu.

– Det är fegt, sa Sjölander, att inte köra allt man har. Varför ska vi ta hänsyn till henne, ett sådant jävla svin?

Anders Schyman lutade sig framåt.

– Därför att vi är för sanningen, sa han, inte mot brottslingen. Därför att vi har ett etiskt och publicistiskt ansvar, för att vi har makt och förtroende att definiera verkligheten för människorna i vårt samhälle. Vi ska inte använda vår makt till att krossa enskilda personer, vare sig de är politiker eller brottslingar eller kändisar. Att hamna i tidningen är inte att hamna i skiten.

Sjölanders kinder brann en aning, Anders Schyman såg att det inte var någon fara. Sjölander var en jävel på att äta bajs. Det här hade han redan hackat i sig.

– Okey, sa han. Det är du som bestämmer.

Redaktionschefen lutade sig bakåt igen.

– Nej, sa han, det är det inte. Det är Torstensson.

De såg på varandra alla tre ett ögonblick, sedan brast de ut i ett unisont skratt, Torstensson, vilket jävla skämt.

– Annars då? sa Schyman.

– Jo för fan, sa Sjölander och suckade, det är lite för lugnt. Det är ett tag sedan det hände något. Vi funderar på att dra ett varv på Palmemordet igen, Nils Langeby har fått ett nytt tips.

Redaktionschefen fick en rynka mellan ögonbrynen.

– Håll koll på Langebys tips, jag litar inte på dem. Hur gick det med juggehistorien i Frihamnen?

Sjölander suckade.

– Den rann ut i sanden. Snubben de misstänkte, Ratko, har förmodligen lämnat landet.

– Var det han som gjorde det?

Krimchefen vred sig lite på stolen, tvekade, mindes sina tidigare utpekanden.

– Inte säkert, sa han. Ratko är aldrig dömd för mord, men han är en jävligt otäck typ. Bankrån, hot, misshandel, och framför allt lär han ha fungerat som torped. Hans specialitet var att skrämma skiten ur folk, få dem att snacka. Han stoppade en k-pist i käften på folk, sedan brukade de flesta prata.

– Så har vi krigsförbrytelserna, påminde Berit.

– Det måste ha blivit svårt för honom att röra sig mellan nationerna, sa Anders Schyman.

Mannen hade formellt efterlysts av krigstribunalen i Haag vid lunchtid tisdagen den 6 november, misstänkt för brott mot mänskligheten i inledningsskedet av striderna i Bosnien.

– Han kommer förmodligen att supa ihjäl sig i en förstad till Belgrad, sa Sjölander.

Schyman suckade.

– Kvinnan på plattan, hur gick med henne? Har man häng på mördaren?

Berit och Sjölander skakade på huvudena.

– Hon begravs i morgon, sa Berit. Himla tragisk historia.

– Okey, sa Schyman. Jag kollar igenom artiklarna, hör du inget så var allting grönt.

Kriminalreportrarna reste sig, lämnade rummet.

Annika bläddrade i ett två år gammalt nummer av Vi Föräldrar. Hade läst tre nummer av Amelia, två broschyrer om aids och gårdagens Metro. Orkade inte gå hem, kunde inte vara ensam. Sa att hon ville sitta i väntrummet tills svaret kom. Barnmorskorna hade tittat konstigt på henne, men protesterade inte.

Tiden hade blivit en parentes, något hon betraktade medan den gled förbi. Hon kunde inte föreställa sig sin reaktion på svaret.

En gång trodde hon att hon var gravid med Sven. Det var i slutet av deras förhållande, då hon letade utvägar att bryta upp. Hon hade varit vansinnigt orolig, ett barn hade inneburit en katastrof. Svaret på testet hade varit negativt, ändå hade lättnaden uteblivit. Än idag kunde hon inte förstå sin egen besvikelse, känslan av tomhet.

– Annika Bengtzon?

Pulsen spratt till, landade i halsgropen, hon svalde. Reste sig, följde efter den vita rocken bort till disken inne på mödravårdscentralen.

– Svaret var positivt, sa kvinnan lågt och långsamt. Det innebär att du är gravid. När hade du sista mens?

Det gungade till i hennes huvud, gravid, med barn, gode Gud, ett barn…

– Jag minns inte, 20 oktober tror jag.

Munnen torr.

Barnmorskan vred på någon slags snurra.

– Det innebär att du är gravid i sjunde veckan. Man räknar från sista mensens första dag. Det är alltså väldigt tidigt fortfarande, tänker du fullfölja graviditeten?

Golvet gungade, hon tog tag i disken.

– Jag... vet inte.

Svalde.

– Om du beslutar dig för att avbryta graviditeten så är det bättre ju snabbare du gör det. Om du vill behålla barnet så ska vi sätta upp en tid för ett första besök med en barnmorska här på mödravården. Besöket tar en dryg timme. Den barnmorskan kommer sedan att följa dig genom graviditeten. Du bor på Kungsholmen?

– Är det säkert? sa Annika. Är jag med barn? Det kan inte vara något misstag?

Kvinnan log.

– Du är gravid, sa hon, garanterat.

Hon vände sig bort, gick mot dörren, det värkte och drog i ryggen, tänk om hon fick missfall?

– Missfall, sa hon och vände sig mot disken igen. Hur vanligt är det?

– Ganska, sa barnmorskan. Risken är störst fram till och med vecka tolv. Allt det där pratar vi om vid det första besöket, om du väljer att behålla barnet. Ring och berätta hur du vill göra.

Hon gick ut i trapphuset, gick nedför de breda, vackra trapporna i det gamla Serafimerlasarettet, numera hennes vårdcentral, hennes husläkare, hennes barns mödravård.

Hennes barn.

Det slet och drog i magen när fötterna mötte trappstegen.

Bara jag inte får missfall. Bara det inte händer något med barnet.

Hon snyftade till, herregud, hon skulle ha barn, hon och Thomas, lyckan föll över henne, inifrån och ut, ett barn! Ett litet barn, ett skäl att leva!

Hon gick in till väggen, lutade sig mot den och grät, en lättad gråt, ljus och len.

Ett barn, hennes lilla barn.

Hon gick ut i skymningen, det hade aldrig varit riktigt ljust. Molnen drog som mörkgrå tunnor över himlen, det skulle snart börja snöa igen. Hon gick försiktigt hemåt, ville inte snubbla, inte skada barnet.

Uppe i lägenheten var det ganska kallt, knäppte i elementen. Hon tände alla lampor, satte sig i soffan med telefonen i knät.

Hon borde ringa genast, innan han gick hem från jobbet, ville inte få Eleonor i örat igen. Pulsen dånade, vad skulle hon säga?

Jag är gravid.

Vi ska ha barn.

Du ska bli pappa.

Hon blundade, drog tre djupa andetag, försökte lugna ner sitt hjärta, slog numret.

Rösten var grumlig när hon frågade efter honom i växeln. Bruset i huvudet tilltog, händerna darrade.

– Thomas Samuelsson, svarade han.

Hon kunde inte andas, inte tala.

– Hallå? sa han, irriterat.

Hon svalde.

– Hej, sa hon, världens minsta röst. Det är jag.

Hjärtat skenade, hon andades stötvis, han svarade inte.

– Annika Bengtzon, sa hon, det är jag, Annika.

– Ring inte hit, sa han, rösten kort, kvävd.

Hon flämtade till.

– Vad menar du?

– Snälla, sa han, lämna mig i fred. Ring inte hit mer, är du snäll.

Klicket ekade i hennes huvud, samtalet dog, tomheten genljöd på linjen, fyllde den med sin ålighet.

Hon lade ner luren, skakade i händerna så att det var svårt att träffa klykan, alldeles våt i handflatorna, började gråta, åh Gud, han ville inte ha henne, han ville inte ha deras barn, åh hjälp, snälla hjälp...

Telefonen skrällde i hennes knä, hon lättade av chocken. Han ringde i alla fall, han ringde tillbaka.

Hon slet upp luren.

– Annika? Hej, det är Berit på tidningen. Jag tänkte bara berätta för dig att vi börjar köra din grej om stiftelsen Paradiset i morgon... vad är det?

Hon grät ner i luren, tjöt så att det skvalade.

– Men lilla vännen, sa Berit förskräckt, vad är det som har hänt?

Hon tog ett djupt andetag, tvingade sig att dämpa gråten.

– Ingenting, sa hon, torkade snor på baksidan av handen. Ledsen, bara. Förlåt.

– Inte ska du be om förlåtelse, jag vet hur nära du stod din mormor. Jag ville bara berätta för dig att vi publicerar artiklarna nu.

Annika lade handen över näsa och mun, kvävde gråten.

– Så bra, fick hon fram, vad roligt.

– Det värsta är det här med Aida, jag kan inte komma över det, sa Berit. Hon begravs i morgon, den stackars kvinnan.

Hon hade inga släktingar, ingen har frågat efter kroppen, det blir en kort ceremoni på Norra begravningsplatsen...

– Ursäkta, Berit, men jag måste sluta, sa Annika.

– Hördu, sa kollegan, hur är det med dig egentligen, behöver du hjälp?

– Nejdå, viskade Annika, allt är bra.

– Du lovar att du säger till om du vill prata?

– Visst, andades hon.

Luren landade i klykan igen, så tung, så het.

Han ville inte ha henne. Han ville inte ha deras barn.

Det fanns ingen parkeringsplats på hela Kungsholmen, Thomas hade kört runt i tjugo minuter och inte hittat någon. Det spelade ingen roll. Han hade inget ärende här, körde bara planlöst, Scheelegatan, höger vid Hantverkargatan, sakta förbi porten 32, uppför backen, in på Bergsgatan, förbi polishögkvarteret, ner längs Kungsholmsgatan, var tillbaka där han började.

Han hade gjort rätt, det var det enda anständiga. Eleonor var hans fru, han höll hårt på löften, på förtroenden, kände ansvar.

Ändå, hennes röst i luren idag. Han hade tappat fattningen, reagerat på ett sätt han inte velat ana, så fysiskt, så hårt. Att jobba vidare hade inte varit att tänka på. Han hade flytt ut ur Rådhuset, småsprungit ner till vattnet, det hade blåst, börjat snöa, hört hennes röst, mindes kroppen, åh herregud, vad hade han gjort? Varför var minnet så obevekligt, så närvarande?

Han hade stått i blåsten tills håret och rocken var våta av hav och snö, uppfylld av en liten ledsen röst. Hade sedan långsamt gått upp till sitt tomma hem, Eleonor hade sin ledarskapskurs, tagit bilen och kört in till stan. Reflekterade inte, ville inte tänka, bara körde.

Ta en bit mat, sa han sig, stanna till vid någon krog med kvällstidningarna och en öl.

En krog på Kungsholmen.

Han skulle inte ta kontakt med henne. Han skulle hålla stånd. Han ville bara se hur det skulle kunna vara, hur det livet hade känts, vilka människor han skulle se, vilken mat han kunde äta.

Det han gjort mot Eleonor var oförlåtligt. Skammen hade bränt honom i ansiktet hela första veckan, han hade fått tvinga sig att låta normal, gå normalt, älska normalt. Eleonor hade inget märkt, eller hade hon det?

Han drömde om Annika på nätterna i början, men den senaste tiden hade hennes minne börjat sjunka undan, fram till idag. Han slog på ratten med handflatan, satan också, varför behövde hon ringa? Varför fick han inte vara i fred? Det var ju svårt nog ändå.

Han kände plötsligt att han var på väg att börja gråta, bet ihop tänderna och gasade gatan fram, han måste käka någonting. Svängde in på Agnegatan och parkerade på en vändplan, skit samma.

Han låste bilen, blip blip, det här var hennes kvarter. Han ställde sig och tittade upp på den sönderfallande fasaden, huset borde ha renoverats för tjugo år sedan.

Hon kanske var hemma. Hon kanske satt uppe i sin lägenhet på tredje våningen, den vita svävande, kanske läste en bok, såg på tv.

Tanken gjorde honom torr i munnen, ökade hans puls.

En lampa lyste med matt ljus i gången mot gården. Grinden stod öppen, det var bara att gå in, så enkelt. Långsamt rörde han sig mot fastigheten, såg det hon såg varje dag, klottret på väggen, den nedfallna putsen.

Tänk om hon kom ut? Han hejdade sig, hon fick inte se honom. Blev stående längst in i gången, tittade uppåt.

Två fönster, upplysta, det högra med en papperskasse för den översta rutan, hennes lägenhet. Hon var hemma.

Så såg han henne. Hon gick förbi fönstret, hämtade något från fönsterkarmen, det vänstra. Ett ögonblick såg han henne stå som en svart siluett mot det ljusa rummet, håret, den magra kroppen, de graciösa händerna, sedan vände hon sig bort, lamporna släcktes.

Hon kanske var på väg ut.

Han vände på klacken och sprang tillbaka till sin bil, kastade sig in och körde iväg utan att koppla ur handbromsen. Märkte först nu hur pulsen skenade.

Han skulle aldrig träffa henne igen.

Tisdag 4 december

ANNIKA UNDVEK ATT TITTA PÅ LÖPSEDELN. Den var gulare än någonsin, gallskrek rakt ut, rubrikerna antydde världskrig. Kvällspressen avslöjar: Paradiset som lurar mordhotade människor.

Hon skyndade sig förbi, orkade inte ta in det, drog igen jackan omkring sig, kramade plånboken i handen, frös. Småsprang uppför trappstegen in till Rosetten, killen i kassan hade inte hunnit packa upp tidningarna ännu, hon slet upp plastbanden och studerade resultatet.

På förstasidan fanns en smygtagen bild av en kvinna på långt håll, antagligen Rebecka, håret och ansiktet var ersatta med små fyrkanter. Annika kisade, det klassiska tricket för att kunna se vad fotot föreställde, bilden framträdde lite bättre men kvinnan blev ändå inte identifierbar.

Hon vägde tidningen i handen, så lätt den var, så lite hennes ansträngningar egentligen betydde. Vek ihop den, lade den i varukorgen, hon fick läsa mer när hon kom hem. Gick bort till matavdelningen, plockade på sig yoghurt och formfralla, ost och grillkorv, betalade, stoppade tidningen under armen och gick ut, det var klart och kyligt, solen var på väg över horisonten. Skyndade sig tillbaka längs Hantverkargatan, halkade, hjärtat bankade, hon kunde inte hjälpa det, Paradiset var ändå hennes grej.

Hon ställde matkassen på golvet i hallen, drog fram tidningen och sjönk ner i soffan i vardagsrummet, läste ettapuffen igen. Hänvisning till sidorna 6, 7, 8, 9, 10 och 11. Håret reste sig på hennes armar, snacka om genomslag.

Snabbt bläddrade hon förbi ledaren och kulturen, första uppslaget handlade om verksamheten, Rebeckas beskrivning av hur Paradiset fungerade. Bilderna bestod av flera smygtagna kort på Rebecka och några andra personer, förmodligen hennes familj. Annika tyckte sig ana Paradisets hus i Olovslund i bakgrunden, men bilderna kunde ha varit tagna var som helst. Hon läste texterna noggrant, de var skrivna av Berit men byggde helt och hållet på hennes uppgifter. Artiklarna hade dubbel-byline, var signerade både med hennes och Berits namn.

Hon tittade länge på sitt namn, försökte definiera känslan. Stolthet, kanske. Lite rädsla, det här skulle få konsekvenser. Ett visst mått av avståndstagande, hon orkade inte riktigt ta till sig alltsammans.

Hon suckade, bläddrade, flämtade till.

Thomas Samuelsson stirrade på henne från en svartvit bild på sidan åtta. Den var tagen uppe på hans kontor i Rådhuset i Vaxholm, hon kände igen bokhyllan i bakgrunden. Han avslöjade bluffen, löd rubriken. Berits text malde sönder Rebeckas argument, avslöjade lögnerna, skulderna, identitetsbytena. Thomas Samuelsson framstod som hjälten som krossat den kriminella organisationen. Han hade ett jack i hårfästet, bildtexten förklarade att socialkamreren själv blivit misshandlad och nerslagen när han försökt stoppa ett bedrägeriförsök. Flera andra myndighetspersoner uttalade sig, anonymt visserligen, men de intygade att Paradisets verksamhet var en ren bluff. De hade betalat hisnande summor till Rebecka, sammanlagt över två miljoner kronor.

Hon lämnade texten, kunde inte läsa klart, ville bara stirra på bilden, på mannen. Han var allvarlig, sammanbiten, håret hade ramlat fram i hans ansikte. Kavajen var knäppt, slipsen perfekt knuten, handen vilade på hans skrivbord, hans varma starka hand.

Något snördes samman i hennes hals, åh herregud så fin han var, hon hade nästan glömt hur han såg ut, hennes ögon svämmade över, hon grät ner på tidningssidan.

Vi ska ha barn, viskade hon till bilden, en liten pojke. Jag vet att det är en pojke, men du vill inte ha oss. Du vill ha din slipsknut och bankdirektör och lyxvilla på gräddhyllan.

Hon strök med fingret över bilden, följde hans haklinje, strök honom över håret.

Jag kan inte föda honom om inte du vill.

Hon lade ifrån sig tidningen, grät hejdlöst. När hon inte orkade mer och tårarna sinade tog hon telefonen och ringde Södersjukhuset. Fick komma samma förmiddag.

Ratko var ute i god tid. Hade rekognoserat området ordentligt under gårdagen, gått omkring med en kratta i handen och låtsats sköta om gravarna. Ingen hade lagt märke till honom i hans mörka, anonyma kläder. Hans Fiat Uno stod parkerad på Banvaktsvägen, strax intill ett stort hål i staketet, han gissade att cyklisterna klippt upp det för att få en genväg över begravningsplatsen. I utrymmet bakom bilens baksäte låg en sportväska, man kunde ana en tennisracket bland gymnastikkläderna. Under dem låg pengarna och hans tyngre vapen.

Han var nervös, osäker, kände sig lite korkad, höll han på att tappa greppet?

Gick bort till huvudentrén vid Linvävarvägen. Här var gravstenarna stora och ålderstigna, de flesta från nittonhundratalets första decennium, herrar med titlar omgivna av sina familjer. Miljön försökte andas stillhet och frid, svårt med motorvägen dånande femtio meter längre bort. Han stödde sig på krattan och såg ut över den vintersovande parken, formklippta tujor, enorma ekar med nakna kronor, knotiga tallar, smidda svarta järnstaket. En viss skillnad mot krigskyrkogårdarna i Bosnien. Lutade sig mot staketet, suckade, mindes sjuttitalet i UDBA, den jugoslaviska säkerhetstjänsten, alla oppositionspolitiker de tystat, Tyskland, Italien, Spanien, bankrånen, åren i fängelse.

Aldrig mer, tänkte han. Suckade, frös.

Gick långsamt upp mot Norra Kapellet, stort som en kyrka, nyrenoverat, brunt glaserat taktegel som glittrade i solen. Helgedomen vilade på en kulle i begravningsplatsens bortre ände, i fonden bakom reste sig ett gigantiskt ljusblått getto av hyreskaserner, Hagalundsgatan, Blåkulla. Han rundade ett skogsparti, kom ut till det västra, flacka hörnet, kvarter 14E. Stannade i skogsbrynet, betraktade gropen, Aidas sista vilorum. En häck utan löv skilde hennes grav från gatan. På andra sidan låg en bensinstation och ett McDonalds. Han vände sig bort, tog tag i sin kratta, gick långsamt upp mot judarnas gravar.

Begravningsceremonin började klockan fjorton, han hade ringt och kollat, flera timmar kvar. Var han ute och cyklade? Inbillade han sig saker? Hade han till slut utvecklat riktiga hjärnspöken? Hade de överordnades reaktion verkligen varit större än förväntat? Och varför skulle det ha med Aida från Bijelina att göra?

Uppriktigt sagt sket han i vilket. Det enda som intresserade honom var hans egen framtid. Han ville känna sin spelplan, veta sina villkor, kunna identifiera sina fiender. Det skulle Aida hjälpa honom med efter sin död.

Tände en cigarett. Drog några djupa andetag, kände syret fylla lungorna och skicka nikotinet till hjärnan. Satans land att vara kallt.

Om allt gick som det skulle idag så behövde han aldrig mer åka hit. Han skulle kunna lämna det här förbannade landet med byken tvättad, upphängd och torr.

– Thomas! Du är i tidningen!

Tjänstemannen som haft hand om fallet med Aida Begovic kom guppande ut ur sitt rum, ett misslyckat försök till joggning. Hennes kinder var röda och pannan blank, hon log fåraktigt och viftade upphetsat med morgonupplagan av Kvällspressen.

Thomas tvingade sig att le tillbaka.

– Jag vet, sa han.

– Det står om när du…

– Jag vet!

Han gick in i sitt rum, stängde dörren bakom sig, hårt, stod inte ut. Sjönk ner på sin stol invid skrivbordet och lutade huvudet i händerna. I morse hade han knappt klarat av att gå hit. Budgeten var klubbad i fullmäktige, alla kvartalsrapporter klara, han hade hunnit, de hade varit klara i tid. Nu var det dags att börja om igen, för åttonde gången, varje år med mindre tillgångar och större utgifter, personalnedskärningar, de drabbade i media, arga förtvivlade ledsna resignerade. Långtidssjukskrivningarna ökade, resurserna till rehabilitering minskade.

Han suckade, sträckte på sig, blicken hamnade på den uppslagna tidningen, såg hennes namn. Han hade fått läsa artiklarna i förväg, men han hade inte känt till att hon skrivit dem. Det var en annan kvinna som ringt honom, en äldre reporter, Berit Hamrin. Varför hade inte Annika ringt?

Han slog irriterat bort tanken, han ville inte att hon skulle ringa, slätade ut tidningen framför sig. Bilden på honom var hemsk, håret nere i ansiktet, slarvigt. Han läste texterna igen, Annikas texter, han kände igen hennes uppgifter, hon hade verkligen berättat allt för honom, hon hade varit ärlig.

Det knackade på hans dörr, han slog instinktivt ihop tidningen och lade den i översta skrivbordslådan.

– Kan jag komma in?

Det var hans chef. Han svalde.

– Javisst. Slå dig ner.

Kvinnan såg begrundande på honom medan hon gick fram till besöksstolen och satte sig, stolen där Annika suttit. En ilning av osäkerhet rann längs hans rygg, han hade diskuterat igenom publiceringen med henne, vad han skulle säga och inte säga. Hon hade inte läst artiklarna, men där borde inte finnas någonting hon kunde anmärka på.

– Jag vet att du har haft det jobbigt, sa hans chef, men jag vill att du ska veta att du är väldigt uppskattad här.

Hon var vänlig och allvarlig, såg in i hans ögon. Han slog ner blicken, stirrade på ett dokument på skrivbordet.

– Jag är mycket nöjd med ditt arbete här. Jag vet att du har gått igenom en tung period, men jag hoppas att det blir bättre nu när budgetarbetet är klart. Om du känner att du behöver prata med någon så kan du alltid komma till mig.

Han såg upp på henne, kunde inte dölja sin förvåning. Det var chefens tur att slå ner blicken.

– Jag vill bara att du ska veta det, sa hon och reste sig.

Thomas reste sig också, mumlade något tacksamt.

När kvinnan stängt dörren efter sig sjönk han ner på sin stol igen, förbluffad. Vad handlade det där om?

I samma sekund ringde telefonen, han hoppade högt.

– Thomas Samuelsson?

Det var en direktör från Svenska Kommunförbundet, Jesus, vad ville de honom? Han sträckte automatiskt på sig bakom skrivbordet.

– Du kommer kanske inte ihåg mig, men vi träffades på Socialtjänstdagarna på Långholmen ifjol.

Han mindes konferensen, en trögtuggad historia om socialtjänsten som hållit på i tre dagar. Direktören hade däremot gått honom spårlöst förbi.

– Vi har tänkt på dig några gånger sedan dess, och så såg vi dig i tidningen idag och insåg att du är rätt man.

Thomas harklade sig, utstötte ett frågande läte.

– Vi letar efter en projektledare som kan leda ett utredningsuppdrag om skillnaderna i utbetalningarna av socialbidrag ute i kommunerna. Det behöver inte vara ett heltidsuppdrag, vill du göra det på halvfart räknar vi med att det tar ett år, ungefär. Är du intresserad?

Han blundade, stum, strök håret bakåt, överväldigad. Jobba centralt, utredare, projektledare, herregud, det var det här han fantiserat om.

– Ja, verkligen, fick han fram. Det låter som ett otroligt spännande och viktigt projekt.

Han hejdade sig, lät för överentusiastisk.

– Jag diskuterar gärna förutsättningar och villkor, sa han, mer dämpad.

– Utmärkt! Kan du komma in på torsdag?

När han lagt på stirrade han framför sig i en hel minut. Erbjudandet brusade i honom som en vårbäck, vilken chans, vilket uppdrag! Leendet kom långt inifrån. Detta förklarade hans chefs märkliga besök, hon måste ha fått en påringning i förväg. De hade sett hans namn i tidningen.

Han drog ut översta lådan och plockade upp den igen, läste hennes namn, andades ut.

Han skulle glömma henne. Allt skulle bli bättre. Det gällde att hålla ut.

Han hade fattat rätt beslut.

Annika drog ofrivilligt efter andan, den blåaktiga gelén var iskall när den landade på magen. Kvinnan i den vita rocken donade med en sladd och en stor spatel, Annika glodde storögt.

– Gelén är för att vi ska få en fin bild på ultraljudet, sa läkaren.

Annika låg spänd och utsträckt på den galongröna britsen. Kvinnan satte sig bredvid henne, körde ner spateln i sörjan på magen och började köra runt, hon drog efter andan igen, satan så kallt det var, och så långt ner, praktiskt taget i könshåret. Troskanten blev kladdig av blå gelé. Läkaren skruvade på en ratt intill en liten grå tv-ruta, vita ränder vred sig som maskar över skärmen. Så stannade hon.

– Där, sa hon och pekade.

Annika hävde sig upp och stirrade på rutan, en liten vit ring uppe i högra hörnet.

– Där har vi graviditeten, sa kvinnan och vred på knappen.

Annika såg misstroget på fläcken, den rörde sig lite, vred på sig, simmade.

Hennes barn. Thomas barn. Hon svalde.

– Jag vill göra abort, sa hon.

Gynekologen tog bort spateln från magen, bilden dog, den lilla simmande bubblan försvann. Sköterskan räckte Annika en bit hårt, grönt kräppapper att torka av sig med på magen.

– Jag vill känna lite också, sa doktorn och lämnade spateln till sköterskan för rengöring. Vill du vara snäll och flytta över till andra stolen.

Rösten vänligt ointresserat effektiv. Annika stelnade.

– Behöver jag verkligen göra någon... undersökning? frågade hon.

– Vi är redan efter i tidsschemat, sa sköterskan lågt.

Läkaren suckade.

– Sitt upp är du snäll.

Annika drog av sig byxor och trosor, hävde sig lydigt upp i gynekologstolen, tortyrinstrumentet, läkaren tog plats mellan hennes ben, drog på sig handskar.

– Kan du sjunka ner lite. Mer. Mer! Och slappna av.

Hon drog efter andan och blundade när läkaren körde upp fingrarna i underlivet på henne.

– Slappna av, annars gör det ont.

Hon knep ihop ögonen hårt medan läkaren klämde och kände på magen, en hand inne i henne, en hand utanpå, smärta, illamående.

– Din livmoder ligger bakåt, sa hon. Det är ovanligt, men inget farligt.

Hon drog ut händerna, Annika hörde ett smackande ljud och skämdes.

– Så. Då kan du klä på dig. Kom in till mig sedan.

Läkaren kastade handskarna i en hink och gick snabbt in i rummet bredvid. Annika försökte förvirrat få ner knäna från positionen någonstans ovanför öronen, utlämnad, äcklig.

Något kladdade mellan hennes ben, hon tordes inte fråga efter något att torka bort det med. Snabbt drog hon på sig trosor och jeans, hela nedre delen av buken kändes smetig, gick efter sköterskan in till rummet bredvid.

– Du är gravid i vecka sju, sa läkaren. Ville du göra abort?

Annika nickade, svalde, harklade sig, satte sig.

– Du har rätt att tala med en kurator, vill du det?

Skakade på huvudet, händerna kändes för stora, hon gömde dem mellan låren.

– Då så. Du kan få en tid på fredag, den 7 december. Passar det bra?

Nej, tänkte hon, nu. Nu! Det är tre dagar tills på fredag, det går inte, jag orkar inte, jag kan inte ha barnet i mig tre dagar till, jag vill inte känna tyngden, illamåendet, svullnaden i brösten, livet som dunkar.

– Ska vi säga den sjunde? upprepade läkaren, såg på henne över glasögonkanten.

Annika nickade.

– Kom hit klockan sju på morgonen. Du ska vara fastande från midnatt eftersom du kommer att få en lätt narkos. Först får du ett stift i livmodertappen som öppnar den, sedan kommer du att sövas. Vi kommer att göra en så kallad vakuumaspiration. Det innebär att livmoderhalskanalen vidgas och livmoderns innehåll sugs ut. Det tar en kvart, du får gå hem på eftermiddagen. Sedan bör du vänta med samlag i två veckor på grund av infektionsrisken. Har du några frågor?

En kvart, innehållet sugs ut.

Nej, inga frågor.

– Då så, då är du välkommen på fredag.

Så var hon ute i korridoren, lång och grå. Hon stötte ihop med en ung kvinna på väg in i undersökningsrummet, de undvek varandras blickar, hon hörde läkaren hälsa. Sjögången kom tillbaka, illamåendet, värken i ryggen, måste ut.

48:ans buss krängde och svängde, Annika höll på att kräkas på bussgolvet. Stapplade av vid Kungsholmstorg och tog sig snabbt in i 32:ans port. Stod sedan ute på gården och kämpade mot illamåendet innan hon släpade sig uppför trapporna i gårdshuset.

Matvarorna stod kvar innanför halldörren, hon orkade inte bry sig. Sjönk ihop i soffan, stirrade framför sig.

En liten blåsa, en vit liten ring.

Hon visste att det var en pojke, en liten blond, som Thomas. Blundade, grät, rev ut seriesidan ur tidningen och snöt sig. Bläddrade upp artiklarna om Paradiset igen, ögnade igenom texten på det sista uppslaget. Rebecka var misstänkt för stämpling till mord, enligt polisen. Hon hade hotat en klient, Aida Begovic, som mördats på Sergels torg dagen därpå. Kvinnan skulle begravas klockan fjorton idag.

Hon släppte tidningen, misslyckandet tjöt i kroppen, lutade sig framåt, magen värkte, ringen simmade, hjärtklappningen ökade, gungade gungade. Hörde Berits telefonröst eka från gårdagen, *hon hade inga släktingar, ingen har frågat efter kroppen, det blir en kort ceremoni på Norra begravningsplatsen...*

Ingen ska behöva vara så övergiven, tänkte Annika. Alla förtjänar någon som tar farväl.

Hon blundade, sjönk bakåt mot soffans ryggstöd.

Tre dagar till med barnet i magen.

Tittade på sin klocka.

Om hon åkte nu skulle hon hinna till Aidas begravning.

Det satt folk därinne.

Annika stannade i dörren, plötsligt osäker, såg sig försiktigt omkring, några kvinnor och en ung pojke på bänken längst bak vände sig om och tittade på henne.

Längst fram stod en liten kista, blänkande och vit, med tre röda rosor på locket.

Hon svalde, illamående och darrig, tog några steg, drog av sig jackan och sjönk ner på en tom bänk längst bak. Hon hade glömt att ta med sig blommor, blev med ens mycket medveten om sina händers tomhet.

Tystnaden var stor, ljuset lätt. Det föll i drivor genom de blyinfattade fönstren under kupolen, bildade kulörta fläckar på väggar och golv. Solen träffade väggarna, fick den gula färgen att glöda.

Svaga hummanden hördes, Annika försökte snegla på de andra begravningsgästerna utan att det märktes. De flesta var kvinnor, hälften såg ut att vara svenskar, de andra förmodligen ex-jugoslaver, tillsammans var de tolv, fjorton stycken, alla hade blommor.

Förvåningen över besökarna förbyttes i irritation.

Var var ni allesammans när Aida behövde hjälp?

Det är jävligt lätt att finnas till hands när det är för sent.

Kyrkklockan satte igång att dåna ovanför hennes huvud. Klangen sipprade ner till de glest besatta bänkraderna, dov och ödesmättad, gick som stötar genom hennes kropp. Hon kände tårarna skymma synen.

Ringningen dog ut, tystnaden ekade, snyftningar och harklingar, prassel av psalmböcker. Så tryckte någon igång en cd-skiva, hon kände igen första satsen av Mozarts requiem. Gråten tog över, hon fylldes av musiken, de långsamma stroferna skapade av den döende Wolfgang Amadeus.

Tonerna dog ut. En man i mörkgrå kostym, officianten, ställde sig framför kistan. Han talade, sade saker om livet och döden, plattityder. Efter någon minut blundade hon, hörde hans ord, lät dem passera liksom musiken, det är vackrast när det skymmer, all den kärlek himlen rymmer, musiken ljöd, jag trivs bäst i öppna landskap, hon blev irriterad igen.

Vad då jävla öppna landskap? Sergels torg, det är ett öppet landskap, trivdes Aida bäst där, vem fan har satt ihop den här musiken?

Annika torkade tårarna, ilsket. Alla verkade gråta. Hon såg på officianten, hans rutinmässigt böjda huvud på första bänkraden, vad visste han om Aida? Han hade inte en enda personlig sak att säga om henne, för han hade aldrig träffat henne.

Hon blundade, försökte minnas Aida, såg henne framför sig, sjuk, rädd, jagad.

Vem var du? tänkte Annika. Varför dog du?

Mannen i kostymen talade igen, rytmiskt, en dikt av Edith Södergran. En av kvinnorna på första bänkraden ställde sig sedan framme vid altaret och sjöng, ensam, klart och rent, Annika förstod ingenting, serbokroatiska. Tonerna lyfte, virvlade under taket, levde och växte, sorgen som steg upp i kapellet var med ens alldeles äkta, den slet och rev, varför, varför?

Annika grät ner i händerna, sorgen som en tung klump i hennes bröst, påtaglig, skyldig.

Det här gör vi för vår skull, tänkte hon, inte för Aidas. Hon skulle ha skitit i vilket.

Så psalmen hon kände igen, den spelade de på mormors begravning också, lät munnen stumt följa med orden, härlig är jorden, härlig är Guds himmel, gå vi till paradis med sång.

Böjde huvudet och knep ihop läpparna.

Tystnaden fyllde rummet, hon kunde inte andas. Kyrkklockorna började dåna igen, det var över, Aida var på väg bort, suddas ut, hon ville plötsligt protestera, stoppa männen som gick fram för att lyfta upp kistan, som bar den på sina axlar längs mittgången, förbi henne, passerade knappt en meter ifrån, jag är inte färdig med henne, jag måste få veta! Annika stod upp, illamående, väntade medan de andra begravningsgästerna passerade henne, uppfattade deras sneglande ögonkast, gick ut sist.

Kylan slog emot henne, klar och frisk, solljuset fick snön att glittra. Männen höll på att ställa kistan på en katafalk. Hon såg de övriga begravningsgästerna samlas på trappan och längs gångarna, snyta sig, mumla.

De kände Aida, allesammans. Alla hade någon relation till henne. Alla vet de mer än jag.

Hon gick långsamt fram till en kvinna som stod några trappsteg längre ner.

– Ursäkta mig, sa Annika, presenterade sig. Jag känner inte så många här, hur kände du Aida?

Kvinnan log vänligt, torkade sig under ögonen med en pappersnäsduk.

– Jag är föreståndare på flyktingförläggningen där Aida hamnade när hon kom till Sverige.

De hälsade. Båda drog ett djupt andetag, log generat.

– Jag är journalist, sa Annika. Jag gick hit, för jag trodde att Aida var alldeles ensam.

Föreståndaren nickade.

– Hon var väldigt ensam. Det var många som försökte få kontakt med henne, men hon var så svår att nå. Jag tror att hon valde sin ensamhet.

Annika svalde, så jävla lätt att skylla på Aida själv, till och med i döden.

– Alla som är här då? sa Annika. Om hon nu inte hade några vänner, vilka är de?

Kvinnan såg förvånat på henne.

– Det är några flyktingar från förläggningen som lärde känna Aida där, hon kom och hälsade på ibland. Hennes granne från Vaxholm känner jag igen, och så representanterna från bosniska kulturföreningen. Det var hon som sjöng, visst var det vackert?

– Fanns det ingen som kunde hjälpa henne? frågade Annika. Hade hon verkligen ingen att gå till?

Föreståndaren såg sorgset på Annika.

– Du kände henne inte särskilt väl, eller hur?

Männen hade placerat kistan på katafalken, vagnen började sin långsamma färd mot graven. Kvinnan gick bort mot de andra, Annika gick efter henne.

– Det är sant, sa Annika tyst, jag kände henne inte så väl. Jag träffade henne några dagar innan hon dog. När kom hon till Sverige?

Föreståndaren såg på Annika över axeln, tvekade.

– I slutet av kriget, viskade hon sedan. Hon hade flera skottskador, granatsplitter överallt, det var hemskt att se. Flashbacks, skakningar, svettningar, dålig verklighetsuppfattning. Drack en hel del. Vi gjorde verkligen allt för att hjälpa henne, läkare, kuratorer, psykologer. Jag tror inte det gjorde särskilt stor skillnad. Aida hade fruktansvärda demoner inom sig.

Annika spärrade upp ögonen.

– Hur då menar du?

En annan kvinna kom fram till föreståndaren och viskade något, de gick bort till en av flyktingkvinnorna som höll på att bryta samman av gråt. Annika såg sig förvirrat omkring, halkade på en isfläck och höll på att ramla, mådde illa, katafalken gnisslade i kylan. Kistan gled iväg bland träden, in bland skuggorna, utom räckhåll. Hon tvingade tillbaka impulsen att springa efter, banka i locket.

Vilka demoner bar du på? Vad gjorde de med dig?

Graven var ohygglig, förlorade sig i mörker och kyla, varför grävde de så jävla djupt? Annika böjde sig försiktigt fram, stirrade ner i jorden, såg sin egen skugga försvinna i djupet. Tog snabbt ett steg tillbaka.

Kistan stod intill graven, vilade på några balkar. De sörjande samlades runt omkring, alla var rödgråtna. Officianten talade igen, Annika frös så hon skakade, ville gå därifrån. Aida låg inte i kistan, Aida var inte närvarande, Aida hade redan glidit iväg med sina demoner och hemligheter.

I ögonvrån såg hon något komma åkande, två stora svarta bilar, tonade rutor, blå nummerplåtar. De bromsade in, stannade, motorerna dog, Annika tittade förvånat.

Plötsligt öppnades alla dörrar på en gång, fem sex sju män klev ut, officianten slutade att läsa, alla begravningsgäster såg förvirrat på varandra, männen i bilarna hade gråa rockar, de såg sig omkring, stirrade på begravningsgästerna, sammanbitna.

Så lösgjorde sig en gammal man ur gruppen, Annika stirrade med munnen halvöppen, han var militär, gången tung och böjd, ansiktet slutet, blicken fokuserad på kistan. Uniformen var rikt dekorerad, han höll en liten papperspåse i handen, alla begravningsgäster väjde undan för honom. Annika stod på andra sidan graven och såg häpet den gamle falla på knä, ta av sig skärmmössan och börja mumla, obegripligheter. Hans hår var grått och glest, flinten blänkte. Han stod på knä och bad, länge, andades tungt.

Annika kunde inte sluta stirra, lyssnade intensivt till hans spruckna röst.

Så reste han sig mödosamt, tog upp påsen, stoppade ner ena handen, tog upp den och kastade något på kistan, jord! En näve jord!

Mumlandet blev högre, Annika lyssnade förstelnad, en näve jord till, fler ord, sorgsna, tunga, mättade, en tredje näve, orden dog ut, mannen stoppade tillbaka påsen med jord i fickan, borstade av sig om händerna.

Du vet allt om Aida, tänkte hon. Du känner hennes demoner.

Hon rusade runt graven, mannen var på väg bort, tillbaka till bilarna och de andra männen, hon högg tag i hans rockärm.

– Please, sir!

Han stannade till, förvånat, såg på henne över axeln.

– Vem är ni? frågade hon på engelska. Hur kände ni Aida?

Mannen stirrade på henne, försökte rycka sig loss ur hennes grepp.

– Jag är journalist, sa Annika. Jag träffade Aida några dagar innan hon dog. Vem är ni?

Männen med de mörkgrå rockarna fanns plötsligt överallt, de kom mellan henne och militären, de verkade upprörda, frågade mannen något, de sa samma sak flera gånger, den gamle vinkade avvärjande med handen, vände ryggen till, de gled iväg mot sina bilar, en grå massa, klev in, startade fordonen och rullade bort mellan träden.

Annika stirrade efter dem, svettig och blek.

Hon hade uppfattat ett ord som mannen mumlat vid graven, ett enda. Han hade sagt det flera gånger, hon var helt säker.

Bijelina.

Kvinnorna tog ett steg fram emot graven, en och en, sade något och lade ner blommorna på kistan. Annika kände paniken komma krypande, hon hade ingen blomma, hon hade inget att säga, bara förlåt, förlåt att jag svek dig, förlåt att jag lurade dig i döden.

Hon vände sig bort, snubblade, måste iväg, kunde inte stanna vid graven.

Den gamle måste ha stått Aida mycket nära, kanske var det hennes far.

Tänk om, for det genom hennes huvud, tänk om han visste vad jag gjort.

Jag försökte faktiskt hjälpa, försvarade hon sig, jag ville bara väl.

Hon gick mot busshållplatsen, vinglig av skam och skuld, mådde illa, ville spy.

Hade hunnit ett par meter utanför hålet i staketet när någon lade handen över hennes mun.

Hennes första tanke var att männen i de grå rockarna kommit tillbaka för att hämta henne. Den gamle militären ville göra upp räkningen.

– Jag har en pistol mot din ryggrad, väste mannen. Sätt igång och börja gå.

Annika kunde inte röra sig. Hon stod fastfrusen på trottoaren med Ratko hängande över axeln.

Han körde upp ena handen i hennes hår, slet huvudet bakåt.

– Framåt!

Nu dör jag, tänkte hon, nu dör jag.

– Men gå då, subba!

Hon blundade, andlös av skräck, började långsamt snubbla framåt gatan. Mannen flämtade henne i nacken, luktade illa. Efter ett tiotal meter stannade han.

– In i bilen, sa han.

Hon såg sig omkring, stel i nacken, hela hårbottnen brann, vilken av bilarna?

Han slog henne rakt över ansiktet, hon kände värmen rinna från läppen, med ens blev hon alldeles klar, det här kände hon igen, slag var hon van vid, det kunde hon hantera.

– Och om jag vägrar? sa hon, läppen började redan svullna.

Han slog henne igen.

– Då dödar jag dig på fläcken, sa han.

Hon stirrade upp i hans ansikte, rödflammigt av kylan, skuggor av trötthet. Kände sin egen andning stegras, bli grund och hastig, synfältet började flimra, hon orkade inte, ville inte.

– Sätt igång, sa hon.

Något hände med mannen, han slet fram ett rep, tryckte upp henne mot fordonet intill, en blå liten bil, vred upp hennes händer på ryggen, snurrade samman händerna. Pressade en kall pistolmynning mot nacken.

– Du vet hur det gick för Aida.

Hon blundade, försvarsmekanismen gick igång, hon kände ingenting, vände allting inåt, stängde av.

Måste göra som han säger.

– In nu, för helvete.

Ratko slet upp dörren till den blåa bilen, hon snubblade in i baksätet, förstenad, såg mannen gå runt bilen, starta den, köra iväg. Hon stirrade på hans nacke, rödfnasig, mjäll på jackans mörka slag. Kände sig avskärmad från verkligheten, plexiglas mellan henne och världen. Såg ut på husen som rusade förbi, inga människor, ingen som brydde sig.

– Jag har vapnet i knät, sa Ratko. Jag skjuter dig om du försöker något.

Solen höll på att gå ner, dagen var röd och kall. Blåkulla

virvlade förbi, Solnavägen, bilar, människor, ingen hon kunde ropa på, ingen som kunde hjälpa. Hon var fastklämd i baksätet på en smutsig liten bil, satt på sina händer, de gjorde ont. Försökte flytta sig för att minska belastningen på dem.

Mannen bakom ratten girade, såg på henne hastigt över axeln, skrek.

– Sitt still för helvete.

Hon frös mitt i rörelsen.

– Jag sitter så obekvämt.

– Håll käften!

Norra länken till Norrtull, Sveaplan, Cedersdalsgatan. Trafiken tjöt omkring henne, tusentals människor, ändå så ensam, alltid ensam.

Hon blundade, såg Aidas kista framför sig, mannens böjda rygg, hörde hans mumlande.

Det kanske är min tur nu.

De blev stående i en bilkö strax före Roslagstull, hon såg rätt in i en annan liten bil, en mamma och ett litet barn. Hon stirrade på kvinnan, försökte fånga hennes blick. Till sist kände kvinnan sig iakttagen, mötte den. Annika spärrade upp ögonen, rörde munnen med överdrivna rörelser.

Hjälp, sa hon ljudlöst. Hjälp mig!

Kvinnan vände sig snabbt bort.

Nej! tänkte hon. Se mig! Hjälp mig!

– Hjälp, gallskrek hon, bankade huvudet mot rutan, hjälp mig! Hjälp mig!

Smällarna ekade i hennes huvud, hon blev alldeles vimmelkantig, glaset var hårt och kallt.

Ratko stelnade till men rörde sig inte, följde långsamt med kön ut mot Roslagsvägen.

Annika tog sats, gallskrek allt hon kunde.

– Han har kidnappat mig, gastade hon, hjälp mig! Hjälp!

Bilarna gled förbi henne, en och en, passerade henne på en meters håll men tusen år bort, isolerade. Hon gapade, skrek, vräkte sig mot taket, blev svettig, snurrig, hes. Kastade sig mot rutan, gallskrikande, bultade skallen mot glaset. En man i en ny Volvo fångade hennes blick, såg bekymrat på henne, Ratko vände sig mot mannen, ryckte på axlarna och log. Mannen log tillbaka mot Ratko.

Annika stannade till, flämtande, hånet grinade henne i ansiktet.

Det var ingen idé. Människorna runt omkring henne hade nog med sitt. Hur skulle de orka med en skrikande galning i bilkön bredvid?

Hon tystnade, huvudet värkte av alla stötarna, hon började gråta. Ratko sa inget. Kom ut ur smeten vid Roslagstull, passerade Naturhistoriska, svängde av vid Albano. Annika lät tårarna rinna, det är över nu, tänk att det var så här det skulle ta slut.

Bilen körde en massa småvägar, hon hann se skyltarna Björnnäsvägen, Fiskartorpsvägen, skog, träd.

Till sist stannade bilen, Annika stirrade rakt fram, på andra sidan vindrutan stod ett gammalt skjul. Ratko gick runt, hämtade någonting i bakluckan, öppnade passagerardörren, slet undan framsätet.

– Kliv ur, sa han.

Hon lydde, det värkte i halsen.

– Vad vill du mig? frågade hon, hes.

– In i skjulet, sa mannen.

Han gav henne en knuff, hon vinglade iväg, illamående, svimfärdig.

Inne i plankskjulet var det mörkt. Den döende dagern orkade inte in genom springorna, lämnade vedträna och spindelväven till mörkret och skuggorna.

Ratko tryckte ner henne på en huggkubbe i ena hörnet, Annika kände skräcken drypa längs ryggen, väggarna gungade, vajade. Han lindade ett rep runt kubben och fäste hennes fötter. Sedan böjde han sig fram, väste i hennes öra, rösten hård och låg.

– Det är jag som frågar, sa han, och du som svarar. Det är ingen idé att leka tuff, alla pratar förr eller senare. Du besparar dig själv en massa plågor om du svarar förr.

Hon andades hastigt, kände paniken stiga. Ratko slet till sig sin sportväska, rotade i botten, drog fram en k-pist. Ställde sig framför henne, tornade upp sig långt däruppe, vapnet precis framför hennes ansikte.

– Lasten, sa han. Var är den?

Hon svalde, andades, andades, svalde.

– Lasten! skrek han. Var fan är den?

Darrningen började samtidigt i hela kroppen. Hon blundade, förlorade förmågan att tala.

– *Var?!*

Hon kände mynningen från vapnet tryckas mot sin panna, började gråta i panik.

– Jag vet inte! hackade hon fram. Jag träffade bara Aida en gång.

Han tog bort vapnet, slog henne i ansiktet, en örfil.

– Sluta snacka skit, sa han och slet tag i hennes halskedja. Du har Aidas guldhalsband.

Hon darrade, tårarna rann längs hakan och ner på halsen.

– Jag fick det, viskade hon.

Hon satt stilla, oförmögen att tänka, förlamad av skräck. Mannen släppte kedjan, var tyst en stund, hon kände hans blickar.

– Vem är du? sa han lågt.

Hon drog efter andan.

– Jag är... journalist. Aida ringde till tidningen. Hon behövde hjälp. Jag träffade henne på ett hotellrum. Då kom du, och... jag lurade dig. Sedan gav jag Aida ett telefonnummer att ringa, några som kunde hjälpa henne att...

– Varför lurade du mig?

Utropet slet sönder hennes andlösa förklaring.

– Jag ville rädda Aida, viskade hon.

Hon kände mannen röra sig, såg hans ansikte framträda precis framför sig.

– Vem var mannen på begravningen? frågade han, ögonen lyste.

Annika stirrade på honom, förstod inte.

– Vem?

– Militären, skrek han, din dumma jävla hora! Vem fan var militären?

Hon blundade hårt, kände hans spott i ansiktet.

– Jag vet inte, viskade hon, ögonen ihopknipna.

– Vad fan pratade du med honom om?

Hon flämtade några gånger.

– Jag... frågade honom just det, vem han var... hur han kände Aida.

– Vad sa han?

Hon darrade, svarade inte.

– *Vad sa han?!*

– Vet inte, grät Annika, han sa Bijelina när han stod vid graven, Bijelina Bijelina, det är jag säker på....

Det tog några sekunder innan hon insåg att Ratko tystnat.

– Bijelina? sa han skeptiskt. Hennes hemstad?

Annika svalde, nickade.

– Jag tror det.

– Mer då?

– Jag kan inte serbokroatiska.

– Vad sa vakthundarna?

Hon såg upp på honom, förvirrad.

– Vilka hundar?

Han viftade med vapnet framför hennes ansikte.

– Vakterna, RDB-snubbarna från ambassaden, grårockarna! Vad sa de?

Hon letade i minnet.

– Jag vet inte! Inget jag förstod.

– Jag skiter i vad du förstod! Vad sa de?

Han satte k-pistens mynning mot hennes panna igen, hon sjönk ihop, blundade, flämtade med halvöppen mun.

– Om du inte kan prata, sa Ratko, så är det väl ingen idé att du har en käft, eller hur?

Han flyttade mynningen in i hennes mun, slog i hennes tänder, hon kände metallsmaken, kylan, ett mörker drog genom hjärnan, hon vinglade till.

– Vad sa vakthundarna? Vill du berätta?

Mörker, kyla, blundade hon eller hade dagen dött?

– För sista gången, vad sa vakterna till militären? Vill du berätta?

Hon nickade, långsamt, mynningen flyttades, slog i hennes tänder igen, hon kunde andas, ville kräkas.

– De sa något flera gånger, viskade hon. Porut… någonting. Porutsch… porutschn…

– Porutschnick? frågade Ratko med kvävd röst.

– Kanske, viskade hon.

– Mer då? Vad sa de mer?

– Vet inte…

Vapnet pressades mot hennes läppar igen.
– Mii, sa hon. Miisch... miischitj.
– Miischitj?
Vapnet försvann, hon nickade.
– Så var det. De sa miischitj.

Ratko stirrade på den ynkliga brudjäveln, kände triumfen stiga i byxorna, vilken jävla femetta! Klockren! Han visste, han förstod, mönstret klarnade framför hans ögon i det mörka skjulet.

Porutschnick Miischitj.

Han packade raskt ihop sina prylar, stoppade ner vapnet i väskan. Repet lämnade han, det fanns att köpa i varenda järnhandel i hela Sverige och hade inga fingeravtryck.

– Jag vet alltid var du finns, rabblade han, den vanliga litania han använde på snacksaliga informatörer. Om du någon gång andas ett jävla ljud om vad som har hänt här idag då knäpper jag dig, har du fattat det?

Hon verkade inte höra, satt ihopsjunken med huvudet mellan knäna.

– Fattar du? skrek han i hennes öra. Jag dödar dig om du snackar, förstått?

Hon skakade i hela kroppen, han kände plötsligt att han fått nog. Kastade en blick på klockan, det var dags att dra.

– Ett jävla ljud så är du död. Jag stoppar in k-pisten i käften på dig och sedan ligger din hjärna utspridd över halva Djurgården, okey?

Han öppnade dörren, kastade en sista blick på henne, hon skulle inte snacka. Även om hon gjorde det, so what? Om de någon gång skulle gripa honom så fanns det betydligt värre saker än det här att åtala honom för.

Han gick ut i vinternatten, släppte dörren bakom sig, andades ut.

Porutschnick Miischitj, eller Porucnik Misic som det stavades.

Tänk att det hade gått vägen! Han kunde knappt fatta sin tur.

Öppnade bakluckan, rev ut vapnen ur sportväskan, slängde dem under en skitig filt i skuffen.

Tur, tänkte han sedan och fnös. Skicklighet! Börja förhöret med något du egentligen ger fan i, när de är möra går du över till det du verkligen vill veta.

Han satte sig i bilen, slängde väskan i passagerarsätet, den startade som den skulle. Vände och körde iväg mot Frihamnen.

Överste Misic, en legend inom KOS, jugoslaviska arméns kontraspionage. Mannen som överlevt alla utrensningar, som hade Milosevics öra.

Ratko vred på fläkten, snart var det slut på kylan.

Han visste inte hur, men mannen hade stått Aida nära. När och varför sket han i, han var inte intresserad av deras inbördes jävla relation, men han hade fått svar för egen del. Han visste vad som gått snett, varför makten tagits ifrån honom.

Aida hade haft en beskyddare, och hon måste ha fått iväg ett meddelande till honom innan hon dog.

Han ryckte på axlarna, skakade loss dem, de var spända och hårda, nu sket han i Aida Begovic från Bijelina, må hon ruttna i sin jävla grav intill bensinmacken i Solna.

Han svängde av från Tegeluddsvägen, kryssade fram mot hamnen, såg skylten till Tallinn, Klaipeda, Riga, S:t Petersburg. Ställde bilen på en tom parkeringsplats, reserverad, men vem fan brydde sig? Tog sportbagen med sina gymnastikkläder och kontanter, lät den bitande vinden från Saltsjön träffa honom i ansiktet, andades ut.

Området mellan de olika magasinen badade i guldgult strålkastarljus. Såg parkeringen med trailers längst ute vid havet.

Det var här det började, tänkte han.

Eller snarare, det var här det slutade.

Slängde en blick på klockan.

Det var dags.

Hon hörde en bil starta och försvinna, långt borta, kände smaken av metall i munnen dröja kvar. Satt framåtböjd, det blev tyst, stilla, mörkt.

Hon frös. Kroppen kändes avdomnad, tankarna förlamade. Blev sittande på stubben, var på väg att somna, höll på att trilla omkull. Kylan tilltog, dåsigheten.

Så lätt. Så skönt att glida bort.

Hon trasslade loss sina fötter från stubben, repen satt inte hårt, lade sig ner på jordgolvet. Obekvämt. Låg stilla med kinden mot jorden, kände händerna bli kalla och stumma. Ensamhetstonen började tjuta, steg och sjönk i hennes vänstra öra.

Snart, tänkte hon. Snart är det över. Snart blir det tyst.

Tanken fick tonen att upphöra.

Det skulle ta slut.

Insikten fick henne att kvickna till. Jorden under hennes ansikte var frusen och smulig, illaluktande. Hon låg på sin ena arm, den hade somnat från armbågen och ner.

Hon stönade.

Om hon låg kvar här i kylan skulle det snabbt bli oerhört tyst.

Hon kravlade sig upp, lutade sig mot stubben. Kylan gick rakt igenom hennes jeans, känselbortfallet hade börjat.

Tänk om han kommer tillbaka.

Tanken fick hennes andhämtning att öka för att sedan sjunka igen.

Hon började gråta igen, utmattad.

Jag vill hem, tänkte hon. Jag vill hem, för jag har köpt grillkorv.

Hon grät en stund, skakade av gråt och kyla.

Måste härifrån.

Hon reste sig upp, repet skavde på handlederna. Det satt inte särskilt hårt, hon vred händerna i olika cirklar i någon minut, sedan fick hon loss den vänstra handen, repet ramlade av. Hon blev stående i mörkret, kompakt, letade med blicken efter de ljusa springorna vid dörren, såg inga.

Tänk om han har låst.

Hon stapplade fram till väggen, trevade över plankorna, fick stickor i fingrarna, så gav väggen vika, dörren gled upp. Vinden tog tag i dörren, en ilsken kyla från Värtan. Utanför skymtade hon träd och en liten väg.

Herregud, var är jag?

Hon lutade sig mot dörrposten, blundade, strök sig över pannan.

De hade kört Roslagsvägen ut, tagit av från motorvägen strax före universitetet. Hon befann sig någonstans på norra Djurgården, bakom Stora Skuggan. Gned sig i ögonen, torra och röda.

56:ans buss, tänkte hon, den går från Stora Skuggan till Kungsholmen.

Hon stapplade ut, det gick någon sorts väg där nere, hon stannade upp och tittade mot himlen. Neråt höger ljusnade den, horisonten glimmade i gulrosa.

Det är inte solen, tänkte hon, det är staden.

Hon började gå.

Onsdag 5 december

ELVAMÖTET BÖRJADE TIO MINUTER FÖR SENT, precis som vanligt. Anders Schyman kände irritationen stiga. En tanke han tänkt allt oftare på sista tiden slog rot.

När jag tagit makten ska jag införa rutiner som ska hållas.

Han hade precis slagit sig ner och fått tyst på filtstimmet, samhällschefen, bildredaktören, sportchefen, krimchefen, ledarredaktören, nöjeschefen, när Torstensson knackade på dörren.

Schyman höjde ögonbrynen, chefredaktören var sällan närvarande vid de dagliga genomgångarna och planeringarna.

– Välkommen, sa redaktionschefen en liten aning för sarkastiskt. Vi har redan börjat.

Torstensson såg sig förvirrat omkring efter en ledig stol.

– I hörnet, sa Schyman och pekade.

Chefredaktören harklade sig, förblev stående.

– Jag har viktig information att delge er, sa han, rösten en aning för gäll.

Anders Schyman gjorde ingen ansats att resa sig och erbjuda sin plats vid bordets kortände till ansvarige utgivaren.

– Varsågod och sitt, sa han och pekade åter igen längst ner vid bordets långsida.

Torstensson lommade iväg, skrapade med stolen, satte sig. Tystnaden dånade, alla stirrade på den lille mannen. Han harklade sig igen.

– Mitt uppdrag i Bryssel har skjutits upp på obestämd tid, sa han. Jag har precis informerats av partisekreteraren att arbetet med frågor gällande offentlighet inte längre prioriteras. Det blir inte aktuellt för mig att lämna tidningen i dagsläget.

Han tystnade, bitterheten hängde i rummet. Ledarredaktören lät höra ett beklagande läte, de andra sneglade på redaktionschefen.

Anders Schyman satt blick stilla, fastspikad i stolen, hade inte en tanke i huvudet. Detta hade han inte alls garderat sig för. Möjligheten att partiet skulle dra tillbaka chefredaktörens reträttpost hade aldrig föresvävat honom.

– Jaha, sa han neutralt. Ska vi dra dagen då?

Alla började prassla med sina papper, bläddra i tidningar och bland bilder, utstötte mummel av belåtenhet eller missnöje. Torstensson satt kvar på sin stol, tomhänt.

– Pelle, sa Schyman, håll upp bilderna på bedragerskan.

Bildredaktören visade några utskrifter som tagits i Järfälla samma morgon. De föreställde Rebecka Björkstig i handfängsel tillsammans med tre poliser, på väg mot en polisbil.

– Torstensson, sa Anders Schyman, vad säger du om diskussionen om namnpublicering i det här läget?

Chefredaktören blinkade till.

– Förlåt?

– Köra namn och bild, sa redaktionschefen. Anser du att en stämning för grovt förtal är värd att ta när det gäller Rebecka Björkstig?

– Vem? sa Torstensson förvirrat.

Jag är en ond man, for det genom Anders Schymans huvud. Jag vet exakt hur lite chefredaktören kan och vet och jag hänger ut honom till allmänt åtlöje.

– Vi kan ju ändå inte ha den på ettan i morgon, sa Schyman vänligt, så vad tycker du, Torstensson?

– Varför kan vi inte ha den på förstasidan? frågade chefredaktören.

Schyman lät tystnaden tala, insikten fick ostört gå in hos alla filtstimmets medlemmar. De visste varför man inte kunde köra samma historia på etta och löp tre dagar i rad, försäljningen gick nästan alltid ner på tredje dagen, oavsett hur bra grejen var. Att byta toppgrej dag tre var kunskap 1A. Alla hade den, utom chefredaktören.

– Det är en jävligt bra bild, sa Schyman. Jag föreslår en skybox, tight beskuren, fortfarande pixlad. Anonymiteten består, såvida inte du har någon annan åsikt?

Han tittade på chefredaktören som skakade på huvudet.

– Okey, sa han. Vad har vi i stället?

Hela filtstimmet började rassla energiskt, entusiastiska över att något från den egna avdelningen kunde toppa tidningen.

– Så tjänar du på nya Telia-aktien, sa filtkavajen från knegådeg.

Alla utbrast i förklenande omdömen om förslaget.

– Jag ser inga kullerbyttor av glädje, sa Schyman, log. Mer?

– Vi har hittat en politiker till som handlat privat på partikortet, föreslog Ingvar Johansson.

Alla stönade, det gjorde ju för fan varenda politiker, hitta en politiker som *inte* gjort det, det hade varit en grej.

– Kommunen har dragit in assistenten till en utvecklingsstörd unge i Motala, fortsatte nyhetschefen. Pojken tas om hand av sin ensamstående morsa som går på socialbidrag. Morsan ringde och grät, sa att hon inte pallade mer nu. Frågan är om vi kan gå på en sådan grej, vi har ju nyss drivit en liknande historia.

– Ämnet tangerar historien om Paradiset, sa Schyman. Vi kan väl avvakta tills vi kört ut hela den storyn. Något annat?

– Vi måste ha koll på Jas-flygningarna, sa samhällschefen. Rätt vad det är dimper det ner ett plan i skallen på oss.

Det här väckte församlingen, vadå Jas-flygningar, var då, när?

– De inleds mitt på dagen idag, sa samhällskavajen. Det finns ett helt gäng utländska potentater inbjudna för att kolla dem inför eventuella köp, och så finns det förstås ett ännu större gäng icke inbjudna som spionerar för att ha koll.

– Det måste vi undersöka, sa Schyman, men utfallet i tidningen beror på vad vi hittar. Ingen returinformation. Mer?

– Vi ska göra en grej idag med en ny programledare för Kvinnosoffan, sa nöjeschefen. En tjej som heter Michelle Carlsson, jävligt läcker.

Engagerade utrop hördes.

– Stora lökar?

– Ställer hon upp på kroppsmålning?

– Har vi koll på vad som blir årets julklapp? undrade Schyman fundersamt. Eller om Disney tänker ta bort några klassiker ur Kalle Anka på julafton?

Ögonbryn rynkades, alla mindes ramaskriet när Ferdinand skulle skrotas. Ett oartikulerat kacklande bröt ut, Schyman lät det hålla på. Han såg på chefredaktören nere i hörnet, svettig i pannan, helt bortkollrad.

Tanken återkom, jag är en ond man.

Å andra sidan, tänkte han, jag vet åtminstone vad jag håller på med. Är det verkligen vänlighet att låta inkompetensen regera? Ska jag låta fjanten Torstensson sänka den här tidningen, med flera hundra arbetslösa och en mediaröst mindre som följd?

– Vad säger du, Torstensson? undrade han stillsamt. Vad tycker du vi ska dra på?

Chefredaktören reste sig.

– Jag har ett möte jag måste förbereda, sa han, rasslade med stolen, gick ut.

När dörren gick igen med en liten ilsken smäll ryckte Anders Schyman menande på axlarna.

– Okey, sa han igen. Var var vi?

Annika reste sig ur sängen, kall, oförmögen till tankar. Gick ut i köket, kände metallsmaken i munnen, det beska brända, borstade tänderna, gned och gned. Hällde upp yoghurt i en tallrik, åt, fick kväljningar. Satt stilla vid bordet en stund, stirrade på mormors ljusstake, andades, andades, såg halmstjärnorna dansa.

Hon hade flimrande och oklara minnesbilder från sin hemkomst kvällen före. Hade gått från skjulet mot vägen, hon visste inte hur långt det varit, inte särskilt, hade kommit fram på baksidan av en 4H-gård, såg en busshållplats. Hon hade nästan somnat på bänken medan hon väntade på bussen, så kom den, en 56:a, människorna på bussen hade varit alldeles normala, ingen hade lagt märke till henne, ingen hade sett att hon var brännmärkt, dödsmärkt.

Natten hade splittrats av mardrömmar, hon hade vaknat av sina egna skrik. Männen från Studio sex hade försökt kväva henne, hon fick svårt att andas, reste sig från bordet, väggarna föll över henne, hon tog sig ut i vardagsrummet, benen vek sig, hon hamnade på golvet, slog armarna runt underbenen, fosterställning, andningen blev allt kortare, stelare, mer krampaktig. Låg sedan utmattad, värk överallt, tog sig inte upp. Somnade, vaknade av att det ringde, svarade inte.

Satte sig i soffan, blundade, den vita kistan dansade på hennes näthinna, militärens mumlande ekade, smaken av metall i munnen.

Hon drog några djupa andetag, väggarna steg och sjönk, det går över, det går över. Gick ut i köket, mormors ljusstake glänste, drack vatten, massor av vatten, ville få bort metallen, grät. Öppnade köksskåpen, stirrade åter igen på förpackningen med piller, tjugofem stycken 15 milligrams Sobril i stanniol, hörde läkarens röst.

Du kan knappast överdosera dem, men du ska inte blanda dem med sprit, då blir de farliga.

Hon tog ut pillerplattorna ut förpackningen, tryckte lätt på plasten, det klickade och prasslade då tabletterna dansade runt i plastblåsorna. Placerade den första kartans första piller över en kaffemugg och tryckte till, det plingade när pillret dunkade ner i porslinsmuggen. Flyttade kartan, tryckte ut nästa, nästa, nästa, alla.

Det blev en liten samling längst ner på botten av muggen, hon luktade, ingenting, smakade på en av dem, beskt. Snurrade runt dem i muggen, blundade, kände trycket öka över bröstet, pressade ner luft, kippade, flämtade, tårarna rann över, ner på halsen.

Du ska inte blanda dem med sprit.

Hon ställde ner koppen på diskbänken, gick ut i hallen, drog på sig skorna, torkade bort gråten, höll sig krampaktigt i ledstången på vägen ner, följde husväggarna längs Agnegatan och Garvargatan, bakvägen till Systembolaget vid Kungsholmstorg. Det var nästan tomt, några tanter och ett gäng lodisar, hon ställde sig med ryggen mot människorna, hittade ett begagnat exemplar av dagens Kvällspressen på en bänk, stirrade envist oseende ner på de svarta rubrikerna. Darrande och stammande när det blev hennes tur, killen i kassan tittade misstänksamt. Köpte vodka, en hela. Gick samma väg tillbaka, vinglade längs den smala trottoaren, påsen hängde och slängde, tidningen krampaktigt fastklämd under armen. Kom hem till slut, frusen, utmattad. Gick ut i köket, placerade pillermuggen, tidningen och helröret bredvid ljusstaken på köksbordet, satte sig och grät.

Ville inte mer nu. Orkade inte. Paradisets offer berättar, sid 8, 9, 10 och 11.

Hon lade sig ner på sina armar, blundade, lyssnade till sina egna andetag. För Aida var det över, hon behövde inte kämpa mer.

Annika reste sig upp, sträckte sig efter vodkan, bröt förseglingen kring korken.

Det var ingen idé att skjuta på det längre. Det var lika bra att få det gjort.

Hon höll spriten och pillren i var sin hand, blundade. Glaset var kallare än porslinet.

Det finns inte mer nu, tänkte hon.

Öppnade ögonen.

Vi hamnade ur askan i elden. Mia Eriksson, en av de kvinnor som lurats och utnyttjats av Paradiset, berättar exklusivt för Kvällspressen om stiftelsens terror. Idag fortsätter avslöjandena.

Annika ställde ner koppen och flaskan, tvekade, gick sedan ut i vardagsrummet, tog pillren, spriten och tidningen med sig, satte sig i soffan.

På åttan låg hennes artikel om Mia, på nian Berits intervjuer med fallen från Nacka och Österåker. Tian och elvan var vittnesmål från andra fall, tydligen sådana som hört av sig under gårdagen.

Hon lät tidningen sjunka, lutade sig tillbaka mot soffan. Hon hade skuld i Aidas död, Rebecka hade skvallrat, röjt Aidas gömställe, det var hennes fel att Rebecka haft den möjligheten. Hon satte händerna för ögonen, begravningen kom tillbaka, ljuset under taket, jag trivs bäst i öppna landskap,

Porutschnick miischitj, porutschnick miischitj, porutschnick miischitj.

Telefonen ringde igen, hon lät den ringa, väntade tills signalerna gav upp. Tystnaden efteråt var tjock och tung. Hon satte sig upp i soffan, tog bort kapsylen från spritflaskan, det vred om i magen, barnet, snurrade pillren i koppen, självmedlidandet bankade.

Fy fan hur det är, tänkte hon. Att alla har det så jävligt. Stackars Aida, stackars Mia. Tog upp tidningen, slätade till sidan, läste sina egna ord.

Mannen som var far till Mias första barn misshandlade henne, hotade, förföljde, våldtog. När Mia gifte sig och skaffade ett barn till blev förföljelsen ännu värre.

Mannen slog sönder alla rutor på familjens hus. Överföll Mias man i mörkret. Försökte köra ihjäl Mia och barnen med bil. Försökte skära halsen av sin dotter så att flickan blev stum.

Myndigheterna stod handfallna. De gjorde vad de kunde men det räckte inte särskilt långt. Satte galler för familjens fönster. Lät Mia ha folk från socialtjänsten med sig så fort hon gick ut. Till slut ansåg socialtjänsten att familjen var tvungen att gå under jorden.

I två år hade familjen åkt omkring och bott i sjaviga motellrum. De fick inte avslöja för någon var de befann sig. De var tillsagda att aldrig gå ut. Inte ens Mias föräldrar visste om familjen levde eller var död. Nu hade kammarrätten slagit fast att familjen inte kunde leva ett normalt liv i Sverige under överskådlig tid. De var tvungna att emigrera, frågan var bara vart. Rebecka hade påstått att hon hade lösningen, men familjen hamnade ur askan i elden.

Annika lade ner tidningen i knät, tårarna kom.

Människans villkor var så gräsliga, så vidriga. Varför skulle unga flickor skadas i krig och tvingas fly över hela Europa? Varför tog vi inte vårt ansvar? Varför lämnade vi dem vi älskar att dö? Varför fick inte Mia ha det bra? Varför skulle inte hon få ha ett normalt liv, precis som alla andra, med man och barn och jobb och dagishämtningar?

Hon gick upp, hämtade ett glas vatten. Sjönk ner med artikeln i knät igen.

Människans problem, tänkte hon, borde inskränka sig till vilken form av julprydnad man ska ha i fönstret under advent, om man ska hälsa på mormor på fredag eller lördag, om man ska försöka avancera på jobbet, om man ska bo i lägenhet eller köpa hus. Mia önskade sig den sortens problem, men de var inte förunnade henne.

Hon stirrade på artikeln, hennes formuleringar, egna slutsatser.

Rätt till man och barn och jobb och ett normalt liv.

Inte bara Mia och Aida, utan även hon själv.

Hon drog efter andan medan insikten landade i magen. Stirrade på pillerkoppen och spritflaskan, satt alldeles stilla medan klarsynen fortplantade sig ner genom kroppen.

Försakandet var hennes eget. Det var hon själv som tänkte avstå, hon som tänkte ge upp, hoppa av innan det var färdigt, låta världen fortsätta utan att hon fick veta vad som hände.

Hörde moderns röst i sitt huvud:

Du gör aldrig någonting färdigt. Du misslyckas jämt. Du är feg och lat och besvärlig!

Annika satte handen för kinden, kände fortfarande moderns örfil bränna, tjugo år senare.

Nej, mamma, tänkte hon, du hade fel, det var inte så. Jag skulle visst göra saker färdiga, men jag tänkte alltid så många led i förväg, kom på nya varianter, då blev du arg, tyckte jag slarvade. Birgitta slarvade aldrig.

Hon satt stilla, hade inte tänkt på sin tidiga barndom på årtionden, varför nu?

När du sa åt oss att rita en fågel så ritade Birgitta en fågel, jag ritade en hel skog full med fåglar och andra djur och då blev du arg, jag gjorde fel, gjorde aldrig som du sa.

Fler scener dök upp för henne, moderns ilska under skidturerna, badsemestrarna, lördagsstädningarna. Modern hittade alltid ett skäl att börja skrika åt henne, om hon skyndade sig när hon städade så gjorde hon det för dåligt, om hon var noggrann så sölade hon, om hon hade bakhalt i uppförsbackarna så saboterade hon deras skidtur, om hon skidade fort så smet hon i förväg, om hon anpassade sin fart efter de andras så var hon i vägen.

Jag kunde aldrig göra rätt, tänkte Annika, förbluffad över tanken, visste inte varifrån den kom.

Men det var inte mitt fel.

Tanken var rent fysisk, fick hennes fingertoppar att pirra.

Utbrotten hade inte med henne att göra, de var moderns problem. Hennes mor hade inte stått ut med sitt liv, och hon hade låtit Annika betala.

Annika stirrade framför sig med halvöppen mun, en gardin hade dragits undan framför henne, ett landskap hon inte ens anat låg utsträckt inför hennes ögon, hon såg orsak och verkan, konsekvenser och sammanhang.

Hennes mor hade inte orkat älska henne. Det var sorgligt och smärtsamt men ingenting hon kunde påverka. Modern hade gjort så gott hon kunnat men inte lyckats särskilt bra. Frågan var hur länge Annika skulle straffa sig själv för det. Frågan var när hon tänkte ta ansvar för sitt eget liv, bryta cirklar och gamla mönster, bli vuxen.

Hon kunde låta Barbro bestämma igen, finna sig i den roll som tilldelats henne: Annika, den hopplösa, hon som förstörde för de andra, hon som alltid var i vägen, som aldrig lyckades.

Hennes liv var hennes eget, hon hade rätt att få allt. Vem hindrade henne, annat än hon själv?

Hon grät igen, ingen hård gråt, varm och sorgsen.

Tryggheten var som bortblåst. Ingen kunde ana att detta varit ett bra fungerande samhälle för bara tio år sedan.

Ratko gick snabbt, stegen målmedvetna och händerna i fickorna. På den tiden staden hette Leningrad fanns inga jävla smågangsters här, horor kunde gå genom centrum mitt i natten utan att ens tänka tanken att det var farligt. Idag fick alla, till och med han, ha ögon i nacken. Det var ingen ordning på ligorna, vilken jävla bonnläpp som helst kunde göra karriär på mord och rån.

Kapitalism, tänkte han föraktfullt. Det här visar att den inte fungerar.

Han försökte slappna av, Nevsky prospect var ändå rätt säker. Huvudgator brukade vara det. Bara två kvarter runt hörnet på Mayakovskaya, sedan var han framme.

Sidogatan var mörkare, han såg figurer flimra bland skuggorna, småjoggade över gatan för att undvika dem, skämdes, insåg att han var på väg att bli paranoid.

Porten var låst, han tryckte på porttelefonen. Den gick upp utan att han behövde säga något, sneglade bara försiktigt på den dolda bevakningskameran ovanför dörrposten.

Trappuppgången stank. På varje avsats stod plåttunnor med sopor och skräp. Färgen hängde i flagor, putsen låg i drivor i hörnen.

Vissa saker har inte förändrats, tänkte han. Varför kan inte de här människorna hålla rent omkring sig?

Högst upp, ingen hiss. Ringklockan fungerade inte, han knackade lätt på trädörren, sliten, färgen avskavd. Den gled upp, ljudlöst, insidan stålbepansrad.

– Ratko! Din gamla jävel, jag hörde att de är efter dig!

Hans gamla vän i öst hade blivit ännu fetare, de omfamnade varandra och utbytte kindpussar.

– Det här måste firas, ställ fram några järn!

Några unga män sprang som råttor fram och tillbaka med sprit och glas och cigarrer. Han gick med sin vän genom korridoren med de nötta sammetstapeterna, plankorna under linoleumgolvet knarrade, gick in i det innersta rummet och slog sig ner. När spriten kommit på plats skrek hans vän åt råttorna att de skulle lämna dem i fred.

Dörren stängdes, hans vän slog upp i glasen, de drack och sedan blev det allvar.

– Jag behöver pengar, sa Ratko lågt. Jag har en stor investering.

Han berättade för sin vän om sina planer, hur hans nya verksamhet skulle vara uppbyggd, kunderna, kontakterna, medarbetarna.

Hans vän lyssnade utan att avbryta, satt bredbent på stolen med huvudet böjt och glaset i sin hand.

– Jag har sju miljoner i svenska kontanter, sa Ratko, men som du förstår behöver jag mer för att kunna sparka igång, jag måste hitta rätt folk.

Hans vän drack ur, nickade.

– Var finns vår uppsida?

Ratko log.

– Det här är en bransch i sin linda. Den kommer att växa som fan. Det gäller att vara med från början.

– Vanliga villkoren?

– Självklart, sa Ratko.

Hans vän suckade astmatiskt.

– Hur tar du dig dit?

– Direktflyg till Kapstaden. Mitt pass är stekhett, norskt, det var dyrt att komma in hit och ännu dyrare att komma ut. Jag måste åka redan i natt.

Hans vän svarade inte, rörde sig inte. De drack igen.

– Hur mycket behöver du?

Ratko log igen.

Torsdag 6 december

SVENSKA KOMMUNFÖRBUNDET LÅG DISKRET tillbakadraget ett par kvarter från Slussen. Thomas stirrade en stund på den strama, gulputsade fasaden, maktens boning, de centrala direktivens högborg. Hans karriärmål, eller åtminstone ett av dem. Han drog djupt efter andan, fuktig i handflatorna.

Fy fan vad han ville ha det här uppdraget.

Foajén var luftig och ljus, en kvinna med headset satt bakom en glasruta och såg upptagen ut. Han anmälde sig, slog sig ner med sin portfölj i en soffgrupp intill entrén. Försökte läsa Metro, kunde inte koncentrera sig.

– Thomas Samuelsson, så jävla trevligt hördu.

Han ställde sig upp, försökte le, direktören kom emot honom bortifrån hissarna, tog Thomas högernäve och slog honom på axeln med sin vänsterkarda.

– Så bra att du kunde titta in på så kort varsel, har du varit här förut?

Direktören väntade inte på svar. Han drog med sig Thomas uppför trappan, genom en korridor, ut på en gård, in i en hiss och upp flera plan.

Jag kommer aldrig att hitta ut ur den här labyrinten, tänkte Thomas.

Dörrar gled förbi, stängda, öppna, människor överallt, pratade, diskuterade och läste.

Vad gör alla? undrade han förvirrat.

De kom fram till direktörens kontor, ett vackert rum på sjunde våningen, utsikt över taken på Hornsgatan. De slog sig ner mitt emot varandra i en bekväm grupp fåtöljer, en kvinna gled in och försvann, efterlämnade kaffe, wienerbröd och biskvier.

Thomas svalde, koncentrerade sig på att vara avspänd.

– Socialbidragen kostar kommunerna över tolv miljarder per år, sa direktören och hällde upp kaffe i två muggar med förbundets emblem. Kostnaderna ökar för varje år, samtidigt som politikerna helst av allt vill sänka dem.

Direktören lutade sig tillbaka, blåste på sitt kaffe. Thomas mötte hans blick, granskande och intelligent.

– Socialbidragstagare är den grupp som prioriteras allra lägst av kommunpolitiker, sa direktören. Ska man vara alldeles krass så ses bidragstagarna som ointressanta parasiter. Mer än två tredjedelar av alla politiker anser att kraven på socialbidragstagare är för låga. Det här har fått förödande konsekvenser för medborgarna. Varsågod, de är alldeles färska!

Thomas bet lydigt i ett wienerbröd, det var ohyggligt sött.

– Länsstyrelserna har granskat hur socialtjänsten i kommunerna fungerade under förra året, fortsatte direktören. Det är en deprimerande bild som ges. Jag anser att vi måste ta till oss den här kritiken.

Direktören räckte över en rapport till Thomas, han slog upp den och började skumma.

– I stora drag kan man säga att allmänheten upplever socialtjänsten som negativ, kallsinnig och oförstående, sa direktören. Det är svårt att överhuvudtaget få en tid hos en socialsekreterare. Många sökanden stoppas redan i dörren eller i telefon, de avvisas med upplysningen att de inte har rätt till bidrag. Eftersom det då inte tagits något formellt beslut, går det heller inte att överklaga. Det innebär ett oacceptabelt tummande på rättssäkerheten.

Thomas bläddrade i skriften.

– Allt fler uppfattar socialbyråernas bemötande som kränkande, fortsatte direktören, men det här är inte personalens fel. De allra flesta socialsekreterare gör säkert så gott de kan, deras arbetsbörda har ökat, liksom risken för utbrändhet och misstag. Så här kan vi inte ha det.

Thomas slog ihop skriften.

– Uppriktigt sagt, sa direktören, så är jag jävligt bekymrad. Vi har ingen kontroll över segregeringen i samhället. Ute i kommunerna skulle vi verkligen ha möjlighet att bryta negativa och nedåtgående trender, men vi har varken kunskapen eller resurserna. Jag fick ett samtal i morse från en förtvivlad kvinna i Motala. Hon hade skött sin utvecklingsstörde son på heltid i tio år, levde på socialbidrag. Kommunen drog in assistenten för hennes pojke i oktober, sedan dess har hon skött barnet ensam, dygnet runt. Hon kunde inte sluta gråta. Jag blir alldeles vanmäktigt jävla förtvivlad av sådant här.

Direktören strök sig över ögonen, Thomas noterade med lätt förvåning att mannens upprördhet var djup och äkta.

– Det måste strida mot kommunallagen, sa Thomas, ett sådant beslut kan ju överklagas.

– Jag försökte förklara det, sa direktören, men kvinnan orkade inte ens klä på sig längre. Att läsa kommunallagen för henne och beskriva gången i ett överklagande hade varit ett hån. Jag ringde socialjouren i Motala och berättade om samtalet, de skulle ta tag i kvinnans situation.

Thomas stirrade ner på rapporten i sitt knä, fy fan hur folk hade det.

– Vi måste samordna både kunskap och resurser, sa direktören. Det är här ditt uppdrag kommer in. De som söker socialbidrag behandlas mycket olika, beroende på var de bor, hur arbetet är organiserat och vilken handläggare de möter. Det vi behöver är klara riktlinjer, en gemensam strategi mellan kommunerna. Vi måste utforma regelbundna ärendediskussioner, se över möjligheten att ta emot personliga besök. Dessutom behövs tydlig arbetsledning, rutiner för intern kontroll av handläggningen, välutvecklat samarbete både internt och externt och en jävla noggrann dokumentation.

Direktören suckade, log lite.

– Är du vår man?

Thomas log tillbaka.

– Absolut, sa han.

Annika klev ut ur duschen, öm i kroppen efter joggingturen. Hon hade glömt hur mycket hon älskade att springa, hur upplyftande det var att låta kroppen flyga över asfalten. Lunkade i morgonrock och gummistövlar över bakgården, uppför alla trapporna, lät pulsen sjunga.

Hon åt en jättefrukost, gjorde kaffe, slog sig ner i vardagsrummet med tidningarna.

När hon såg Kvällspressens förstasida brusade det till i huvudet på henne, jävlar, Rebecka är gripen, hon har åkt fast.

Paradiset var förpassat från huvudplatsen på förstasidan, men fanns med som en liten hänvisning ovanför själva tidningshuvudet. Med darrande fingrar fick Annika upp sidorna sex och sju. Rebecka, fortfarande anonym med huvudet ersatt av fyrkanter, fördes bort mellan tre poliser, yes!

Annika stirrade på bilden, fokuserade på detaljerna, Rebeckas ljusa kläder, hennes nätta stövlar, de vildvuxna träden bakom, det måste vara fastigheten i Olovslund. Hon hämtade mer kaffe, satte sig med telefonen i knät, tvekade, men slog sedan direktnumret in till polishuset.

– Nej men vad fan, sa Q, long time no see.

Annika log i luren.

– Har du haft tillfälle att träffa min kompis, Rebecka Björkstig?

– Hon älskar dig, sa polisen. Du kan verkligen konsten att skaffa dig goda vänner.

Annika slutade le.

– Vad menar du?

– Om det du skrivit i tidningen är sant så borde du kanske se dig för, sa han. Du är ju faktiskt den enda som verkligen skvallrat om Rebeckas verksamhet.

– Jag trodde hon var upptagen med annat just nu, sa Annika. Prata med dig, till exempel.

– Till exempel, sa Q. Vad vill du?

– Är hon skyldig?

– Till vad? Skulder, namnbyten, slarv gentemot kommunerna? Ja, definitivt, i den mån det är brottsligt. Stämpling till mord? Jag är inte riktigt lika säker som du.

– Vet ni om hennes verksamhet fungerat överhuvudtaget?

– Ja, i ett fall: hon lyckades radera sig själv. Hon är ingen dumskalle, frågan är om hon menat väl eller verkligen försökt begå brott.

– Men alla identitetsbyten? Det är väl skitskumt?

– Tycker du? Först tog hon sin mammas efternamn som

ogift, ändrade tilltalsnamn, hittade sedan på ett helt nytt efternamn. Händer varenda dag.

Det blev tyst.

– Något annat? frågade han.

– Frihamnsmorden, sa Annika. Har ni kommit närmare någon lösning?

Djup suck i luren.

– Svaret är nej, sa Q. Vi är inte hundra. Det har något med juggemaffian och den försvunna cigarettlasten att göra, men vi vet inte exakt hur det hänger ihop. Det är inte bara det vanliga smugglingsköret, det finns något annat i botten också som vi inte blir kloka över.

Annika drog efter andan.

– Har det med Aida Begovic att göra?

Q tystnade.

– Förmodligen, sa han kort.

– Har det med Rebecka Björkstig att göra?

– Det undersöker vi just nu.

– Hon sa en gång att hon var hotad av jugoslaviska maffian, ligger det något i det?

Polisen suckade.

– Så här är det, sa han. Juggemaffian gör en jävla massa bus som ingen får reda på, men de beskylls också för en massa grejer som de inte har gjort. Björkstig har dragit det där med hotet för oss också, det är tydligen en gammal fordringsägare som heter Andersson som skrämt upp henne med sina maffiakontakter.

– Så det finns ingen koppling mellan Rebecka och serberna?

– Njet.

Annika blundade, tvekade.

– Ratko? sa hon. Ledaren för ciggmaffian, vet ni var han är just nu?

– I Serbien, förmodligen, det är enda platsen i Europa där han kan vara någorlunda säker. Han kan omöjligt röra sig fritt någon annanstans.

– Kan han vara i Sverige?

– En jävligt kort och ljusskygg visit i så fall, varför frågar du?

Hon svalde hårt, tänkte, fick metallsmaken i munnen.

– Förresten, sa hon, vad betyder porutschn... porutschnick miischitj?

– Va? sa krimaren.

– Porutschnick miischitj? Det är serbokroatiska. Tror jag.

– Ursäkta, sa Q, att jag inte är flytande på jordens alla okända språk.

– Det är viktigt, sa Annika. Känner du någon som vet?

Han stönade.

– Vi har tolkar här, sa han. Hur viktigt?

– Mega.

Det dunkade till i Annikas öra när polisen släppte luren i bordet, hon lyssnade till hans steg ut ur rummet, hörde ett avlägset ”Nikola” och så ”vad fan betyder porutschnick miischitj”?

Stegen kom tillbaka.

– Det är en grad och ett namn, sa han. Porucnik betyder överste, Misic är ett ganska vanligt efternamn.

– Oh shit, sa Annika.

– Vad? Nu är jag nyfiken.

– Det kom en man som hette så på Aidas begravning igår, hade massor med ordnar och grejer på uniformen.

– Jaha, sa Q. Det var väl en gammal släkting. Och?

– Han kom i ambassadens bilar, är inte det lite konstigt?

– Han är väl här för Jas-flygningarna, precis som alla andra ljusskygga typer. Hur såg hans ordnar ut?

Annika tänkte hårt.

– Löv, sa hon.

– Löv?

– Ja, löv liksom, och många medaljer.

– Såg du vad det stod på dem?

Hon blundade, suckade.

– Det stod Santa någonting på en av dem, tror jag.

Q visslade till.

– Är du säker?

– Klart jag inte är. Vad tror du, att jag är ett jävla dataminne?

– Han kan vara från KOS, sa Q. Fast de är nästan utrotade.

Hon lade sig ner i soffan, tittade upp i taket.

– Vad då KOS? Vad pratar du om?

– För dig är det en charterö, eller hur? KOS är den jugoslaviska militärens kontraspionage. Milosevic har nästan monterat ner hela organisationen. De senaste femton åren har inneburit en jävla maktkamp mellan KOS och RDB som KOS faktiskt förlorat. Det finns en ohygglig massa bitterhet hos de gamla militärerna.

– RDB? frågade Annika förvirrat.

– Slobodans grabbar, säkerhetspolisen, elitens elit. De kontrollerar både kriminaliteten och polisen i Serbien, hårda killar.

Annika smälte informationen några sekunder.

– Ursäkta, sa hon sedan, men var fan jobbade du innan du hamnade på våldsroteln?

– That's classified, sa han, hon hörde att han flinade.

– Var bor en KOS-överste när han är i Stockholm på Jasflygningar?

– Om han gillar RDB-grabbarna på ambassaden så bor han där. Om inte, så finns han på något av de stora hotellen i city.

– Som till exempel…?
– Jag skulle börja med Royal Viking.
– I love you forever, sa Annika.
– Skona mig, sa han och lade på.

Överste Misic bodde på Sergel Plaza. Annika stod utanför hans rum i flera minuter med handen höjd till knackning, pulsen galopperande i ådrorna, innan hon slutligen lät knogen träffa träet. Hon hörde ett frågande Da där inifrån, knackade igen.

Dörren öppnades, stannade på glänt.

– Da?

Hon skymtade det gamla ansiktet, orakat, en hårig axel, undertröja.

– Colonel Misic? Jag heter Annika Bengtzon. Jag vill gärna tala med er.

Hon försökte le, ostadigt.

Mannen såg på henne, hans ansikte låg i skugga, hon kunde inte tyda hans uttryck.

– Varför? frågade han, grumligt.

– Jag kände Aida, sa hon, rösten för ljus, nervös.

Han svarade inte, men stängde inte heller dörren.

– Jag såg er på begravningen, sa hon. Jag talade med er.

Mannen tvekade.

– Vad vill ni? frågade han.

– Bara prata, sa hon snabbt. Jag vill prata om Aida med någon som kände henne från förr.

Den gamle översten tog ett steg bakåt och drog upp dörren. Han var barfota, hade dragit på sig byxorna, hängslena hängde och dinglade i knävecken.

– Gå in och sätt dig, sa han. Jag ska hämta skjortan.

Annika gick in i rummet, ett litet dubbelrum med två smala sängar, tv, minibar, skrivbord, stol med kromben. Dörren gick igen bakom henne, hon hörde sig själv svälja. Mannen hade försvunnit ut i badrummet, för ett ögonblick greps hon av panik.

Tänk om han kommer ut med en k-pist?

Eller en kniv?

Han kanske mördade Aida!

Hennes puls ökade ännu mer, hon var på väg att fly ut i korridoren igen när mannen kom ut från badrummet i en oknäppt vit skjorta och med ett par strumpor i handen.

– Hur väl kände du Aida? frågade han på bruten engelska.

Annika slog ner blicken.

– Inte särskilt, sa hon, såg upp, mötte den gamles skumma ögon. Men jag hade gärna velat känna henne bättre.

– Du bär hennes kedja, sa mannen, den bosniska liljan, hjärtat för kärlek. Det är jag som köpt den till Aida. Hon har tagit bort berlocken med de serbiska örnarna.

Annikas hand flög upp till halsbandet, hon kände rodnaden stiga.

Den gamle satte sig på ena sängen, lade upp foten på knäet, drog på sig en strumpa.

– Sätt dig, sa han.

Hon sjönk ner på sängen mitt emot militären, skakig i knäna, lät bagen dunsa ner på golvet vid sänggaveln.

– Vilket är ditt syfte? frågade han.

Annika såg på den gamle mannen, hans gråspräckliga kinder, ihopsjunkna axlar, tunga gestalt, skjortan som knappt skulle gå att knäppa över magen, hans glesa hår.

Sorgen har knäckt honom, insåg hon. En sådan sorg som kan göra människor sjuka.

Skulle någon sörja henne så?

Plötsligt kände hon tårarna svämma över. Hon gömde sig i händerna.

Mannen satt kvar, stum, utan att röra sig.

– Förlåt, viskade hon till sist, torkade sig med baksidan av händerna. Min mormor har också nyss dött, jag har inte varit mig själv på sistone.

Militären reste sig, gick ut i badrummet och kom tillbaka med en rulle toalettpapper.

– Tack, sa Annika, tog emot den, snöt sig.

Mannen granskade henne, noggrant men utan illvilja.

– Varför bär du Aidas kedja?

Annika torkade sig under ögonen med toalettpappret.

– Jag träffade henne ett par dagar innan hon dog, sa Annika. Hon var sjuk och väldigt rädd. Jag är journalist, Aida ringde till tidningen där jag arbetar, hon bad om hjälp, jag försökte hjälpa henne...

– Hur?

Annika drog ett djupt andetag, släppte ut luften ljudlöst.

– Hon var så ensam. Det fanns ingen som kunde hjälpa henne. Hon var jagad av en man, dödsförskräckt. Jag träffade henne, för hon hade information om två mord som begåtts här. Sedan kunde jag inte lämna henne, hon var sjuk också, jag gav henne ett telefonnummer till en organisation som heter Paradiset... som jag trodde kunde hjälpa henne.

Hon sneglade på mannen, han lyssnade uppmärksamt men reagerade inte när hon nämnde namnet på stiftelsen.

– Kvinnan som stod bakom Paradiset visade sig vara en bedragare, sa Annika. Jag kände väldig skuld för att jag lurade in Aida i hennes organisation.

Hon böjde huvudet, kände tårarna komma igen, väntade på hans vrede.

Den kom inte.

– Det är en god sak, sa han, att hjälpa sin kamrat. Aida måste ha uppskattat ditt försök, eftersom hon gav dig sin kedja.

– Jag är hemskt ledsen, viskade hon.

Den gamle militären reste sig, gick bort till fönstret, ställde sig att titta ut över Sergels torg.

– Här dog hon, mumlade han. Här dog Aida.

Tystnaden blev tjock, hon kände mannens förtvivlan, såg hans axlar skaka. Hon satt kvar, osäker, händerna kalla och klumpiga. Rev till slut en bit papper, reste sig och gick försiktigt fram till mannen. Tårarna rann nedför hans kinder, fastnade i hans skäggstubb. Han gjorde ingen ansats att ta pappret.

– Förlåt, sa Annika lågt. Jag trodde jag hjälpte henne.

Mannen kastade en kort blick på henne, sedan stirrade han ut på torget igen.

– Vad får dig att känna skuld? frågade han.

– Kvinnan bakom Paradiset, jag är rädd att hon...

Mannen vände sig hastigt om, gick till kylskåpet, tog fram en flaska Slivovits och hällde upp en skvätt i ett glas.

– Aida valde själv att dö, sa han, sträckte fram flaskan mot Annika. Hon skakade på huvudet, han satte på korken och ställde tillbaka flaskan. Vaggade tillbaka till sängen, sjönk ner så det knakade i madrassen.

– Vem var Aida egentligen? frågade Annika. Hur kände du henne?

– Jag är född i Bijelina, sa den gamle mannen, precis som Aida.

Annika satte sig mitt emot honom.

– Känner du till Bijelina?

Hon försökte le.

– Nej, men jag har sett bilder från Bosnien. Det är väldigt vackert, med bergen och palmerna...

– Något sådant finns inte i Bijelina, sa militären. Staden ligger på slätten, strax nordost om Tuzla, vintrarna är stränga, vårarna regnar bort.

Hans blick fastnade på en obestämd punkt ovanför hennes huvud.

– Inte ens floden är särskilt vacker.

Han suckade, såg på Annika.

– Den har du säkert sett på bild, floden Drina som rinner längs serbiska gränsen, fast de berömda bilderna är tagna längre ner, utanför Gorazde.

Hon ruskade på huvudet.

– Högarna av lik, sa han, kropparna som kastades i floden Drina och fastnade i höjd med Gorazde. En dansk fotograf tog sig genom våra linjer och fotograferade dem, bilderna publicerades över hela världen.

Annika svalde, jo, hon mindes, hon hade läst en roman om det, och Kvällspressen hade köpt Sverigerättigheterna till bilderna.

Han tystnade, blicken försvann från rummet igen, Annika väntade.

– Så du är... serb? frågade hon.

Den gamle militären såg trött på henne.

– På den tiden växte man upp utan att tänka på ursprung, sa han. Jag var enda barnet, min närmaste barndomsvän blev som en bror. Han var Aidas far. Jovan var en mycket intelligent man, men eftersom han var muslim fanns inte statliga vägar öppna för honom. Han blev bagare, och en mycket duktig sådan.

Mannen tystnade, strök sig över ögonen, handen hårig, fingrarna håriga.

– Men du blev inte bagare, sa Annika lågt.

– Jag gjorde karriär inom militären, sa den gamle, precis som min far och farfar före mig. Jag gifte mig aldrig. Jovan, däremot, fick en fantastisk familj, en vacker hustru och tre begåvade barn. Jag hälsade på dem i alla år, på sommaren och i juletid. Dottern var min favorit, Aida. Hon var söt som en ängel, sjöng klart som klockor…

Den gamle drog i sig spriten i ett enda svep, torkade sig om munnen med handens baksida.

– Varför bryr du dig om Aida? frågade han.

– Jag är journalist, sa hon, mitt arbete är att skriva om sådant som är viktigt och sant, att beskriva människors villkor…

– Ha! sa mannen plötsligt. Journalister är lakejer, precis som soldater. Ni slåss med lögner i stället för vapen.

Annika blinkade till, oförberedd på hans vrede.

– Det är inte sant! sa hon försiktigt. Min enda uppdragsgivare är sanningen.

Militären såg ner i sitt tomma glas.

– Jaså, jaha, så du skriver i det godas tjänst? Du får inte lön för ditt arbete?

Hon slog ut med händerna.

– Klart jag får, jag är anställd på en fri tidning, är publicistiskt obunden…

– En kommersiell tidning, som säljs för pengar? Hur kan en sådan vara fri? Dess röst är köpt, korrupt, lögnaktig.

Mannen reste sig igen, fyllde på sitt glas. Struntade i att bjuda Annika den här gången. När han satte sig mitt emot henne igen såg hon något glimma till i hans ögon, detta var en man som en gång älskat att diskutera, som ägt både ord och makt.

– Kapitalet är sin egen sanning, sa han. Det syftar bara till att föröka sig, till vilket pris som helst.

– Det är inte sant, sa hon, förvånad över sin egen påstridighet. Det är bara med en fri och obunden press man kan garantera demokratin...

– Demokratin, ha! Den skapar bara konkurrens och instabilitet, politiker som bjuder ut sig till väljarna som horor, kapitalister som utnyttjar och exploaterar sina medmänniskor. Jag ger inte mycket för er demokrati.

– Så vilket är alternativet? frågade Annika. En totalitär stat med censurerad press?

Mannen böjde sig framåt, log nästan.

– Det är bara staten som kan ta ansvar för människorna, sa han. Staten ska inte drivas med något annat syfte än människornas väl. Pressen ska informera och upplysa utan ekonomisk vinning. Det är inte de fria rösterna som talar i era tidningar och tv-kanaler, det är kapitalismen.

Annika skakade på huvudet.

– Du har fel, sa hon. Hur jävla kul har ni det i Serbien egentligen, med Slobodan Milosevic?

Nu mörknade mannen, Annika kunde ha bitit tungan av sig, vad fan sa hon egentligen?

– Förlåt, viskade hon, jag menade inte att såra er...

– Milosevic är en bonde, sa den gamle mannen kvävt. Se vad han har gjort med mitt land! Han förstörde KOS, den enda organisation som hade möjlighet att upprätthålla lag och ordning, drog ner vår budget tills ingenting återstod och gav pengarna till RDB.

Han slog näven i nattygsbordet så att Annika lättade från sängen.

– Jävla RDB, se vad de har gjort mot mitt land! De har låtit kriminella bönder slarva bort hela Serbien. Om KOS haft makten skulle Jugoslavien fortfarande vara en stormakt, ett odelat Stor-Serbien. Vi skulle aldrig ha tillåtit landet att falla sönder.

Han blev sittande, huvudet hängande, armbågarna på knäna. Annika tordes inte röra sig.

– Fram till slutet av 1980-talet fanns en moral på Balkan, sa han lågt, vanliga normer och värderingar, men sedan bröt barbariet ut. Män som Ratko fick makt, städare, kriminella idioter.

Annika slickade sig om läpparna, vägrade känna metallsmaken.

– Vem var Ratko, egentligen?

Den gamle suckade, rätade på sig.

– Han kom från en välbärgad familj som blev av med alla sina tillgångar vid kommunisternas expropriering, omfördelningen från de rika till folket. Hans far blev gjutare, ett hederligt fabriksarbete, men det gick familjen förnär. Ratko bestämde sig för att bli Någon. Han kom hit, till Sverige, för att göra lyckan men hamnade på golvet i en lastbilsfabrik. Han såg sina landsmän gå under av arbetsskador och valde en annan väg: yrkesbrottslingens.

Han drack en klunk.

– Ratko och hans far tyckte inte att den nya lagen gällde för dem. De tyckte att kommunismens lag rånade dem på allt de hade, tog av dem deras historia och mänskliga mervärde. Lagen var Ratkos fiende, att lyda den var att förlora allt. Det enda som driver människan är girighet, vinstbegär, materiella saker.

– Det är inte sant, sa Annika.

– Den enda som kan ta ansvar för människorna är staten, sa mannen.

– Men staten är vi, sa Annika. Den kan aldrig vara bättre än människorna den representerar.

Han såg på henne.

– Samhället är alltid större än folket, att se oss som isolerade individer innebär att egoismen segrar.

– Det är inte säkert, sa Annika. Staten är medborgarna, vi kan inte lämpa över ansvaret på någon annan än oss själva. Det är vi själva som formar vår framtid, staten är vi. Vi har ansvar för varandra och det ansvaret måste vi ta. En enskild människa kan göra en stor insats!

– Och då går det åt helvete! utropade mannen och slog i nattygsbordet igen. Se på Serbien! När Milosevic satte sig själv över staten så gick det åt fanders! RDB har inte kunskapen som krävs, trots att de fått alla resurser. De använder dem helt fel, för egen vinning, missbrukar sin makt, understödjer kriminalitet...

Han tystnade, lätt andfådd.

Annika stirrade på honom, svetten blänkte på hans flint.

– Hur mycket vet du? frågade hon lågt.

– Jag vet allt.

– Allt?

– Allt.

– Om maffian också?

Mannen såg på henne, intensivt, granskade hennes ansikte, hår, händer.

– Det fria ordets riddare, sa han. Kan du skriva alla sanningar?

Annika blinkade.

– Om jag kan kontrollera dem, och de är allmängiltigt intressanta.

– Aha! sa mannen. Vem gör den bedömningen?

– Först jag själv, sedan min redaktionsledning.

– Censorerna, konstaterade den gamle.

– Nej! sa Annika. Vi går ingens ärenden, bara sanningens.

– Du törs inte skriva min sanning, sa mannen. Ingen kan publicera allt jag vet.

– Det kan jag inte svara på, jag känner inte till dina kunskaper.

Mannen såg på henne, en lång stund, det började krypa i hennes skinn, hon kände sig naken.

– Har du en penna med dig? Något att skriva på? Nå, skriv då ner min berättelse. Få se om du vågar trycka den.

Annika böjde sig fram, rev åt sig bagen, fick upp block och penna.

– Vad? sa hon.

– Maffian är staten, sa den gamle, staten är maffian. Allt kontrolleras av makten i Belgrad. RDB, säkerhetspolisen, håller i alla trådar. Vapensmuggling är största och viktigaste inkomstkällan. Tre fjärdedelar av pengarna kommer från vapenförsäljningen. De har rensat hela forna Jugoslavien på vapen, håller dem i enorma lager, kan kriga till domedagen, eller själva orsaka den. De har mycket affärer med Mellanöstern, Irak. Nordkorea är väldigt intresserade av kemisk krigföring, det kan Belgrad hjälpa till med. De underhåller mängder av konflikter i Afrika, förser många afrikanska stater med vapen. Man använder sig av polska båtar som utgår från Gdansk, lastar på dem i Serbien och går ner med dem genom Suez där tullarna är köpta.

Annika stirrade på mannen, hade inte skrivit en rad.

– Vad menar du? sa hon. Är det här sant?

– Cigarettsmuggling är en annan väldigt stor del, fortsatte den gamle, och så förstås sprit och knark och prostitution. Cigaretterna tillverkas i stora piratfabriker, förses med falska etiketter, Marlboro, lastas på lastbilar som plomberas och körs upp genom Europa, med destination Finland. I Sverige bryts plomberingen, lasten töms och sedan åker man in till ambassaden och får en ny plombering. Detta är möjligt eftersom staten står som arrangör. Sedan kör man till Finland och lastar av några pappkartonger.

Annika böjde huvudet.

– Vänta ett ögonblick, sa hon, kan du ta om det första? Vapen, Afrika? Nordkorea?

Den gamle upprepade tålmodigt flera av detaljerna.

– Vad prostitutionen beträffar, sa han sedan, så kommer kvinnorna främst från Ukraina och Vitryssland och exporteras till bordellerna i Centraleuropa, framför allt Tyskland, Ungern, Tjeckien, Polen. Narkotikan kommer mest från Afghanistan. Det är inte talibanerna utan oppositionen som står för knarkproduktionen. Rutten går genom Turkiet, numera är det allt oftare kosovoalbanerna som håller i den delen av trafiken. När kosovoalbanerna sedan fått in råmaterialet så säljer de det till serberna. Serberna förädlar råvaran till knark, hela sjukhus är inblandade i verksamheten liksom stora delar av jordbruksindustrin.

Annika svalde, yr i huvudet, skrev så hon fick ont i armen, kunde detta vara möjligt?

– Spriten tillverkas i stora fabriker och förses med falska etiketter, tolv år gammal skotsk whisky till exempel, finsk vodka. Om den här hanteringen upphör så brakar landet ihop inom några dagar. Arbetarna skulle inte få ut sina löner, systemet skulle falla sönder.

Mannen suckade.

– RDB utfärdar alla typer av pass, skandinaviska, franska, amerikanska. De har ett tätt nätverk i hela Europa i form av barer, diskon, serbiska föreningar och schackklubbar.

Han skrattade till, ett glädjelöst skratt.

– Den serbiska underrättelsetjänsten har en liten egenhet, sa han, de gör bara tillslag och gripanden på onsdagarna. Klarar man onsdagen så är man säker till nästa vecka. Städpatrullerna går i lag om tre eller fem. Om de opererar i främmande land så flyr de via ambassaden, eller konsulatet. Här i Sverige är konsulatet i Trelleborg väldigt aktivt.

Hans röst dog ut, Annika skrev klart, blev sittande med pennan mot pappret.

– Hur ska jag kunna kontrollera det här? undrade hon.

Mannen reste sig, gick ut till den lilla hallen, öppnade garderobsdörren och snurrade på kombinationen till ett litet kassaskåp. När han kom tillbaka höll han några dokument i sina händer, ett par av dem blå.

– Jag har stulit dem från ambassaden, sa han. Två TIR-plomberingar. De kommer att sakna dem inom kort.

Han lade dem på sängen bredvid Annika, hon stirrade på dem, såg upp på mannen, kände förvirringen stiga.

– Hur är det möjligt? sa hon.

Mannen satte sig tungt.

– Det finns vapengömmor överallt runt hela Sverige, sa han. Lager med knark, sprit, cigaretter, hela fastigheter med serber utan uppehållstillstånd, trailers, bilar, båtar.

Annika svalde.

– Vet du var?

Han såg på henne, nickade.

Berättade.

När han tystnat kände Annika adrenalinet sjuda, det här var helt otroligt.

– Men, sa hon, vad händer om jag skriver detta under mitt eget namn? Kommer inte maffian efter mig då?

Den gamle såg trött på henne.

– Rädd om ditt eget skinn? Är du viktigare än sanningen? Kan inte din stat av fria medborgare ta hand om dig och skydda dig?

Hon slog ner blicken, rodnade.

– Du måste förstå, sa mannen, detta är inte personligt, det är bara business. Ratko har inga vänner kvar, ingen kommer att städa undan dig som en personlig vendetta. Om du raserar den kriminella strukturen finns ingen kvar som kan göra dig illa, det finns inget intresse av det längre.

Annika såg upp.

– Men ambassaden då, om det nu är sant som du säger, att de ligger bakom allt?

– Serbiska ambassaden blir din bästa livförsäkring. Det kommer att ligga i deras personliga intresse att du inte råkar illa ut. Däremot skulle jag inte rekommendera dig att åka till Balkan på ett tag. Där skulle du kunna råka på fel personer.

Hon såg ner på sina anteckningar, harklade sig.

– Vad händer med Ratko?

Mannen tvekade.

– Ratko har åkt, ingen vet vart. Den dagen han visar sig i Europa är han död. Min gissning är att han åkt till Afrika, till någon av sina mottagare av vapen.

– Vad händer med dig?

Mannen såg på henne, länge.

– Jag har gjort mitt, sa han. Alla som betyder något för mig är borta. Aida var den sista.

– Vad var det som hände? viskade Annika.

Den gamle reste sig igen, gick bort till fönstret, såg ut över torget, grått i skymningsljuset.

– Ratko mördade hela familjen, utom Aida. Det blev upptakten till våldet i Bosnien. Det var i mars 1992.

Annika flämtade till.

– Herregud, hela familjen?

– Jovan, hans hustru, sonhustrun som var gravid, deras minsta pojke som bara var nio år. Sonen var i armén och dog vid fronten ett halvår senare.

– Han mördade dem?

Mannen talade med blicken fäst på trekanterna på Sergels torg.

– Ratko och hans Pantrar. Den politiska spänningen hade pågått länge, striderna hade rasat i Kroatien, men massakern i Bijelina är den första man uppmärksammade i Bosnien.

– Och den drabbade Aidas familj?

– Jag vet inte varför hon överlevde, hon berättade det aldrig.

Annika kände tårarna rinna igen, gode värld så vidrigt.

– Vad hände med henne? Hur kom hon hit?

Mannen stirrade ut över torget, snöflingor började dala.

– Hon var sjutton år då, och såvitt jag vet så gick hon till fots till Tuzla direkt efter morden. Hon fick lift ner till Sarajevo och tog värvning i Armija BiH. I Sarajevo fanns hennes farbror, Jovans yngre bror, och tog upp henne i sin *speciale diversanskij group*.

Annika väntade på fortsättningen, andlös, tårarna hängande på läpparna.

– Och? sa hon.

– *Speciale diversanskij group*, sa mannen med betoning på varje ord. Hon blev sniper. När jag fick höra det tog jag min hand ifrån henne, bröt all kontakt.

Annika blinkade, förstod inte.

– Krypskytt, sa den gamle, oändligt trött. Hon utbildade sig till krypskytt, låg på hustak och sköt prick på människor nere på gatan, män, kvinnor, barn utan urskiljning.

Annika kunde inte andas.

– Nej...

Han vände sig om, såg på henne.

– Jag försäkrar dig, sa han, hon blev ganska duktig. Bara Gud vet hur många Aida har dödat.

Han satte sig mitt emot henne igen.

– Du visste inte? sa han.

Annika skakade på huvudet.

– Hur, sa hon och svalde, hur hamnade hon här? I Stockholm?

Mannen gned sig över ögonen.

– Hon sårades, bars genom tunneln ut ur Sarajevo och upp på berget Igman. Där ordnade hon så att hon fick tillstånd att följa med en grupp kvinnor och barn som Röda korset samlat ihop. Det blev problem på vägen ut ur Bosnien. Vid ett tillfälle blev transporten stoppad, några av de yngre kvinnorna släpades ut ur bussen av berusade militärer, barbarer. Vi vet inte vad som hände, men när bussen åkte vidare låg två soldater döda i sina vaktkurer, skjutna i munnen med sina egna vapen. Det kan inte ha varit någon annan än Aida.

Mannen hängde med huvudet, Annika kände illamåendet stiga.

– Varför ville hon till Sverige? viskade hon.

– Hon hade hört att Ratko var här. Hon hade svurit att hämnas. Det var det enda som betydde något för henne. Han hade tagit ifrån henne hennes familj, hennes liv. Jag hörde inte något från henne på flera år. Det har ofta smärtat mig. Jag gjorde fel. Jag skulle ha behållit kontakten. Man klarar sig inte ensam. Aida skulle ha behövt mig.

Annika kände plötsligt kedjan bränna runt halsen, tung och het, en mördares tacksamhet.

– Så skrev hon, sa mannen kvävt, lördagen den 3 november i år. Hennes uppdrag var nästan klart, skrev hon. Hon hade tagit kontakt med Ratko, de skulle träffas, en av dem skulle dö.

– Hon tog kontakt? sa Annika. Är du säker på att hon själv tog kontakt med Ratko? De träffades på hennes initiativ? Det var ingen som förrådde henne?

Mannen böjde huvudet.

– Hon skulle konfrontera Ratko en gång för alla, sa han tyst. Om hon misslyckades bad hon mig göra färdigt. Jag har överlevt alla utrensningar, jag har fortfarande Milosevics förtroende, jag kunde förstöra Ratkos tillvaro.

Hans axlar skakade igen, han höll handen för sina ögon.

– Gå, bad han.

Annika svalde.

– Men...

– Gå.

Hon böjde sig ner, stoppade ner block och penna i bagen, tvekade ett ögonblick, lät sedan de blå dokumenten följa efter, TIR-plomberingarna från jugoslaviska ambassaden.

– Tack för allt, viskade hon.

Mannen svarade inte.

Hon lämnade honom, gick tyst ut i hallen, öppnade dörren och steg ut i korridoren.

Den gamle militären satt kvar på sängen medan mörkret föll. Hans axlar värkte, ryggen, händerna. Fötterna blev kalla, avdomnade. Den unga journalisten tog med sig plomberingarna, bra. De skulle aldrig kunna bevisa att det var han som tagit dem, även om de naturligtvis skulle förstå det.

Han beslutade sig för att ta sig ett bad. Gick ut i badrummet, tände lyset, satte för proppen, spolade i vattnet, hett. Satt på toalettstolen medan karet fylldes, lät kylan från klinkergolvet gräva sig in i hans ben, välkomnade smärtan. När vattnet runnit över kanten och nådde hans tår vred han av kranarna. Gick ut till rummet, till mörkret, drog av sig sina kläder, lade dem noggrant hopvikta på en stol.

Sjönk ner i det heta vattnet, ända upp till hakan, blundade, länge, lät kroppen upplösas.

När vattnet svalnat klev han upp, torkade sig noga, rakade sig, kammade sig, tog fram paraduniformen igen, alla ordnarna, medaljerna för särskilda insatser. Klädde sig långsamt och noggrant, strök med händerna över uniformens slag, fäste skärmmössan ordentligt på huvudet. Gick sedan till kassaskåpet, drog fram sitt tjänstevapen.

Han såg sig själv i fönsterglaset, hela hans spegelvända hotellrum svävade ovanpå de trekantiga betongrutorna på Sergels torg. Mötte sin blick under skärmen, lugn, beslutsam. Ändrade ögats grumliga skärpa ut på torget, fäste blicken på platsen där hon dött.

Tillsammans, tänkte han, stoppade mynningen i munnen och tryckte av.

Eleonor strök sig med baksidan av handen över pannan.

– Filén är klar, sa hon. Hur går det med gratängen?

Thomas öppnade ugnsluckan, stack ner en provsticka i mitten.

– En liten stund till.

– Ska vi lägga över en folie så den inte bränns?

– Jag tror det klarar sig, sa Thomas.

Eleonor spolade av händerna under kökskranen, torkade av sig på förklädet, andades ut.

– Har jag spisrosor? undrade hon och log.

Han svalde, log tillbaka.

– Det är hemskt charmigt, sa han.

Hon knöt upp förklädet i ryggen, hängde upp det på sin krok och gick bort mot sovrummet för att byta skor. Thomas gick ut till matsalen med salladsskålen, ställde den mellan kristallglas, engelskt benporslin och silverbestick. Granskade bordet, den kalla antipastan till förrätt, servetter, mineralvatten, sallad, allt stod på plats utom vinet.

Han suckade, var trött, hade velat ligga och titta på tv och fundera över sitt projekt. Hela eftermiddagen hade han gått igenom rapporten där människor berättade hur de upplevde att leva på socialbidrag, hur den ständiga tillvaron på marginalen nötte ner dem, obehaget att sitta och förklara varför barnet behövde nya gymnastikskor, socialsekreterarnas stressade attityd, den ständiga känslan av allmosa och förnedring. Hur de tvingades välja mellan att laga sina tänder och hämta ut sin medicin. Att aldrig ha råd att äta kött. Barnens böner om skridskor eller en cykel.

Människornas förtvivlan hade borrat sig in i honom, ville inte släppa taget, hängde kvar inom honom som ett sår.

Om jag hade makt att förändra, tänkte han, blundade, andades.

Så hörde han bildörrarna slå igen ute på uppfarten, väntade på ljudet av grus som gnisslade mot is.

– Nu kommer de! ropade han mot sovrummet.

Dörrklockan klingade sin spröda melodi, Thomas torkade av händerna och gick ut i hallen för att öppna.

– Välkomna, stig på, ta av er, ska jag hjälpa till med pälsen...?

Nisse från banken, kontorscheferna i Täby och Djursholm och så regionchefen från Stockholm, tre män, en kvinna.

Eleonor kom gående när han höll på att servera drinkarna, sval, leende, vacker.

– Så roligt att se er här, sa hon. Välkomna!

– Vi har ju så mycket att fira, sa regionchefen. Och så fint ni bor här!

Han kysste henne rejält på bägge kinderna, Thomas noterade irriterat att Eleonor rodnade.

– Tack, vi trivs väldigt bra.

Sneglade på Thomas, han log en aning ansträngt.

De skålade.

– Ska vi gå en liten husesyn? undrade Eleonor.

Entusiastiska utrop, sällskapet dröp av, Thomas blev ensam kvar i salongen. Han hörde hustruns klara stämma klinga mellan väggarna.

– Vi har tänkt göra om köket, sa hon glatt, sätta in gasspis, vi är ju så roade av att laga mat, det blir sådan känsla med öppen låga... Golvvärme ska vi ha, marmor, gärna i grönt, det ger sådan frid... Och här nere har vi suterrängvåningen, där planerar vi en vinkällare, vi känner att vi måste ta lite bättre hand om vår samling...

Han ställde ifrån sig drinken, märkte att handen darrade. Vilken jävla vinsamling? Eleonors föräldrar hade en bra vinkällare ute på landet, fylld av kvalité, men de hade inte ens börjat att samla på sig någon egen, de hade inte haft tid.

Plötsligt kände han paniken komma krypande, blev alldeles kall.

Nej, bad han, inte nu, låt mig hålla ihop åtminstone över kvällen, det här är så viktigt för Eleonor.

Han gick ut i köket, drog upp rödvinet för att det skulle få lufta, smällde iväg korken till det mousserande, fyllde champagneglasen.

– Vilket härligt hem! sa regionchefen när de kom upp från gillestugan. Och så roligt med så många planer.

Thomas försökte le, lyckades inte särskilt bra.

– Ska vi slå oss ner? sa han.

Eleonor log nervöst.

– I all enkelhet, sa hon. Vi jobbar ju väldigt intensivt både Thomas och jag, Thomas är ekonomichef på Vaxholms kommun.

– Socialkamrer, sa Thomas.

Eleonor gick ut i matsalen, informerade om bordsplaceringen.

– Nisse, om du sitter där, Leopold, här intill mig, Gunvor…

Gästerna uppskattade maten och vinet, stämningen blev snabbt uppsluppen. Thomas hörde brottstycken av samtal, om vinster, resultat, marknad. Försökte äta, allting växte i munnen på honom, han kände sig matt och yr. Så småningom klingade regionchefen i glaset.

– Jag skulle vilja utbringa en skål för Eleonor, sa han högtidligt, vår värdinna denna trevliga kväll, för hennes fantastiska resultat på banken under året. Du ska veta, Eleonor, att bankledningen har uppmärksammat dina framgångar, din målmedvetenhet och din entusiasm. Skål!

Thomas såg på sin hustru, Eleonor var alldeles skär om kinderna av berömmet.

– Och som grädde på moset så ska jag redan ikväll avslöja vilka uttryck bankledningens belåtenhet kommer att ta sig.

De fyra bankdirektörerna sträckte på sig, Thomas visste att detta var middagens klo, nu skulle de få sina köttben.

– Ni representerar kontoren med de bästa resultaten i Svealand, sa regionchefen. Avkastningen på egna kapitalet ökar i år igen, enkäterna till företags- och privatkunder visar på stor uppskattning.

Han gjorde en konstpaus,

– Jag kan också avslöja att undersökningen av personalens omdöme om kontorscheferna är klar, och även där ligger ni i topp. Därför är det, sa han och mös, med stor glädje som bankledningen beslutat höja både er bonus och er vinstandel.

Eleonor flämtade till, alldeles blank i ögonen av hänryckning.

– Och! sa regionchefen och lutade sig framåt över bordet, ni kommer också att få förmånen att komma med i bankledningens optionsprogram nästa år!

Nu kunde de fyra bankdirektörerna inte vara tysta längre, de var tvungna att undslippa sig små jublande utrop.

– Dessutom, sa regionchefen, så kommer ni att tilldelas ett mycket förmånligt paket av sjukförsäkringar som banken betalar. De innebär inte bara att ni själva får gå förbi alla vårdköer, de innefattar även era äkta hälfter!

Eleonor såg på Thomas, alldeles vild av glädje.

– Hörde du älskling, är det inte fantastiskt!

Så vände hon sig mot regionchefen igen.

– Åh Leopold, hur ska vi kunna leva upp till det här otroliga gensvaret från ledningen, vilket ansvar!

Regionchefen reste sig upp.

– För gemensamma framgångar!

De andra följde honom.

– För gemensamma framgångar!

Thomas kände plötsligt att han måste kräkas. Han rusade ut ur matsalen, bort längs korridoren och in i badrummet, låste dörren, ramlade ner över toalettstolen, andades stötvis. Svetten lackade i pannan, han kände sig svimfärdig.

Eleonor knackade oroligt på dörren.

– Älskling, hur är det? Vad hände?

Han svarade inte, ville bara gråta.

– Thomas!

– Jag mår illa, sa han. Gå ut till de andra, jag går och lägger mig.

– Men jag tänkte att du skulle göra kaffet!

Han blundade, i svalget brände den beska surheten av nedtryckt uppstötning.

– Jag kan inte, viskade han. Det går inte längre.

Fredag 7 december

ANNIKA VAKNADE TRE MINUTER I SEX, törstig och vrålhungrig. Vinternatten var fortfarande ogenomtränglig utanför fönstret, svart och kall. Hon låg på sidan, tittade på väckarklockans självlysande visare, den skulle ringa om arton minuter.

Hon skulle vara på Södersjukhuset klockan sju. Fick inte äta eller dricka före narkosen. Skulle få ett stift i livmoderhalsen som öppnade livmodermunnen så att innehållet kunde sugas ut.

En pojke, tänkte hon. Ljus, som sin pappa.

Hon rullade över på rygg, tittade upp i taket, hittade inga mönster i mörkret.

Det är ingen brådska. Jag hinner.

Blundade, lyssnade till den nyfödda dagen som började andas. Klockan sex körde fläkten igång på bakgården, bromsarna på 48:ans buss gnisslade, hon hörde morgonekots signatur fortplanta sig genom bjälklaget från grannen snett under. Välbekanta ljud, varma, vänliga. Hon sträckte på sig, armarna uppåt, lade dem bakom nacken, stirrade in i mörkret.

Den gamle militären gled förbi hennes synfält, tyngd, bitter, ensam. Han trodde inte på människan, bara på staten, valde att göra det, man har alltid ett val.

Aida hade varit krypskytt, en mördare, hon valde att bli det. Omständigheterna formar oss alla, men valet är ändå vårt eget.

Annika kände plötsligt tyngden från den tjocka kedjan i sina händer, satte sig upp, hittade låset, krångligt, fick upp det, lade den framför väckarklockan på nattygsbordet. De självlysande visarna skickade ljusgröna reflexer i metallen.

Ville inte ha mördarens tacksamhet.

Hon stängde av klockans ringning, kastade täcket åt sidan, satte på sig morgonrocken och stövlarna, greppade badrumspåsen och sprang ner till duschrummet på andra sidan gården. Tvättade håret, spottade noga när hon borstade tänderna för att inte få i sig något vatten före narkosen.

Gick upp till lägenheten, kanske skulle hon beställa en morgontidning trots allt, kunde vara kul att läsa under frukosten. Öppnade kylen, där fanns juice, yoghurt, ägg, bacon, färsk vitlöksost, lufttorkad italiensk skinka, hon hade handlat på skit-Ica igår kväll. Stirrade in i kylen, höll ena handen i handtaget och lät den andra glida till magen.

Valet är alltid vårt eget.

Drog efter andan, så enkelt egentligen, skrattade plötsligt, det var ju inte ett dugg svårt.

Tog fram juicen, slog upp ett stort glas, slog på plattan, lade upp stekpannan.

Drack. Drack.

Knäckte ägg i pannan, klippte ner bacon. Rostade frallor. Strök på vitlöksost, åt medan hon rörde i omeletten.

Åt. Åt.

Kände maten landa i magen, drack av det heta kaffet, värmen som spred sig, koffeinet som kickade in. Tände ljusstaken på bordet, mormors bröllopspresent, mässingsstaken från Lyckebo, såg lågan fladdra och dansa. Log mot spegelbilden i fönstret, kvinnan i morgonrocken med det våta håret, kvinnan med ljuset som skulle ha ett barn.

Gick in i sovrummet, tände taklampan, såg guldet glittra på nattygsbordet. Klädde sig, tog upp kedjan, vägde den i handen.

Tung. Jävligt tung.

För första gången på över en månad gick hon in i rummet bakom köket, den nakna jungfrukammaren, bara bordet i hörnet och stolen med trasigt ryggstöd. Hon använde inte rummet, tänkte fortfarande på det som Patricias rum.

Här, tänkte hon, kan man sitta och skriva.

Tittade på klockan, snart sju. Då öppnade guldsmeden på andra sidan gatan. Hon hade gått in där en gång av misstag när hon skulle ha ett par örhängen till Anne Snapphanes födelsedag. En stor skallig man med tjockt läderförkläde och tång i ena näven hade tornat upp sig framför henne, hon hade hickat till och frågat om hon kommit rätt. Det hade hon, smeden sålde verkligen guldörhängen, hon hade köpt ett par fjolliga kärringdroppar i rena förskräckelsen.

Hon blåste ut ljuset, torkade håret med en handduk, drog en mössa över, satte på sig jacka och skor och gick ner.

Det hade snöat under natten, ett mjukt täcke vilade fortfarande över trottoarerna. Hennes fötter lämnade spår, ledde från hennes port, över gatan, fram till hans.

Han hade öppnat, samma tjocka förkläde, samma glada uppsyn.

– Tidigt ute, sa han glatt. Julklappar?

Hon log, skakade på huvudet och lämnade fram Aidas halsband.

– Det var en jävla kätting du, sa guldsmeden, vägde kedjan i sina händer.

Annika såg metallen gnistra i hans väldiga nävar, han kunde säkert göra något vackert av mördarens tacksamhet.

– Är det guld? frågade hon.

Mannen skrapade lite uppe vid låset, vände sig om och mixtrade med någonting.

– Minst arton karat, sa han. Vill du bli av med det?

Annika nickade, smeden lade kedjan på en våg.

– Det var en jävel att vara tung, sa han. Hundranittio gram, fyrtioåtta kronor grammet.

Han slog på en miniräknare.

– Niotusenetthundratjugo kronor, blir det bra?

Ny nick. Guldsmeden gick in i ett bakre rum, kom ut med pengar och ett kvitto.

– Sådär, sa han. Bränn inte alltihop på en gång.

Hon log lite.

– Jo, sa hon, det är precis vad jag har tänkt.

Datakillarna runt hörnet öppnade egentligen inte förrän klockan nio, men hon såg att en av dem satt och hamrade på ett tangentbord i ett rum bakom butiken. Hon knackade på rutan, killen tittade upp, hon log och vinkade, han gick ut i butiken och låste upp dörren.

– Jag vet att jag är tidig, sa Annika, men jag vill köpa en dator.

Han öppnade dörren, skrattade lite.

– Och du kan inte hålla dig till vi öppnar?

Hon log.

– Har ni någon för niotusenetthundratjugo kronor?

– Mac eller pc? frågade han.

– Skit samma, sa hon, bara den inte bombar jämt.

Killen såg sig omkring i röran i butiken. De sålde datorer,

nya och begagnade, de lagade datorer, programmerade, servade, utförde support och byggde webbsidor, allt enligt skylten i fönstret. Annika passerade deras butik ungefär åtta gånger per dag, för det mesta verkade de spela dataspel.

– Den här, sa killen, och lyfte upp en stor grå burk på ett bord, den här är lite begagnad men har en ny processor och en jävla massa minne. Vad ska du ha den till?

– Som skrivmaskin, sa Annika. Och surfa lite.

Killen klappade på burken.

– Då är den här skitbra. Allt ligger redan inne, alla program som Word, Excel, Explorer...

– Jag tar den, avbröt hon, och en skärm och allt sådant.

Datakillen tvekade.

– Ska du ha allting annat också för niotusen spänn?

– Niotusenetthundratjugo. Hårddisken är ju begagnad.

Han suckade.

– Okey då, bara för att det är så jävla tidigt.

Killen lämnade henne i butiken, gick ut i det bakre rummet och kom tillbaka med en liten skärm.

– Den är inte så stor, men den är TCO-märkt, sa han. Strålar inte så jävligt, man ska vara noga med det. Själv blir jag yr i huvudet av gamla skärmar, det börjar krypa i hjärnan. Något annat? Disketter?

– Jag har bara niotusenetthundratjugo kronor.

Han suckade igen, tog fram en papperskasse och hällde ner ett par högtalare, en mus, musmatta, några förpackningar med disketter, kablar och ett tangentbord.

– Och en skrivare, sa Annika.

– Nu får du ge dig, sa killen. För niotusenetthundratjugo kronor?

– Jag kan ta en begagnad, sa Annika.

Han gick tillbaka till lagret igen och kom ut med en stor kartong som det stod Hewlett på.

– Nu har du fått hårddisken gratis, sa han. Något annat vi kan bjuda på?

Hon skrattade.

– Det är bra så här, men hur ska jag få hem det?

– Där, sa killen, går gränsen. Du får bära själv. Jag vet att du bor i kvarteret, jag har sett dig förr.

Annika blev varm om kinderna.

– Har du?

Han log lite generat, ganska söt, mörklockig.

– Du går ju här jämt, sa han, och du har alltid bråttom. Du måste ha ett intressant liv.

Hon drog ett djupt andetag.

– Jo, sa hon, faktiskt. Fast jag är ganska svag, jag behöver nog hjälp med alla grejer.

Han stönade och rullade med ögonen, tog ett bättre grepp om skrivaren och gick mot dörren.

– Hoppas du bor nära, sa han.

– Högst upp utan hiss, sa Annika och log.

Himlen började ljusna när hon satte sig vid bordet i jungfrukammaren med blocket bredvid sig, tittade ut mot gathuset, såg halmstjärnorna vaja.

Det här är ju ett bra rum, tänkte hon, varför har jag inte använt det förut?

Hon gick igenom alltsammans, igen och igen, skrev, raderade, ändrade. Gick upp i den medvetandegrad då tid och rumsuppfattning upphör, lät orden flöda, bokstäverna dansa.

Kände plötsligt att hon var hungrig igen. Sprang ner och hämtade en pizza på haket runt hörnet, åt vid datorn.

När utskriften var klar, bläckstråleskrivare, jävligt långsam, hade det börjat skymma. Hon stoppade papprena i en plastficka, sparade ner texten på en diskett och gick upp till polishuset.

– Du kan inte stövla in här hur som helst, sa Q irriterat när han mötte henne i receptionen. Vad vill du?

– Jag har skrivit en artikel som jag vill att du ska kommentera, sa hon.

Han stönade högt.

– Det är förstås lika jävla viktigt som vanligt?

– Japp.

– Vi går ner på fiket.

De satte sig på mackbaren runt hörnet, beställde kaffe och smörgåsar, Annika drog upp plastmappen.

– Jag vet inte om det här kommer att publiceras, sa hon. Jag ska gå upp till tidningen och ge dem materialet så fort jag har pratat med dig.

Krimaren såg granskande på henne, tog utskrifterna.

Läste under tystnad, bläddrade, läste igen.

– Det här, sa han, är en fullständig förteckning över den jugoslaviska maffians verksamhet, både internationellt och i Sverige. Alla lager, högkvarter, fordon, kontakter, rutiner...

Hon nickade, han stirrade på henne.

– Du är ju helt jävla overklig, sa han. Var fan har du fått tag på de här uppgifterna?

– Jag har två TIR-plomberingar i väskan, sa hon.

Han lutade sig plötsligt bakåt i stolen, lät armen hänga över ryggstödet.

– Nu förstår jag, sa han. Du har en förmåga att ta livet av folk.

Annika stelnade till, ett knivhugg i bröstet.

– Vad menar du?

Han stirrade på henne under flera sekunder, mindes rapporten på sitt skrivbord, självmordet på Sergel Plaza igår kväll, den jugoslaviske översten med diplomatpass.

– Ingenting, sa han.

Böjde sig fram igen, drack ur kaffet.

– Inget. Det var dumt. Förlåt.

– Vad tror du? sa hon. Stämmer uppgifterna?

Han tänkte länge.

– Det måste jag kontrollera innan jag uttalar mig. Den här pizzerian i Göteborg, till exempel, behöver inte ha ett skit med maffian att göra.

Hon suckade ljudlöst.

– När kan du kolla det? frågade hon tyst.

– Förhoppningsvis, sa han, innan du publicerar alla fakta, för efteråt lär de inte vara särskilt aktuella.

– Jag behöver bekräftelse innan dess, sa hon. Jag har bara en källa.

Han såg långt på henne.

– Och om jag inte vill?

Hon lutade sig fram, sänkte rösten ytterligare.

– Det enda jag vill är att du kollar runt och säger om uppgifterna håller eller inte.

– Jag måste gå in i kåkarna för att kunna ge dig besked, sa han, och i samma sekund som vi knackar på första dörren så går larmet. Då är det för sent.

Hon nickade.

– Okey, sa hon. Jag har tänkt på det. Om vi säger så här: jag har fått detaljerade uppgifter om maffians tillhåll, högkvarter och lager, men eftersom jag inte kan få dem bekräftade så kan jag inte gå ut med dem. Det innebär att jag kan behandla dem i generella ordalag, inte i detalj. Adresserna är ju inte det viktigaste. När du genomfört din kontroll så vet vi svaret, eller hur?

Han tvekade, nickade.

Hon log nervöst.

– Kan man förmoda att polisen planerar en rätt samordnad kontroll någon gång tidigt en morgon? Kanske den dag då första delen av historien går i tryck?

– Och när är det?

– Vilken dag som blir aktuell kan jag inte säga, men skogsupplagan ska alltid börja rulla strax efter sex.

– Hur många har sett artiklarna före det?

Hon tänkte.

– Mindre än tjugo personer, nattlaget och grabbarna som slår plåt ute i tryckeriet.

– Så det finns ingen risk att de läcker ut? Okey, då kan jag nog säga att kontrollen kommer att äga rum någon av de närmaste dagarna klockan noll sex noll noll.

Annika packade ihop sina saker.

– Jag kan nog avslöja att vi kommer att ha ganska många fotografer i tjänst den morgonen, sådär runt tryckstart.

Q sköt undan kaffekoppen och reste sig.

– Vi gör vårt jobb, sa han, för medborgarnas skull. Inte för någon annans.

Annika drog på sig jackan, ställde sig upp.

– Samma här, sa hon.

Anders Schyman bläddrade igenom dagens tidning, betraktade bilden på förstasidan. Anneli från Motala tillsammans med sin utvecklingsstörde son Alexander, svikna av kommunen, förtvivlade, utlämnade. Calle Wennergrens genomgång av alla brott mot kommunallagen som socialtjänsten gjort sig skyldig till, kommunalrådets ihåliga undanflykter.

Fy fan hur folk har det, tänkte Schyman. Längtade efter en whisky. Längtade efter sin fru, deras hund, fåtöljen i huset i Saltsjöbaden. Det hade varit en tung vecka. Torstenssons plötsliga återtagande av chefredaktörsposten hade provocerat honom mer än han ville erkänna. Men Torstensson måste bort. Om tidningen skulle överleva fanns inga alternativ.

Schyman rev sig i håret, suckade. Hans bedömning var att de hade tre år på sig att vända resultatet, inte mer. Om tidningen skulle klara omställningen till den nya tekniken, den nya tiden, så var det upp till honom. Han tänkte ta strid, och han behövde en whisky. En stor. Nu.

Det knackade på dörren, nej nu jävlar, han orkade inte mer nu, vad fan var det nu?

Annika Bengtzon stack in huvudet.

– Har du tid en stund?

Han blundade.

– Jag är på väg hem. Vad är det?

Hon drog igen dörren bakom sig, ställde sig framför hans skrivbord, släppte ner bagen på golvet, lät jackan följa efter.

– Jag har skrivit en artikel, sa hon.

Halleluja, tänkte han.

– Och? sa han.

– Jag tror att du behöver läsa den. Man skulle kunna säga att den är kontroversiell.

– Minsann, mumlade han och tog emot disketten hon gav honom.

Snurrade runt på stolen, tryckte in disketten i skåran, väntade tills den blev en liten symbol på hans skrivbord. Dubbelklickade, det här skulle gå fort.

Modet sjönk.

– Det är ju tre artiklar, sa han.

– Börja med ettan, sa hon, satte sig på en av de obekväma besöksstolarna.

Det var en lång text, en total beskrivning över den jugoslaviska maffians uppbyggnad i Belgrad, deras verksamhetsområden, olika gruppers ansvar.

Text nummer två var en redogörelse över juggemaffians utbredning och verksamhet i Sverige, exakta adresser som uppgavs vara deras olika baser för knark, cigaretter, illegal sprit, människosmuggling, bordeller...

Den tredje var en liknande artikel, fast utan adresser.

– Är inte du sjukskriven? frågade han.

– Jag ramlade över en bra grej, sa hon.

Han läste artiklarna en gång till, suckade.

– Det här går inte att publicera, sa han.

– Vilket av det? frågade Annika.

Suckade igen.

– Det här med TIR-plomberingarna, sa han, att påstå att ambassaden har tillgång till sådana, det är ju absurt, hur ska vi kunna belägga något sådant?

Hon böjde sig ner, rev i sin bag och lade upp en packe dokument på hans skrivbord.

– Två TIR-plomberingar, sa hon, stulna från jugoslaviska ambassaden.

Han kände hakan trilla ner, hon grävde vidare i sin bag.

– Vad gäller den svenska delen av verksamheten, sa hon, så vet jag att polisen just nu håller på att organisera ett massivt tillslag på samtliga adresser, samtidigt. Det kommer att ske klockan sex på morgonen någon av de närmaste dagarna.

– Hur vet du det? sa han.

Hon såg honom i ögonen.

– Därför att jag har givit listan till polisen, sa hon. Vi måste samordna publiceringen med deras razzior.

Han skakade på huvudet.

– Vad håller du på med? Vad har du gett dig in i?

– Jag har uppgifterna från en säker källa, men bara en. Jag vet att texterna inte går att köra som de ser ut nu, för jag behöver en bekräftelse på alltsammans för att de ska kunna publiceras. Det är bara polisen som kan ge mig den, och för att kunna göra det måste jag ju fråga dem, eller hur?

Han tog sig för pannan.

– Första dagen kör vi artikel ett och tre, sa hon, den generella beskrivningen över maffians uppbyggnad internationellt och den svenska beskrivningen, utan detaljer. Samtidigt som tidningen går i tryck är vi med vid polisens tillslag. Där har vi artiklarna till dag två. Efter Kvällspressens avslöjande bla bla du vet. Dag tre kör vi reaktioner och kommentarer, både från svenskt och serbiskt håll. Officiellt så kommer ambassaden att välkomna upprensningen. Uppgifterna att ambassaden skulle vara delaktig i någon form av brottslig verksamhet ser man som illasinnad propaganda, plomberingarna är förfalskningar.

Han stirrade på henne.

– Hur har du kokat ihop det här?

Den unga kvinnan ryckte på axlarna.

– Du gör som du vill. Jag har skrivit artiklarna på min fritid och kräver inget betalt för dem. Polisen kommer att göra sina tillslag, med eller utan våra fotografer på plats utanför. Det är upp till dig att bestämma om tidningen ska vara på banan eller ej. Jag är ju sjukskriven.

Hon reste sig.

– Du vet var jag finns, sa hon.

– Vänta, sa han.

– Nej, sa hon. Jag är trött på dina halvkvädna visor. Jag vill inte harva på natten mer nu. Jag har köpt en dator och kan sitta hemma och skriva, frilansa, om jag inte platsar som reporter på den här tidningen. Du är ju för fan redaktionschef, du måste väl kunna fatta några egna beslut och stå för dem.

Hon drog igen dörren efter sig när hon gick.

Han stirrade efter henne, såg henne försvinna bort på redaktionen, talade inte med någon, hälsade inte. Hon var knepig, en ensamvarg, och hon menade allvar. Hon platsade som reporter, och han hade anställningsstopp. Det var korkat att låta henne gå. I förhållande till de andra reportrarna var hon dessutom jävligt lågavlönad.

Han tog telefonen och slog internnumret ner till vaktmästaren i entrén. Det var Tore Brand, hans vanliga fredagsflyt.

– Annika Bengtzon är på väg ner, sa han. Kan du fånga henne åt mig?

– Ser jag ut som en yrkesfiskare? fräste vaktmästaren.

– Det är viktigt, sa Schyman.

– Ni är så jävla viktiga allihopa däruppe...

Han satt med luren i handen, tankarna rullade runt i skallen. Juggehistorien var tveksam, men jävligt bra. Samordningen med polisen var kontroversiell, men det snabbaste och säkraste sättet att kontrollera historiens sanningshalt. Tillvägagångssättet skulle förmodligen leda till någon form av debatt, men det var ju bara bonus. Han satt gärna på Publicistklubben och försvarade tidningen och tryckfriheten. Det var dags att ta plats i offentligheten.

Bära eller brista, tänkte Anders Schyman.

– Bengtzon! Du har telefon här!

Det skrapade och rasslade när Tore Brand fick ut luren genom glasluckan.

– Vad? frågade Annika.

– Du är reporter från och med 1 januari, sa Anders Schyman. Du får välja mellan trettonreportaget, natten, krim eller dittådatt.

Sånär som på Tore Brands muttrande var det alldeles tyst i andra änden.

– Hallå? sa Schyman.

– Krim, sa Annika. Jag vill jobba på kriminalredaktionen.

De har ställt mig till svars.

De har hunnit i kapp. Tillsammans formulerar de mitt åtal, min dom, mitt straff.

Våldet, skulden och skammen. Mina tre vapendragare, mitt bränsle, mina ledstjärnor.

Välkomna!

Våldet, du som gjorde entré först, du som formade mitt öde, jag tog dig till mitt hjärta, gjorde dig till min.

Vårdagen, det regnade hela förmiddagen, grått, vått, på eftermiddagen höll det upp, en sned sol över staden.

Jag sprang för att handla på torget, rotsakerna och grönsakerna eländiga, jag valde länge.

Jag såg männen mellan husen, svarta kläder, svarta baskrar.

Jag visste inte att det var du som kom. Kände inte våldets ansikte.

Jag stod framför Stojiljkovics café när mannen som var Ratko släpade ut min far ur bageriet. Jag såg när han satte pistolen till min fars tinning och tryckte av. Jag såg Papi rasa ihop på gatan, jag hörde min mors skrik. En annan man i svart, han sköt min mamma i bröstet. Min svägerska, min brors hustru Mariam, hon var bara ett år äldre än jag, de sköt henne i magen, gång på gång, hon var gravid.

Sedan tog de ut Petar, min lille bror, mitt solskenshjärta, bara nio år. Han skrek, åh så han skrek, och så fick han syn på mig framför Stojiljkovics café, han ryckte sig loss, han sprang och han skrek, Aida, Aida, hjälp mig Aida, hans utsträckta händer, hans bottenlösa skräck.

Och jag gömde mig.

Jag kröp ner bakom planket vid Stojiljkovics café, såg mellan springorna hur Ratko höjde sitt vapen, såg honom sikta och skjuta.

Min Petar, min lille bror, hur ska jag någonsin få absolution?

Du låg i leran på gatan och ropade mitt namn, Aida, Aida, hjälp mig min Aida, och jag tordes inte gå fram, jag vågade inte, jag grät bakom planket vid Stojiljkovics café och såg Ratko gå fram, såg dig vända ditt ansikte mot honom, jag såg mannen sikta och skjuta.

Förlåt, Petar, förlåt.

Du skulle inte ha behövt dö ensam.

Förlåt mitt svek, välkommen skuld, välkommen skam.

Det var er tur att ta över.

Och jag brukade våldet för att hålla er stången.

Skulden botade jag med död, rätt sorts död, serbers död. Det hjälpte inte. Med varje död föddes mera skuld, mera hat, skammen hos någon annan som svek.

Hos mig var skammen beständig, den bodde i varje andetag, varje ögonblick i mitt liv, för skammen var att jag levde.

Så fick jag höra att Ratko, ledaren för de svarta Pantrarna, fanns i Sverige. När jag blev sårad var det dags.

Jag behövde vara stark för att bruka våldet mot dess upphovsman, han som planterade det i mitt bröst. Jag tog mig in i hans krets, låg med hans män, låg med honom själv, men döden var inte nog, han skulle få känna på skulden och skammen också och jag saboterade hans verk, jag krossade hans liv.

Jag tycker synd om de unga männen från Kosovo, de stackars idioter jag lurade att följa med. De skulle bara köra iväg med trailern, allt annat ordnade jag, och så stal de fel bil. Trailern med cigaretter står fortfarande kvar i Stockholms frihamn, så ironiskt.

Men våldet svek mig, vägrade lyda.

Det började med stormen, ohygglig, rev och slet i byggnader och människor.

Jag fick ta det oändligt försiktigt, klättrade upp på taket, fick upp min väska.

Kolven och mekanismen låg i en del. Pipa, kikarsikte, flamdämpare och slutstycke i den andra. Tog upp kolven och skruvade fast pipan. Monterade ett underbeslag och fäste kikarsiktet med ett hakmontage. Skruvade till sist fast flamdämparen på pipan. På det korta avståndet krävdes inga stativ.

Lade vänstra handen som stöd mot taknocken, lutade geväret i handen, en Remington sniper med plastkolv.

De kom i trupp, tre stycken, svarta i det gula ljuset, Ratko något bakom de andra, kämpade mot vinden från havet.

Jag tog den första i huvudet, ingångshålet ganska högt upp ena sidan. En sekund för mantelrörelsen, den andre föll. En sekund till och Ratko var borta, uppslukad av stormen.

Jag hasade nedför taket, vapnet snabbt nedtryckt i väskan, rusade ner för att inte hamna i en fälla.

Men våldet svek mig. Jag fick fly. Kraften försvann i sjukdomen.

När jag bidat min tid, kommit på benen, tog jag kontakt. Stämde träff.

Visste att han skulle komma.

Men våldet var inte med mig.

Torget var fullt av människor, min plats för fri sikt uppe på Kulturhusets tak var obrukbar.

Jag fick ta honom på marken i stället.

När han satte pipan i min nacke visste jag att jag hade vunnit, oavsett vad som hände.

– Nog nu, viskade han. Du har förlorat.

Han hade fel. Han väste något annat, patetiskt.

– Bijelina, viskade han sedan, minns du Bijelina?

Jag ryckte mig loss, fick fram min pistol, en barnvagn var i vägen, han slog mig så jag tappade mitt vapen, det rann iväg längs stenbeläggningen, jag såg min chans försvinna, den hårda kylan i nacken.

Uttalade min dom, våldet skulden skammens arvedel.

– Du kan aldrig vinna, viskade jag. Jag har förstört ditt liv.

Såg honom i kanten av mitt synfält.

Log.

Åtal, dom, straff.

Absolution.

Epilog

SNÖN HADE BÖRJAT FALLA IGEN, stora mjuka flingor som långsamt dalade mot asfalten. Annika gick ner mot Rålambshovsvägen, lugn, tung, hon hade ätit hela dagen. Det drog och slet i korsryggen, hon mådde lite illa, det var barnet, pojken, den ljuslockige. Gick ner till taxistolpen utanför korvmacken, hoppade in i baksätet och bad chauffören köra till Vaxholm.

– Det är ohyggliga köer, sa han.

– Spelar ingen roll, sa Annika. Jag har all tid i världen.

Det tog fyrtio minuter att komma ut ur staden. Annika satt i det varma baksätet, bilradion spelade gamla Madonnahits på låg volym, de julskyltade butiksfönstren gled förbi, exalterade barn pekade ivrigt på mekaniska tomtar och leksaker i plast. Hon försökte kika upp mot himlen, den syntes inte bakom snön och drivorna av kulörta lyktor.

Jag undrar om de firar någon sorts jul på andra planeter.

Ute på motorvägen glesnade trafiken, väg 274 ut mot kusten var nästan öde. Fälten låg vita, lyste upp den mörka eftermiddagen, träden hade fått tunga klänningar, böjde sina grenar mot marken.

– Var ska jag släppa av dig?

– Östra Ekuddsgatan, sa hon. Jag vill att du kör förbi först, jag ska se om de är hemma.

Hon visade var han skulle svänga av. När taxin gled upp i den branta högersvängen slog nervositeten till. Hon blev torr i munnen och svettig i handflatorna, hjärtat började banka. Sträckte på halsen för att se, vilket hus var det?

Där. Hon såg det. Mexitegel, hans gröna Toyota utanför. Det lyste därinne, någon var hemma.

– Ska vi stanna här eller? undrade chauffören.

– Nej! sa hon. Kör!

Kastade sig bakåt mot ryggstödet, tittade bort medan de gled förbi, osynlig.

Gatan slutade, de kom ut på stora vägen igen.

– Nu då? sa chauffören. Ska vi åka tillbaka till Stockholm?

Annika blundade, höll händerna knutna under näsan, pulsen dånade, hon var alldeles andfådd.

– Nej, sa hon. Kör ett varv till.

Taxichauffören suckade, kastade en blick på taxametern. Det var inte hans pengar.

De åkte varvet runt igen, Annika studerade villan när de gled förbi, vilket fult hus. Havstomt, visserligen, men platt, sextital.

– Stanna bakom nästa krök, sa hon.

Det blev dyrt, hon betalade med ett kreditkort. Blev sedan stående och såg bilen glida iväg i mörkret och snöfallet, bromslyktorna som tändes, blinkersen som visade vägen tillbaka till staden. Hon drog ett djupt andetag för att få ordning på andning och hjärta, det gick inte. Stack händerna, plaskvåta av nervositet, djupt i fickorna. Gick långsamt tillbaka mot huset, Thomas och hans hustrus villa, Östra Ekuddsgatan, gräddhyllan.

Ytterdörren var brun och väloljad, på bägge sidor fanns

blyinfattade, kulörta ljusinsläpp. En knapp med namnskylt, Samuelsson.

Hon blundade, kunde nästan inte andas, plötsligt gråtfärdig.

En fjollig liten melodi plingade därinne.

Inget hände.

Hon ringde igen, plingelingeling.

Så öppnade han, håret på ända, skjortan uppknäppt, i strumplästen, en penna i munnen.

Hon tvingade ner luft i lungorna, tårarna trängde på.

– Hej, viskade hon.

Thomas stirrade på henne, alldeles blek, tog pennan ur munnen.

– Jag är inget spöke, sa hon, tårarna svämmade över.

Han tog ett steg bakåt, höll upp dörren.

– Kom in, sa han.

Hon steg in i hallen, märkte plötsligt att hon frös.

Han stängde igen dörren, harklade sig.

– Vad är det? frågade han försiktigt. Vad är det som har hänt?

– Förlåt, sa hon grötigt. Förlåt, det var inte meningen att börja tjuta.

Sneglade upp på honom, fan också, hon blev så ful när hon lipade.

– Behöver du hjälp? frågade han.

Annika svalde.

– Är hon... hemma?

– Eleonor? Nej, hon är kvar på banken.

Annika drog av sig jackan, sparkade av sig skorna. Thomas försvann in till höger, hon blev stående i hallen, såg sig omkring. Möbler från R.O.O.M, en del arvegods, fula tavlor. En trappa ner till undervåningen.

– Får jag komma in?

Hon väntade inte på svar, gick efter honom in i köket. Thomas stod vid diskbänken, höll på att hälla upp kaffe.

– Vill du ha? frågade han.

Hon nickade, satte sig.

– Jobbar du inte?

Han satte fram två muggar på köksbordet.

– Jodå, sa han, men jag har suttit hemma idag. Jag har fått ett utredningsuppdrag åt Kommunförbundet, jag kommer att jobba en del hemma och en del inne i stan.

Annika gömde händerna under bordsskivan, försökte tvinga dem att sluta darra.

– Har det hänt något? frågade han, satte sig, såg på henne.

Hon såg in i hans ögon, andades, kunde inte förutse hur han skulle reagera, hade inte en aning.

– Jag är med barn, sa hon.

Han blinkade till, såg likadan ut som innan.

– Vad? sa han.

Hon harklade sig, knöt nävarna under bordsskivan, släppte inte hans blick.

– Det är du som är pappan. Det finns ingen som helst tvekan om den saken. Jag har inte varit med någon annan sedan... Sven dog.

Hon såg ner i bordet, kände hans blick.

– Med barn? sa han. Med mig?

Hon nickade, tårarna började bränna igen.

– Jag vill ha det här barnet, sa hon.

I samma stund öppnades ytterdörren, hon kände hur Thomas stelnade, hennes egen puls skenade.

– Hallå? Älskling?

Eleonor skrapade av fötterna, borstade av kappan, stängde dörren bakom sig.

– Thomas?

Annika såg på Thomas, han stirrade tillbaka, vit i ansiktet, mållös.

– I köket, sa han och reste sig, gick ut i hallen.

– Vilket väder, sa Eleonor, Annika hörde hur hon pussade sin man på kinden. Har du börjat med middagen?

Han mumlade något, Annika stirrade ut genom fönstret, förlamad. I fönstret såg hon Eleonor komma in i köket och tvärstanna.

– Det här är Annika Bengtzon, sa Thomas darrigt, journalisten som skrev artiklarna om stiftelsen Paradiset.

Annika drog ett djupt andetag, tittade upp på Eleonor. Thomas hustru, mossgrön dräkt utan slag, smal guldkedja runt halsen.

– Så trevligt, sa hustrun, log och sträckte fram handen. Du vet väl att din artikel innebar ett riktigt karriärsprång för Thomas?

Annika hälsade, hennes hand iskall och våt, munnen kruttorr.

– Jag och Thomas ska ha barn, sa hon.

Kvinnan fortsatte att le, det gick flera sekunder. Thomas vitnade bakom sin hustrus rygg, satte händerna för ansiktet och sjönk ihop.

– Va? sa Eleonor, fortfarande leende.

Annika släppte kvinnans hand, såg ner i bordet.

– Jag är gravid. Vi ska ha barn.

Eleonor slutade le, vände sig om, stirrade på Thomas.

– Vad är det här för skämt? sa hon.

Thomas svarade inte, strök håret bakåt, blundade.

– Någon av de sista dagarna i juli nästa år, sa Annika. Jag tror det är en pojke.

Eleonor snurrade runt, stirrade på Annika, all färg försvann från kvinnans ansikte, ögonvitorna smalnade, färgades röda.

– Vad har du gjort? väste Eleonor, Annika reste sig upp och backade, Eleonor vred sig mot Thomas igen.

– Vad har du gjort? Har du legat med den *där*?

Hustrun gick fram till Thomas, han flyttade sig inte, stirrade ner i golvet.

– Fy fan! sa kvinnan kvävt. Dra hem sjukdomar och all möjlig skit, hem till *mig*.

Thomas såg upp i hustruns ögon.

– Eleonor, jag… det blev så.

– Det *blev så*? Hur kunde det bli så, Thomas? Vad tänker du med?

Han strök sig över pannan, Annika kände hjärnan tryckas ihop, nu dör jag, höll i sig i köksbordet för att inte ramla ihop.

– Fattar inte du vad det här innebär? sa Eleonor och försökte samla sig. Arton år får du betala, hela den här ungens uppväxt kommer du att vara ekonomiskt ansvarig. Var det värt det? Va?

Thomas stirrade på sin hustru som om han inte kände henne.

– Du är alldeles osannolik, sa han.

Eleonor försökte skratta.

– Jag? sa hon. Är det jag som gjort fel här? Du har varit otrogen och kommer dragande med en oäkta unge. Tror du att jag bara ska acceptera det?

Annika kunde plötsligt inte andas längre, det fanns ingen luft i det här huset, hon måste ut, bort, hem, tvingade till sig rörelseförmågan, gick runt bordet, bort mot hallen och ytterdörren, knäna darrade. Eleonor såg hennes rörelse i ögonvrån, vände sig mot henne, förbittringen ristad i ansiktet.

– Ut ur mitt hus! skrek hon.

Annika stannade, lät hatet träffa henne, fångade Thomas ögon, höll dem kvar.

– Kommer du med? sa hon, Thomas stirrade på henne.

– Försvinn, ditt *luder*!

Kvinnan tog ett hotfullt steg fram emot henne, Annika stod kvar.

– Thomas, sa Annika, kom med mig nu.

Thomas rörde sig, gick mot hallen, tog sin rock, Annikas jacka.

– Vad gör du? sa Eleonor förvirrat. Vad håller du på med?

Han gick fram till sin hustru, krängde på sig rocken, drog på sig skorna.

– Vi måste reda ut det här, sa Thomas. Jag ringer dig.

Hustrun flämtade, grep tag i hans rockslag.

– Om du går, sa hon, om du går ut genom den där dörren så är du aldrig välkommen tillbaka.

Thomas suckade.

– Eleonor, sa han, var inte så...

– *Svikare!* skrek hon. Om du går nu får du aldrig komma tillbaka. *Aldrig!*

Annika stod vid ytterdörren, handen på handtaget, såg mannens ryggtavla, hans hår som hängde ner över kragen, det blanka starka. Såg hans händer lyftas, ta tag i hustruns händer.

Åh nej, han stannar, bandet är för starkt, han kan inte bryta det.

– Jag hör av mig, sa han.

Thomas vände sig om, blicken i golvet, läpparna sammanpressade.

Så såg han upp på Annika, ögonen klara och öppna.

– Kom så går vi, sa han.

Meddelande från Tidningarnas Telegrambyrå
datum: 13 mars
avdelning: inrikes

Anklagade bedragerskan talar ut inför domen

STOCKHOLM (TT) Den 31-åriga kvinnan bakom stiftelsen Paradiset väljer nu för första gången att tala.

På måndag faller domen i den uppmärksammade rättegång där hon bland annat åtalats för stämpling till mord.

– Rättegången var en häxprocess, säger hon.

– Tidningen Kvällspressen har krossat hela min tillvaro.

Det var i december i fjol som Kvällspressen publicerade en rad artiklar kring stiftelsen Paradiset och dess verksamhet. Paradisets föreståndare, den 31-åriga kvinnan, anklagades i tidningen bland annat för bedrägeriförsök, olaga hot, misshandel och stämpling till mord.

– Jag fick aldrig en chans att försvara mig, säger kvinnan till tt. Jag hann inte samla mig innan tidningen gick i tryck. Alltsammans bygger på missförstånd. Jag kunde ha förklarat alltihop.

Tidningen hade talat med flera kvinnor som sade sig vara lurade av dig?

– Man måste minnas att detta är människor som är oerhört trasiga. De vet inte alltid sitt eget bästa. Vi var på god väg att hjälpa en av de här familjerna när de valde att rymma från oss.

Även flera kommuner ansåg att de blivit utsatta för bedrägeriförsök?

– Vår verksamhet var alldeles ny. Den fungerade fortfarande inte friktionsfritt, det är sant. Men den gick ut på att skydda människor. Den var ingen offentlig vårdinrättning. Hela syftet med vårt arbete var att myndigheterna inte skulle ha för stor insyn. Det kunde en del socialförvaltningar inte tåla.

Du är åtalad för trolöshet mot huvudman, bokföringsbrott, grovt skattebedrägeri, grovt skattebrott samt försvårande av skattekontroll.

– Jag har försökt driva företag i det här landet, skapa arbetstillfällen. Ibland har jag arbetat tillsammans med människor som svikit, som lurat mig. Men jag har aldrig någonsin försökt lura någon på pengar, varken staten, kommunen eller någon enskild fordringsägare. Jag haft problem med min ekonomi, det är sant, men de flesta av mina skulder är avskrivna.

Åklagaren anser att du beställt mordet på Aida Begovic på Sergels torg i november i fjol.

– Detta är det värsta, säger kvinnan och har svårt att hålla rösten stadig. Jag förstår inte varför någon kan vara så grym att de anklagar mig för något sådant. Jag gjorde allt för Aida, men hon var alldeles för krigsskadad för att kunna få hjälp.

Du anklagas också för medhjälp till misshandel och olaga frihetsberövande på socialkamreren Thomas Samuelsson?

– Det var han som betedde sig kriminellt. Han trängde sig in i stiftelsens fastighet och hotade oss. Jag och min bror försvarade oss bara, men vi var för hårdhänta, och det beklagar jag.

Känner du dig nervös inför domen?

– Egentligen inte, jag litar på rättvisan. Men jag känner mig kränkt. Missförstådd. Tillintetgjord. Jag arbetade i tre år med att utforma och bygga upp Paradisets verksamhet, det var därför min ekonomi var så dålig. Men jag satsade allt, och mitt syfte var enbart att hjälpa andra människor. Det samhälle som försatt mig i den här situationen är inte värt att kalla sig civiliserat.

(nnnn)

copyright: Tidningarnas Telegrambyrå

Telegram från Associated Press
datum: 18 april
avd: nyheter

Krigsförbrytare startar privat armé

Sydafrika (AP) Den serbiske krigsförbrytaren Ratko, misstänkt för massakrerna i Vokuvar och Bijelina i början av Bosnienkriget, har startat en privat yrkesarmé i södra Afrika. Det uppger källor i Kapstaden idag.

Armén opererar över hela mellersta och södra Afrika på uppdrag av både regeringar och internationella företagsgrupper.

Ratko uppges ha byggt upp sin armé med pengar från den serbiska cigarettsmugglingen till Skandinavien samt med lånade medel från den ryska maffian.

(nnnn)

copyright: Associated Press

London 4 juli

Hej Annika,

hoppas Du har haft en riktigt Glad Midsommar!

Jag och min familj firade helgen på traditionellt sätt i torpet vi fick hyra när vi lämnade Paradiset. Allt är bra med oss.

Jag skickar några rader till Dig från Gatwicks flygplats utanför London. Vi har några timmar att slå ihjäl innan vi ska flyga vidare.

Allt är klart med uppehållstillstånd i vårt nya land. Detta är vår sista mellanlandning. Det känns svårt att lämna Sverige, men det kommer att bli mycket bättre där borta, framför allt för barnen.

Vänliga hälsningar

Mia Eriksson

avd: inrikes
författare: Sjölander
datum: 10 augusti
sid: 1 av 2

Ryssarna tar över

Friden varade inte länge.
Brottsligheten är uppe på samma nivå som innan polisens razzior mot jugoslaviska maffian.
– Det är ryssarna som tagit över, säger en poliskälla till Kvällspressen.

På luciadagen i fjol avslöjade Kvällspressen hela den jugoslaviska maffians uppbyggnad i Sverige. Artiklarna ledde till den största samordnade polisrazzian mot den organiserade brottsligheten någonsin. Över 35 hus, bilar, båtar och trailers genomsöktes eller beslagtogs under razziorna som pågick under ett helt dygn. Mängder av vapen, knark, smuggelsprit och cigaretter beslagtogs. Ett femtiotal illegala invandrare har redan utvisats.

Förhören med de misstänkta har pågått under hela sommaren, men fortfarande har utredarna mycket att göra innan det kan bli något åtal.

– Utredningen är utomordentligt tungrodd, alla misstänkta nekar till precis allt, säger en poliskälla.

– Vi kan inte börja åtala innan vi har fått en helhetsbild av verksamheten.

Ryssar tar över

Den avmattning i brottsstatistiken som kunde noteras just efter razzian har nu försvunnit, konstaterar polisen.

– Vår slutsats är att tomrummet efter jugoslaverna har fyllts snabbare än vi trott, säger polisen.

– Den ryska maffian har helt enkelt flyttat in och tagit över.

Så alla gripanden var egentligen förgäves?

– Så kan man aldrig se det. Varje brottsling som döms är en seger för rättssamhället.

(forts sid 2)

Bundsförvanten, nr 9, 21 september
intern tidning
Svenska Kommunförbundet

sid 13

Nyrekryteringar:

Thomas Samuelsson, projektledare för det nyligen avslutade utredningsarbetet kring kvalitetssäkringen av socialbidragen, har anställts som utredare på förhandlingsdelegationen.

Thomas Samuelsson har tidigare arbetat sju år som socialkamrer i Vaxholm. Han bor på Kungsholmen i Stockholm tillsammans med sin fästmö och nyfödde son.

Författarens tack

DETTA ÄR FIKTION. Samtliga romanfigurer är helt och hållet sprungna ur författarens fantasi, med ett undantag: Maria Eriksson. Mia existerar, hennes levnadsöde finns beskrivet i dokumentärromanen Gömda. Mia har läst och godkänt sin medverkan i denna fiktiva berättelse.

I övrigt är alla eventuella likheter med verkliga personer en ren tillfällighet. Inte heller tidningen Kvällspressen eller stiftelsen Paradiset existerar. Bägge har inspirerats av en rad befintliga organisationer, men är i denna roman helt och hållet en produkt av författarens fantasi.

Beskrivningen av den serbiska kriminaliteten, både i det sönderfallande Jugoslavien och i Sverige, är också författarens egna påhitt och slutsatser.

Uppgifterna kring andra kriminella grupperingar och deras verksamhetsområden bygger på tidigare publicerade fakta, framför allt i tidningen Aftonbladet.

Vid några tillfällen har jag, med författarens frihet, ändrat detaljer, planlösningar och vägar på befintliga platser och byggnader.

Jag vill tacka alla de personer som ställt upp och svarat på mina ibland ganska märkliga frågor. De är:

Johanne Hildebrandt, krigskorrespondent, tv-producent och min goda vän, för hennes stora praktiska och teoretiska expertkunskap kring kriget och situationen på Balkan.

Shqiptar Oseku, talesman för Kosovos informationskontor i Skandinavien, för insikter och kunskap kring olika baltiska gruppers verksamhet.

Peter Rönnerfalk, läkare och medicinsk rådgivare, för sakkunskap i medicinska frågor.

Ann-Sofie Mårtensson, informationschef på Stockholms hamnar, för information och förevisning av Frihamnen i Stockholm och alla dess funktioner, byggnader, historia, lokaler och verksamhet.

Rolf Holmgren, tullinspektör vid gränsskyddsenheten i Stockholm, för information om tullens rutiner gällande godstransporter samt sakkunnig upplysning och förevisning kring cigarettsmugglarnas påhitt och hur dessa avslöjas.

Hasse Ek, bankdirektör, och Petra Nordin, bankkvinna, för all deras kunskap och tid.

Jonas Gummesson, inrikeschef på TV4:s nyhetsredaktion, för hjälp med fakta kring socialdemokratisk inrikespolitik.

Lotta Snickare, chefsutvecklare på Föreningssparbanken, för kunskaper både kring bankväsende samt kommunal verksamhet och förvaltning.

Thomas Snickare, projektledare på Telia, för hans insikt i en socialnämnds inre arbete.

Pär Westin, regionchef på Stockholms kyrkogårdsförvaltning, samt hans personal, för detaljer kring begravningsceremonier och gravsättningar.

Birgitta Elvås, för hennes råd kring kommunal förvaltning och administration.

Catarina Nitz, reporter på Katrineholms-Kuriren, för sörmländska detaljer.

Linus Feldt på Bajoum interaktiv AB, geniförklarad och prisbelönt dataprogrammerare som ständigt räddar mig från digitala sammanbrott.

Jan Guillou, författare och journalist, som hjälpt mig med detaljer kring vapen, ammunition och dess effekter på människokroppen.

Kaj och Maria Hällström för fler sörmländska detaljer.

Ann-Marie Skarp, Jessica Örner och Elisabeth Bredberg, mina vänner och kollegor på Pirat.

Karin Kihlberg som får allting att fungera.

Sigge Sigfridsson, min fenomenale förläggare som gjort alltsammans möjligt.

Och, till sist och framför allt, min geniala redaktör: dramatikern Tove Alsterdal.

Tack allesammans.

Alla eventuella felaktigheter är i slutändan alltid mina egna.